STEPHAN ORTH

Opas Eisberg

Auf Spurensuche
durch Grönland

Mit 41 Farbabbildungen,
10 Schwarz-Weiß-Fotos, 16 Faksimiles
und 2 Karten

MALIK

Mehr über unsere Autoren und Bücher:
www.malik.de

Die Rechtschreibung der im vorliegenden Buch zitierten historischen Tagebuchaufzeichnungen, Briefe und Zeitungsartikel wurde
originalgetreu beibehalten.

MIX
Papier aus verantwor-
tungsvollen Quellen
FSC   FSC® C006701
www.fsc.org

ISBN 978-3-89029-432-2
© Piper Verlag GmbH, München 2013
In Kooperation mit SPIEGEL ONLINE, Hamburg 2013
Fotos: Stephan Orth/Familie Orth (Abbildungen im Fließtext, Tafeln
1 – 9, 10, 11 o., 12 u., 14, 15, 16 u., 17, 18, 19, 20 u., 21, 22, 23, 24), Jürgen
Hohmuth (Tafel 11 u., 12 o., 13. u.), ETH-Bibliothek Zürich/Bildarchiv
(Tafel 13 o., 16 o., 20 o.)
Karten: Eckehard Radehose (Vor-/Nachsatz rechts), Alfred de Quer-
vain (Vor-/Nachsatz links, aus dem Band *Quer durchs Grönlandeis*, Ernst
Reinhardt, München 1914)
Satz: Kösel, Krugzell
Gesetzt aus der Syntax und Quadraat
Druck und Bindung: CPI – Ebner & Spiegel, Ulm
Printed in Germany

Grönland gehört zu jenen Ländern, die Heimweh machen. Wir können beim Abschied nicht denken, dass wir das alles nie mehr sehen sollen.

Alfred de Quervain,
Leiter der Schweizerischen Grönlandexpedition, 1912

Personen:

Schweizerische Grönlandexpedition, April bis September 1912

Alfred de Quervain (Expeditionsleiter), Geophysiker
Hans Hoessly, Arzt
Karl Gaule, Ingenieur
Roderich Fick, Architekt

Reise an die Ostküste Grönlands, August 2011

Patrick Schoengruber, Reiseleiter
Friederike Orth, Musikerin, einzige Tochter von Roderich Fick
Christian Orth, Althistoriker, Enkel von Roderich Fick
Stephan Orth, Journalist, Enkel von Roderich Fick
Wolfgang Orth, pensionierter Althistoriker, verheiratet mit Friederike Orth
Ulrich Orth, pensionierter Arzt, sein Bruder
Traudl Orth, Lehrerin, seine Schwester
Eckhart Arnold, Philosophie-Dozent
Melanie Rossi, Lehrerin

Jubiläums-Expedition Grönland, August/September 2012

Wilfried Korth (Expeditionsleiter), Professor für Vermessungskunde
Gregor Rückamp, Geologe
Jan von Szada, Feinmechaniker
Stephan Orth, Journalist

März 2004
Herrsching am Ammersee

Mein Opa starb 24 Jahre vor meiner Geburt. Persönlich begegnet bin ich ihm nur ein Mal, kurz nach dem Tod meiner Oma. Sie sollte zu ihm in sein Grab auf dem Herrschinger Friedhof gelegt werden. Doch als das Grab geöffnet wurde, fand der Totengräber weder Sargspuren noch Knochenreste: Opas sterbliche Überreste hatten seit Jahrzehnten in einer Urne gelegen, die in dem kastanienbraunen Renaissanceschrank in seinem früheren Arbeitszimmer neben Tagebüchern und Fotoalben stand, im ersten Stock der Alten Mühle am See. Umgeben von riesigen Bücherregalen und einem Werkzeugtisch.

»Roderich Fick – 16. August 1886 – 13. Juli 1955« stand auf dem schwarzen vasenartigen Gefäß, das meine Mutter 49 Jahre nach dem Tod ihres Vaters aus dem Schrank holte. Als sie die Urne bewegte, schien darin nicht nur sandweiche Asche zu sein, sondern auch etwas Festes, Größeres. *Plock.* Ein unangenehmes Scheppern war zu hören, wenn der Gegenstand gegen die Metallwand schlug, so wie der Klang einer großen Münze, die in eine Spendenbox aus Blech fällt. Außen klebten noch Erdreste. Jemand musste die Urne ausgegraben haben, damit Opa seine letzte Ruhe in seinem Lieblingsschrank finden konnte. Legal war das nicht, in Deutschland herrscht Friedhofszwang. »Das kommt gar nicht so selten vor«, versicherte der freundliche Pfarrer, den meine Mutter später verlegen fragte, ob es möglich sei, eine fast 50 Jahre alte Urne ein zweites Mal zu begraben.

Plock. Das einzige Geräusch, das ich je von meinem Opa gehört habe. Ich weiß nicht, wie seine Stimme geklungen hat. Wie er sich bewegte. Wie er gerochen hat.

Mein anderer Opa starb, als ich zwei war. Beim Abtrocknen in der Küche kippte er plötzlich um, Herzversagen. Ich erinnere mich an genau zwei Erlebnisse mit ihm: wie er mich in einer Schubkarre durch den Garten fährt und wie er im Familienurlaub auf Texel immer wieder versucht, mich davon abzuhalten, den halben Sandstrand zu verspeisen. Genau genommen erinnere ich mich nicht wirklich, es wurde mir nur so oft davon erzählt, dass es mir wie eine eigene Erinnerung vorkommt.

Ich weiß also nicht, wie das ist, einen Großvater zu haben. Klar, ich kenne Fotos von Roderich. Spitze Nase, scharfer Greifvogelblick. Auffällig ist, dass er auf Bildern fast nie lächelte. War er ein sympathischer Mensch? Seine Totenmaske aus Gips lag immer im Studierzimmer neben einer roten Kerze, die Tag und Nacht brannte, die geschlossenen Lider zur bröckelnden Decke gerichtet. Vorstehende Wangenknochen, sauber über dem linken Ohr gescheitelte Haare, schmale Lippen. Neben der Maske Abdrücke seiner Hände mit sehr feinen, langen Fingern, die Mittelhandknochen zeichneten sich deutlich ab, die Daumen im gleichen Winkel nach hinten gebogen wie meine. Mehr Künstler- als Handwerkerhände.

Und natürlich kannte ich die »Grönland-Diele« im Untergeschoss. Vom Garten her roch es hier immer nach einer Mischung aus nassem Holz und frischem Laub, an der Wand standen riesige Planschränke mit handgeschriebenen Etiketten. »Ernst-Sachs-Bad Schweinfurt«, »Wettbewerb Deutsches Museum Bibliothek«, »Donaubrücke Regensburg«. Darüber hingen Kajakpaddel, Inuitwaffen und Speere mit Karabinerhaken aus Walrosselfenbein, Prachtstücke für jedes Völkerkundemuseum. Außerdem ein einzelner Kinderschuh aus Seehundleder, seltsam plattfüßig geformt. Wenn ich als Achtjähriger daran vorbeilief, auf dem Weg in den Garten zum Fußballspielen, fragte ich mich jedes Mal, was das für Füße sein müssen, die in solche Schuhe passen.

Ich habe mich nie sonderlich für den Mann interessiert, dem all diese Dinge einmal gehört haben. Ahnenforschung beschäftigt die Menschen normalerweise in einem Alter, in dem sie selbst schon kurz davor sind, nur noch als Name und Datum in irgendwelchen Stammbäumen zu existieren.

Ahnenforschung hat nichts mit der Welt der Lebenden zu tun, dachte ich immer, sondern mit Archiven, Listen, unleserlichen Briefen und Staub.

Und mit Geschichtshalden wie dem alten Renaissanceschrank in der Mühle in Herrsching. Fein geschnitzte Holzvertäfelungen; ein massiver Eisenschlüssel, so schwer wie ein Briefbeschwerer; breite Türen, die beim Öffnen ächzen, als würden sie nur widerwillig die verborgenen Geheimnisse der Innenfächer preisgeben. In jeder Familie gibt es einen vergleichbaren Ort. Ein paar Regalfächer auf dem Speicher oder eine verstaubte Kommode, in der Erinnerungen aufbewahrt werden: Tagebücher, Ohrringe, Münzsammlungen, Kriegsabzeichen. Persönliche Kleinigkeiten der Vorfahren, zu schade zum Wegwerfen, aber zu alltäglich für eine genauere Betrachtung.

Wie das unscheinbare Büchlein im tarnfarbengrauen Leineneinband, das jahrzehntelang direkt neben der Urne gelegen hatte, direkt neben Opa. Keiner in meiner Familie hatte sich je dafür interessiert. Leicht schimmliger Papiergeruch, obendrauf ein unkenntliches rotes Siegel und ein dunkler Fett- oder Wasserfleck. »Grönland 1912/13« steht, mit schwarzer Tusche geschrieben, über der ersten von 208 leicht vergilbten Seiten. 19,5 mal 13 Zentimeter groß, 2,2 Zentimeter dick, 390 Gramm schwer: Opas Expeditionstagebuch.

Natürlich hatte die Familie immer gewusst, dass es da liegt. Dass mein Großvater 1912 zu einer Forschungsreise nach Grönland aufgebrochen war. Ein lebensgefährliches Unterfangen, kaum weniger riskant als die Südpolfahrten von Robert Falcon Scott und Roald Amundsen kurz zuvor. Stoff für einen Abenteuerroman. Und gleichzeitig: der Opa halt. Wen interessiert schon das alte Zeug.

Als ich das Tagebuch das erste Mal aufschlug, fiel mir zunächst eine Illustration in der Innenseite des Umschlags auf. Opa hatte dort eine Zeichnung von Wilhelm Busch eingeklebt. Sie zeigt einen Raben, der auf einen Totenschädel kotet. Darunter steht: »Selbst mancher Weise besieht ein leeres Denkgehäuse mit Ernst und Bangen – Der Rabe ist ganz unbefangen.« Ob sich Opa bei seinem Aufbruch wünschte, ein bisschen wie dieser Vogel zu sein, dem der Tod keine Angst einjagt?

Ich blätterte weiter durch die alten Seiten. In einer Liste seiner Ausrüstung entdeckte ich die Bezeichnung »scheissende Rabenbüchli« und schlussfolgerte, dass er so seine Notizbücher genannt haben musste. Weiter hinten, auf Seite 137, fiel mein Blick auf eine Bleistiftzeichnung. Drei Männer, die einen vollbepackten Schlitten von einem etwa 40 Grad steilen Schneeabhang herablassen. Einer sitzt vorne und stemmt sich mit aller Kraft gegen den Schlitten. Ein anderer zerrt oben an dem Gefährt, der Dritte sichert es mit einem Seil, das er an einem Schneepickel fixiert hat. Die Männer haben keine Gesichter, ihre Köpfe sind konturlos wie Schatten.

Ein gesichtsloser Schatten. Das wäre Opa für mich wahrscheinlich trotz des Tagebuchfundes geblieben, hätte mein Vater nicht kurz darauf in einem Landkartengeschäft in München eine Entdeckung gemacht. Als Professor für Alte Geschichte interessiert

ihn die Vergangenheit mehr als mich. In dem Geschäft hatte eine Karte von Ostgrönland sein Interesse geweckt. Er betrachtete den kilometerbreiten Sermilik-Fjord mit seinen verästelten Buchten, das Örtchen Tasiilaq, im Westen die riesige Eisfläche, weißes Papier. Und Ficks Bjerg. Einen Berg, der nach meinem Opa benannt ist. Flankiert von Hoesslys Bjerg und Gaule Bjerg, den steinernen Denkmälern der beiden anderen Schattenmänner auf der Zeichnung im Tagebuch meines Opas.

Nachdem mir mein Vater von seinem Fund berichtet hatte, googelte ich den Namen des Berges, um ihn mir genauer anzuschauen. Doch die Bildersuche listete keine Fotos, nur ein paar Satellitenbilder, die kaum etwas erkennen ließen. Ein Berg, den nicht mal Google auf dem Schirm hat, dachte ich, muss verdammt abgelegen sein.

»Da müsste man eigentlich mal hin«, sagte mein Vater. Ich war mir nicht sicher, ob er das ernst meinte. Zum nächsten Weihnachten bekamen mein Bruder und ich ringgebundene Kopien von Opas Reisebericht geschenkt und das Buch »Quer durchs Grönlandeis«, das Alfred de Quervain, Opas Expeditionsleiter, 1914 veröffentlicht hatte. Es schien also an der Zeit zu sein, sich auf einen ungewöhnlichen Familienurlaub vorzubereiten. Ich schlug das fast 100 Jahre alte Tagebuch meines Großvaters auf und begann, in seinen Aufzeichnungen zu lesen.

Juni 1912
Grönland, Inlandeis, Tagebuch Roderich Fick

Wir waren bis zum Hals im Wasser, hielten uns an den Schlitten und fühlten keinen Grund. Die Schlitten sanken langsam mehr und mehr. Hü und mir gelang es schnell, uns auf die Schollen zu ziehen. Ich wollte Q. die Hand reichen, um ihm auch auf eine Eisscholle herauszuhelfen. Er verweigerte die Hilfe und zog sich an einem Schlitten selbst auch raus. Unsere Kleider waren in dem kalten Wind fast momentan zu Eispanzern gefrohren. . . .

Hü und ich beginnen, die Säcke von seinem Schlitten loszuschneiden. Hoessli nimmt die Sachen in Empfang und bringt sie auf festeres Eis in Sicherheit. Allmählig macht Q. auch mit. Doch oft brechen wir wieder durch und baden von neuem. Da sehe ich, dass mein Schlitten schon fast verschwunden ist. Er liegt auch am weitesten in der aufgebrochenen Gegend. Es schauen nur noch die grünen Schlittensäcke oben ein wenig raus. Da heisst es schnell machen, denn die Kochkiste ist auf meinem Schlitten. Ich nehme die Sondierstange aus Bambus mit und gelange auch mit einige Male durchbrechen an den Schlitten. Dort finde ich mit der Sondierstange in etwa 2 m Tiefe Grund. Ich knie, mich auf die Sondierstange stützend, auf Schneeschuhen, die über die Scholle und den Schlitten gelegt sind, im eisigen Wasser und schneide mit dem Messer unter Wasser die an den Schlitten gebundenen Säcke los. Auf einmal geht die Sondierstange ins Grundlose. Sie war bloss auf eine dünne Eisschicht gestützt, die durchbrach, und ich liege wieder ganz im Wasser. Es gelingt mir wieder, mit Hülfe der Schneeschuhe mich halb über Wasser zu halten. Der Schlitten ist jetzt zu tief drin zum losschneiden der Säcke. Da muss ich die letzten Pemikan 25-Pfund-Büchsen einzeln oben aus den Säcken holen und auf das festere Eis schmeissen, wo sie Hoessli in Empfang nimmt. Endlich soweit fertig, dass der Schlitten am Seil rauszuziehen ist nach 3 kalten Stunden. Ich bemerke erst jetzt, dass ich mir unter Wasser mehrmals beim Losschneiden der Säcke in die gefühllosen Finger geschnitten habe und stark blute; mein linker Daumen ist schon unbeweglich und weiss. Durch Massieren und Reiben auf dem blossen Bauch gelingt es noch mit der Zeit, das Blut wieder in Umlauf zu bringen. Das Gefühl kehrt in Form von heftigem Schmerz zurück.

Jetzt aber schnell das Zelt aufschlagen und in die Schlafsäcke. Die andern ziehen sich ganz um und neue Unterkleider an. Ich will sie noch sparen und begnüge mich damit, die Eispanzer auszuziehen, um die Unterkleider im Schlafsack auf dem Leib zu trocknen. es ist nicht grad behaglich, aber schlafen kann ich doch. Das war ein Abenteuer, das die Reise ja nur verschönert, da es gut abgelaufen ist.

Januar 2011
Hamburg

Ein Abenteuer, das die Reise nur verschönert, da es gut abgelaufen ist?! Es gefällt mir gar nicht, wie leichtfertig mein Opa nicht nur mit den Regeln der Orthografie, sondern auch mit seinem Leben umgeht – und damit auch mit meinem. Wenn er da draußen in einem arktischen Eissee erfriert, bringt er nicht nur sich um, sondern verhindert auch meine Existenz. Was für ein Egoist.

Andererseits kann ich wohl kaum einen Tagebucheintrag von ihm erwarten, der von der Zukunft handelt: »Wenn ich hier sterbe, kann ich nicht in 38 Jahren in zweiter Ehe eine Tochter haben und keinen Enkel in 67 Jahren, die in 99 Jahren zusammen nach Grönland fliegen, um auf einen nach mir benannten Berg zu steigen.«

Von meiner Mutter weiß ich, dass mit »Q.« der Expeditionsleiter Alfred de Quervain gemeint ist und mit »Hü« Roderichs gut ein Jahr jüngerer Freund Karl Gaule. Woher der seltsame Spitzname kommt, kann sie leider nicht sagen. Auch weiß sie nicht, was den jungen Architekturstudenten dazu brachte, in einer kaum erforschten Eiswüste sein Leben aufs Spiel zu setzen. »Schon als Kind faszinierte ihn die Arktis – und wahrscheinlich wollte er beweisen, dass er ein ganzer Kerl ist«, mutmaßt meine Mutter am Telefon. Sie hat Opa nur in ihren ersten fünf Lebensjahren erlebt. Doch dank der Briefe und alten Aufzeichnungen, die sie studiert hat, kennt sie die Familiengeschichte besser als alle anderen.

Roderich wurde in Würzburg geboren. Als er ein Jahr alt war, zog die Familie nach Zürich. Er hatte fünf Schwestern – Hildegard, Gisela, Brunhilde, Ingeburg und Waltrut – und den acht Jahre jüngeren Bruder Roland. Mit ihm verstand er sich am besten. Die Familie genoss die Privilegien des aufstrebenden Mittelstandes. Adolf, der Vater, war ein erfolgreicher Augenarzt, als Erfinder der Kontaktlinse ein echter Pionier seines Fachs. Er setzte hohe Erwartungen in seinen Ältesten. Am liebsten wäre es ihm gewesen, Roderich – »ruhmreich« bedeutet der Name auf Althochdeutsch – hätte eine Militärlaufbahn eingeschlagen, um heldenhaft für das Vaterland zu kämpfen. Er schickte ihn in jungen Jahren zum Fechten, Turnen und Reiten. Der Junge bewies große Geschicklichkeit, sogar in Kombinationen dieser Disziplinen: Alte Fotos zeigen ihn im Handstand auf dem Pferdesattel.

Auch handwerklich war er so begabt, dass er Reparaturen im Haus oftmals selbst ausführte, in seiner Werkstatt im Garten hatte er einen eigenen Schmiedeofen und eine Drehbank.

Weniger willkommen war dem Vater die künstlerische Ader seines Sohnes, der ständig zeichnete und an Skulpturen herumhämmerte. Dass er in der Schule ein Jahr wiederholen musste, empfanden die Eltern als Katastrophe. »Damals habe ich dem armen Jungen über sein Sitzenbleiben so bittere Vorwürfe gemacht, daß er ganz aufgelöst war in Verzweiflung«, schrieb sein Vater Jahrzehnte später in seinen Memoiren. »Ich fürchte, er hat mir das, wenigstens im Unterbewußtsein, bis zum heutigen Tag noch nicht verziehen.«

Die Mutter zeigte mehr Empathie für die Kunstbegeisterung ihres Sohnes. Sie selbst zeichnete, war eine gesellige Frau, die aber auch einen Hang zum Melancholischen hatte. Für sie war Roderich »prächtig im Charakter, aber ein Sonderling« und eine »ausgesprochene Einspännernatur«, wie sie in ihrem Tagebuch notierte.

Und sie bedauerte, dass er als junger Mann sehr nachlässig war, was seinen Kleidungsstil anging: »Eben stand Roderich da, wie ein schlanker Seiltänzer, vielmehr wie ein armer Geiger, in zu engen u. zu kurzen blauen Hosen u. geigte mir in eindringlichsten Tönen sein Schicksal vor – nemlich seine Kleidernoth – u. rief dazwischen: ›ich bin ein armer Geiger mit einem glänzenden Hintern‹ – er meinte seine abgewetzte Hose – und weiter fluteten die Töne. Wir hatten nemlich vorher eine lange Unterhaltung darüber, daß er sich nothgedrungen eine conventionelle Hose zulegen – sich im übrigen Architektenkleidung zulegen muß – um Carrière zu machen«, schrieb sie im November 1910. Vier Monate später beschäftigte sie sich erneut mit seinem Äußeren: »Roderich schildert immer mit großer Genugthuung, wie er stets beim Besuchemachen, sei es hier od. in fremder Stadt bei Verwandten od. Freunden, zunächst als Stromer od. Halunke vor der Thüre stehen gelassen od. mit einem mißtrauischen: ›Was wünschen Sie?‹ durch den Spalt der Thüre nach seinem Begehr gefragt würde. ›Ich muß doch was sehr Lumpenhaftes an mir haben‹ – dabei lacht er übers ganze Gesicht u. freut sich dabei.

Er erzählt mit Vorliebe sein Erlebnis in München, wo er an einer Buchhandlung stand, als mit einmal ihn jemand auf die Schulter klopft. Er sah sich um – ein alter zerlumpter Mann stand da u. entschuldigte sich: ›Ach so, ich dachte Sie wären mein Sohn‹ – Roderich wird wohl zeitlebens sich seine Carrière verderben mit seinen Schrullen, mit seiner Gleichgültigkeit gegen seinen äußeren Menschen. Dabei könnte er eine hocharistokratische Erscheinung sein, einer von der höchsten Kaste. Schade! Als sein Vater ihm, wie so oft schon, Vorstellungen darüber machte u. sagte: ›Ja, das ist aber ein Hinderniß für dich‹ – antwortete er: ›Ich bin ja selbst ein Hinderniß‹. Auch schildert er gern seine Zukunft als ›Pfannenflicker‹. Er käme dann vor meine Thüre, um nach alten Pfannen zu fragen. Seine Niederlassung sei dann im Niederdorf, wo er sich einen ehemaligen Lokus als Werkstätte eingerichtet habe, da er kein Geld habe, um sonst ein Lokal zu miethen.«

In zuversichtlicheren Momenten war mein Opa aber offenbar überzeugt davon, dass in ihm weit mehr steckte als ein wandernder Handwerker in Lumpen. Und in einer lebensgefährlichen Expedition sah er augenscheinlich die beste Möglichkeit, um seinen Heldenmut zu beweisen – und seinen Eltern und sich selbst zu zeigen, dass er aus härterem Holz geschnitzt war.

Im Jahr 1908, während seines Studiums in Zürich, erfuhr Roderich, dass der Schweizer Geophysiker Alfred de Quervain eine Arktis-Expedition plante. Er bewarb sich für eine Forschungsreise an die Westküste Grönlands, wurde aber wegen fehlender geografischer Kenntnisse abgelehnt. Mit dem Zug fuhr er wenig später nach Berlin, um sich persönlich dem Polarforscher Wilhelm Filchner vorzustellen, der per Schiff zum Südpol reisen wollte. Filchner imponierte, dass der junge Mann die Adresse seines Expeditionsbüros Unter den Linden ausfindig gemacht hatte. Er ließ einen Arzt kommen, der Roderich untersuchte und für arktistauglich befand. Doch die wissenschaftlichen Stellen waren schon vergeben, sodass Filchner nur einen Platz auf der Warteliste anbieten konnte.

Als Roderich erfuhr, dass Ferdinand Graf von Zeppelin mit einem Luftschiff zum Nordpol fliegen wollte, verfasste er eine weitere Bewerbung. Aber eine Erkundungsreise des Grafen nach

Spitzbergen ergab, dass die Fluggeräte für diesen Versuch zunächst noch weiterentwickelt werden müssten, und die Expedition wurde abgeblasen. Um seine Chancen auf eine Arktis-Expedition zu verbessern, ging Roderich für ein Semester nach Dresden, wo er bei Professor Bernhard Pattenhausen Seminare über Astronomie, Meteorologie und Vermessungskunde besuchte. In dem Dresdner Vorort Hellerau wohnte das Patenkind seiner Mutter, Marie Günther, mit ihrer Familie. Er verliebte sich Hals über Kopf in sie, fand aber während seines Aufenthaltes in Dresden nur selten einen guten Vorwand, um ihre Familie zu besuchen.

Außerdem war er mit seinen Studien beschäftigt. Für praktische Übungen fuhren die Studenten für mehrere Wochen ins Erzgebirge. Nach dem Pflichtprogramm blieb Roderich oft bis in die frühen Morgenstunden auf, um mit Pattenhausens Assistent Ingershoff geografische Ortsbestimmung zu trainieren. Die schlaflosen Nächte am Kleinen Hildebrand und am Mikroskoptheodolit zahlten sich aus: Mit einem Zeugnis voller Einsen und einem Empfehlungsschreiben des Professors kehrte er nach Zürich zurück und bot sich erneut bei de Quervain als Mitstreiter an. Diesmal ging es um ein noch größeres Abenteuer als zuvor, die Durchquerung des grönländischen Inlandeises. Der angesehene Geophysiker lud ihn und Karl Gaule im Herbst 1911 zu einem Vorstellungsgespräch in sein Studierzimmer im meteorologischen Institut.

Februar 2011
München-Pasing, Ladengeschäft eines
Trekkinganbieters

Ein paar Sekunden Stille. Ein ungläubiger Blick, ein »Ich glaube,
Sie sind hier falsch«-Blick. Dann noch einmal die Nachfrage: »Wo
wollen Sie hin?!« Die für Grönland zuständige Mitarbeiterin des
Trekking-Reiseveranstalters mustert das grauhaarige Paar vor ihr
von oben bis unten. Wie Sportler sehen sie nicht aus. Beide tragen schwere Einkaufstüten, er eine Krawatte unter dem Anorak.
Gerade haben sie verkündet, die Gruppentour »Im Banne des
ewigen Eises« gebucht zu haben, Reisenummer GLK01, Anfang
bis Mitte August. Sie wünschen sich noch ein paar Informationen
zur benötigten Ausrüstung fürs Zelttrekking in der Wildnis. »Sie
wissen schon, dass es da kein Krankenhaus gibt?« Die beiden
Besucher nicken. Dann sagt die Arktisexpertin einen Satz, den
Verkäufer ziemlich selten sagen, wenn es um ein Produkt im Wert
von zwei mal 3000 Euro geht und die Kunden schon das Porte-
monnaie gezückt haben: »Das sollten Sie sich noch einmal *sehr*
gut überlegen!«

Ganz unberechtigt ist ihr Hinweis nicht. Laut Katalog gilt die
16-tägige Reise als »schwierig«, drei Punkte auf der fünfstufi-
gen Skala: »Die Routen führen teilweise durch unwegsame Regionen, die bereits physisch wie psychisch Entbehrungen erfor-
dern.« Dann folgt die Unterstellung »Sie freuen sich auf längere
alpine Bergwanderungen mit Etappen bis zu acht Stunden«. Ob
das stimmt, können die beiden Besucher nicht beurteilen. Normalerweise besteht ihr Outdoor-Programm aus kurzen Sonn-
tagsspaziergängen. Immerhin, in Zelten haben sie früher schon
mal übernachtet, Mitte der Siebzigerjahre. Was die Ausrüstung
angeht, hat sich seitdem einiges getan, mit viel Interesse be-
gutachten sie bunte Hardshell-Jacken und Funktionswäsche.

»Sie müssen da mit Gepäck gehen, ohne gespurte Wege. Können Sie das?«

Meine Eltern, er 66 Jahre alt, sie 60, sind um eine ehrliche Antwort verlegen.

Im Katalog des Reiseveranstalters hatte mein Onkel eine Ostgrönlandtour mit Besteigung des Ficks Bjerg entdeckt. Ein paar Anrufe später hatte er acht Leute zusammen: Onkel, Tante, Papa, Mama, beide Söhne und zwei Freunde. Wir reservierten die komplette Gruppenreise.

Wobei klar war, dass sich einige Familienmitglieder intensiver vorbereiten mussten als andere. Denn Abenteuer sind relativ: Für Roderich bedeutete eine mehrmonatige Expeditionsreise ins Unbekannte, dass er an seine Grenzen gehen musste, für meine Eltern gilt auf einer zweiwöchigen »Trekkingreise mit Pioniercharakter« (Katalogbeschreibung) das Gleiche.

Nach der Warnung im Trekkingshop sind sie kurz davor, die Reise abzusagen. Oder ein Alternativprogramm zu wählen: »Ich setze mich auch für zwei Wochen auf einen Stein in Tasiilaq«, sagt mein Vater.

Doch dann schicken sie das Formular ab, auf dem man die anspruchsvollsten Touren der vergangenen fünf Jahre angeben muss, und überweisen zehn Prozent des Gesamtpreises als Anzahlung. Ein paar Tage später landet auf dem Schreibtisch der für Grönland zuständigen Mitarbeiterin in München-Pasing die Information, dass die Eheleute Orth »Mittelgebirgswanderungen (Sauerland) und einzelne Etappen des Rheinsteigs« bewältigt haben, gewöhnlich einmal pro Woche drei Stunden wandern gehen und nun ihr erstes arktisches Abenteuer planen.

Jetzt gibt es kein Zurück mehr: Die beiden kaufen sich wasserfeste Trekkingschuhe und fangen an zu trainieren.

Oktober 1911
Zürich, Schweizerische meteorologische Zentralanstalt

»Besuche bitte kurz« steht auf dem Zettel an der Tür von Alfred de Quervains Büro. Doch der 32-jährige Forscher mit schwungvoll gezwirbeltem Schnurrbart und Zwicker auf der Nase nimmt sich viel Zeit für Roderich und Karl. Schließlich erklärt er, wie mein Opa später schreibt, dass »wir uns nun als Teilnehmer der Expedition betrachten konnten! Der Traum meiner Jugend sollte also wirklich in Erfüllung gehen!«

Roderich erinnert sich daran, dass in dem Büro des Expeditionsleiters »eine bemerkenswerte Unordnung« herrscht und kaum Platz zum Sitzen vorhanden ist, weil selbst die Stühle mit Büchern und Instrumenten »vollgepfropft« sind. An der Wand hängt eine große Grönlandkarte, auf der mit schwarzen Papierstreifen die geplante Strecke aufgezeichnet ist: eine gerade Linie, die diagonal über die weiße Fläche auf der Karte verläuft. Von Jakobshavn nach Angmagssalik, etwa 700 Kilometer durchs weiße Nichts. Nur der Norweger Fridtjof Nansen hatte es vorher geschafft, quer durch Grönland zu wandern. Seine geplante Route im Jahr 1888 entsprach ziemlich genau der von de Quervain, allerdings drifteten seine Boote bei der Anreise so weit ab, dass er auf eine erheblich kürzere Route weiter südlich ausweichen musste. Nansens Motto lautete »Der Tod oder die Westküste«, de Quervain gibt als Parole »Der Tod oder die Ostküste« aus.

Kaum hat mein Opa die Zusage erhalten, zieht er sich in die Werkstatt neben dem Haus seiner Eltern zurück, am Fuß des Zürichbergs in der Schmelzbergstraße 34. Ein Foto aus der Zeit zeigt den Raum mit einer Werkbank, einem Schaubild der Sternzeichen, halb fertigen Geigen und einem

Regal voller dicker Wälzer – eindeutig zu erkennen ist nur Stielers Hand-Atlas, ein geografisches Standardwerk seiner Zeit.

Roderich macht sich an die Arbeit. Er lässt einen Nansen-Kocher brennen, um auszurechnen, wie viel Benzin die vierköpfige Mannschaft unter arktischen Bedingungen brauchen wird. Mit einer Federwaage testet er, bei welcher Belastung verschiedene Stoffe reißen, um das stabilste Material für die Zelte zu ermitteln. Über einem Feuer erhitzt er Holz, um es für die Spanten der Kajaks biegsam zu machen. Die Paddelboote baut er nach grönländischem Muster, 52 Zentimeter breit, 5,40 Meter lang. Ganz authentisch sind sie nicht, statt Seehundleder kommt als Außenhaut Amsterdamer Segeltuch zum Einsatz, das er mit weißer Ölfarbe wasserdicht macht.

Roderich baut eine Segelvorrichtung für die drei Schlitten, die aus Christiania geliefert wurden, dem heutigen Oslo. Aus Pappelholz zimmert er leichtgewichtige Kisten für die Messinstrumente, die Kanten verstärkt er mit Blech.

Zusammen mit de Quervain und Gaule testet er die Kajaks auf dem Zürichsee. Prompt kentert Gaule. Er versucht verzweifelt, sich aufzurichten, ein paarmal kann er nach Luft schnappen über dem Wasser, dann rührt sich nichts mehr. Roderich kentert sein eigenes Kajak, um herauskriechen zu können, fürchtet

er doch um das Leben des besten Freundes. Just in dem Moment kann sich Gaule wieder aufrichten, prustend kommt er nach oben. Nun treibt Roderichs Kajak ab, er schwimmt hinterher und muss viel Wasser schlucken, bis er es zu fassen bekommt. Dann kraulen beide zu de Quervains Boot, halten sich an ihm fest und schreien um Hilfe. Ein Werftbesitzer hört sie und fischt sie mit seinem Motorboot aus dem eiskalten Wasser.

Ungeachtet dieses Zwischenfalls notiert Roderich später: »Die Vorbereitungszeit und der Betrieb in der Werkstatt waren für mich etwas sehr Stimmungsvolles. Wie viel, fast alles beim Gelingen eines solchen Unternehmens liegt gerade an den Vorbereitungen!«

Februar 2011
Hamburg

Anders als mein Opa hatte ich nicht schon als Kind den Traum, durch eisige Polarregionen zu laufen. Mit sechs wollte ich Schiffsmuseumsdirektor werden, mit elf Ägyptologe und mit 15 Rockgitarrist. Mit 20, als ich wirklich einen Plan gebraucht hätte, hatte ich keinen mehr. Also reiste ich ein bisschen in der Welt herum, stieg auf ein paar Berge und wurde Journalist.

Ich schreibe oft über Achttausender-Besteigungen und neue alpinistische Rekorde, über die großen Outdoor-Abenteurer unserer Zeit. In Interviews haben mir Grenzgänger mit ausgemergelten Wangen und glänzenden Augen davon erzählt, wie man sich schlagartig eins mit der Natur fühlt, wenn man sich auf Leben und Tod mit ihr auseinandersetzt. Die Schlüsselstellen auf dem Weg zum Gipfel des Mount Everest oder K2 sind mir aus vielen Erzählungen fast so vertraut wie der Weg von meiner Wohnung ins Büro. Ich habe alle Abenteuerklassiker gelesen, habe vom Lesesessel aus mit Reinhold Messner die höchsten Berge der Welt bestiegen und mit Jon Krakauer den Everest-Kommerz verflucht, mit Hermann Buhl am Nanga Parbat triumphiert und mit Kurt Diemberger am K2 um Leben und Tod gekämpft. Ich bin mit Roald Amundsen zum Südpol gestapft und starb mit Robert F. Scott im Zelt.

Und jetzt hat mich das Tagebuch meines Opas so gepackt, dass es mich bis in den Schlaf verfolgt. Letztens habe ich geträumt, dass meine Mutter und ich zu Opas Obduktion eingeladen sind. Eine Krankenschwester schiebt die Liege aus Metall herein, unter einem Tuch liegt eine Art Mumie, in weiße Binden gewickelt. Wir bekommen Buttermesser in die Hand gedrückt und sollen anfangen, wissen aber nicht so recht, womit. Zaghaft schnibble ich ein wenig am Arm herum, ans Gesicht traue ich mich nicht. »Das hat doch keinen Sinn«, sage ich, dann bin ich aufgewacht.

10. April 1912
Atlantischer Ozean

Roderich Fick, ein hochgewachsener Mittzwanziger mit unentschlossenem Schnurrbart und Schirmmütze, steht steuerbord an der Reling der »Hans Egede« und sieht zum ersten Mal die Südküste der größten Insel der Erde. Zwölf Tage lebt er schon an Bord des fürchterlich schaukelnden Dreimaster-Dampfschiffs, Baujahr 1905. Zwölf Tage in einem 52,3 Meter langen und 10,5 Meter breiten Gefängnis aus Holz und Metall.

Die Überfahrt aus Kopenhagen ist ein täglicher Kampf mit der Seekrankheit. Wenn der Gong zum Essen ertönt oder der dänische Schiffsjunge Arthur jeden einzeln fragt »Vil du komme at spise?«, winken die grüngesichtigen Polarforscher meist mit Nachdruck ab. Nur die Hafersuppe am Morgen bleibt die vorgesehene Zeit im Magen. Fischpudding dagegen, »die schlimmste Erfindung der dänischen Phantasie« (Alfred de Quervain), kann keiner der sieben Schweizer an Bord mehr sehen. Genau genommen sind es sechs Schweizer und ein Deutscher, aber Roderich fühlt sich nach 24 Jahren in Zürich längst als Landsmann. Auch sprachlich fällt er nicht auf, viele Substantive in seinem Tagebuch enden ganz schweizerisch auf »li«.

Die Nationalität ist bei dem vor ihm liegenden Unternehmen nicht ganz unwichtig, de Quervain hat vorher Bewerber aus Norwegen, Österreich und Frankreich abgewiesen. Er ist der Meinung, dass bei der Erforschung der Polarregionen nun endlich einmal die Schweiz eine historische Rolle spielen soll.

Oft sitzt Roderich in diesen qualvollen Tagen, in denen das Schiff zum Spielball der Elemente wird, zusammen mit seinem Freund Karl Gaule auf dem Eisengitter hinter dem Schornstein, zwischen den beiden Rettungsbooten. Über dem Kesselraum ist es ein bisschen wärmer als auf dem Rest des Decks, außerdem kommt hier das Meerwasser nicht hin, das weiter unten regelmäßig knöchelhoch die Planken flutet. Für diese Annehmlichkeiten nehmen sie selbst den durchdringenden Gestank von verbranntem Öl in Kauf. »Ich möchte sie als thermotrop von den übrigen mehr aerotropen Mitgliedern unterscheiden«, schreibt der um Kategorisierungen nie verlegene de Quervain. Er nennt seine zwei jüngsten Mitstreiter »die Germanen vom Zürichberg«, weil auch Gaules Vater, der Medizinprofessor Justus Gaule, aus Deutschland stammt.

Gaule junior ist etwa 1,75 Meter groß, hat ein schmales, längliches Gesicht, kurz geschorene dunkelblonde Haare und einen leichten Bauchansatz. Für Abwechslung an Bord sorgt sein

»Dynamometer«, eine kleine Gerätschaft, mit der sich die Stärke des Händedrucks messen lässt. Bei Wettkämpfen bestehen die Expeditionsteilnehmer ihre erste Kraftprobe: An guten Tagen erreichen alle um die 60 Kilo, um Längen schlagen sie die dänischen Besatzungsmitglieder, die im Schnitt nur 42 Kilo schaffen.

Gesprächsthemen finden die beiden Arztsöhne genug auf ihrem Gitterrost. Beide haben gerade ihr Studium beendet, Gaule als Ingenieur, Roderich als Architekt, allerdings ohne Abschluss. Beide wissen noch nicht so recht, was sie beruflich machen wollen – falls sie lebend von der Expedition zurückkommen. Sie wissen nicht, ob sie jemals wieder eine Atlantik-Schifffahrt in die andere Richtung machen werden. Roderich plagen zusätzlich zu den Ängsten vor den bevorstehenden Prüfungen noch andere düstere Gedanken. Kurz vor der Einschiffung in Kopenhagen hat er erfahren, dass Marie Günther aus Hellerau, in die er heimlich verliebt ist, schwer erkrankt ist. Verwandte von ihr hatten ihm vor seinem Aufbruch berichtet, dass sie wohl bald sterben werde – ohne zu ahnen, wie nah sich die beiden stehen. Er konnte sich nicht einmal mehr von ihr verabschieden, obwohl er eigens dafür mit dem Zug aus Zürich einen Abstecher über Dresden gemacht hatte.

Vielleicht diskutieren Gaule und Roderich auch darüber, ob die musikalischen Imitationen von Wind und Meer in Wagners »Fliegendem Holländer« der tatsächlichen Kraft der Elemente gerecht werden. In Kopenhagen haben sie kurz vor der Abfahrt die Oper besucht, die von dem Kapitän handelt, der Gott und den Naturgewalten trotzen will und für seinen Hochmut büßen muss. Er wird dazu verdammt, mit einem Geisterschiff über die Weltmeere zu fahren und jedem Unglück zu bringen, der seine Wege kreuzt.

Den Arktisreisenden begegnet unterwegs kein verfluchtes Schiff, doch auch die Eisberge Grönlands können Unglück verheißen. Plateaus, Inseln und Torbögen aus Kälte, die bis zu 100 Meter aus dem Wasser ragen und einen trügerischen Frieden ausstrahlen. Weiße Schönheiten mit versteckten Kielen unter Wasser, die Schiffsrümpfe aufschlitzen können.

Doch der dänische Kapitän navigiert die 900 Bruttoregistertonnen der »Hans Egede« problemlos um alle Hindernisse. Endlich, am 14. April 1912, ist ein Ende der aufreibenden Überfahrt in Sicht. Noch zwei Tage an der Küste entlang, dann wird das Schiff in Godthaab anlegen, der nördlichsten Hauptstadt der Welt. Endlich fester Boden unter den Füßen.

Wie sehr de Quervain ihn herbeigesehnt hat, klingt in einer Tagebuchpassage an: »Ist es die Mühe wert, aufs neue eine Dampferüberfahrt über den Atlantischen Ozean zu schildern? Wenn damit einer jener Kolosse gemeint wäre, auf denen man wie auf einer schwimmenden Insel etwa nach Neuyork hinübergeschoben wird, ohne dass man vom hohen Promenadendeck herab die Wellen überhaupt recht wahrnimmt, ohne dass man irgend eine Bequemlichkeit vermissen muss, die man auf dem festen Land beanspruchte – dann allerdings würde ich mir eine solche Wiederholung schenken. Wer so hinüberfährt, weiss kaum, was Sturm und Wellen sind. Aber wer am Ausgang des Winters in die Stürme des Nordatlantischen Ozeans hinauffährt, auf einer solchen Nussschale wie unser Grönlanddampfer schaukelnd, der hat immer noch zu erzählen von unvergesslichen Erinnerungen, wenn auch weniger von Siegen als von Niederlagen.«

Von allen Passagieren der »Hans Egede« ist es Hans Hoessly, ein 29-jähriger Chirurg aus St. Moritz, den die Schiffsreise am meisten mitgenommen hat. Auf Fotos ist er oft als breit grinsende Frohnatur mit Pfeife im Mundwinkel zu sehen. Allerdings nur auf Fotos, die auf dem Festland gemacht wurden: »Hoessli erwähnte heute in Verbindung mit Meerfahrt und Seekrankheit den Tag seiner Geburt in einer geradezu ablehnenden Weise«, schreibt de Quervain.

Der Arzt komplettiert die Vierergruppe, die Grönland von West nach Ost durchqueren will. Die anderen drei Forscher an Bord, Paul Louis Mercanton, Wilhelm Jost und August Stolberg, bilden die »Westgruppe«. Sie werden an der Küste zurückbleiben, um Eisbewegungen zu erforschen und mit Wetterballons zu messen, wie sich Druck und Strömungen in höheren Luftschichten verändern.

De Quervain steuert schon zum zweiten Mal Westgrönland an. Drei Jahre zuvor war er schon einmal dort gewesen, für meteorologische Messungen und eine 26-tägige Erkundungstour auf dem Inlandeis. Auf dieser Tour reifte die Idee, eine Überquerung zu versuchen. Über ein Jahr lang bereitete er akribisch jedes Detail vor. Die Route, die Ausrüstung, die Finanzierung, das Depot am Zielpunkt. Alfred de Quervain überlässt die Dinge nicht gern dem Zufall. So sehr liebt er Präzision und Zuverlässigkeit, dass er sich zwischen seinen Messinstrumenten wohler fühlt als in der Gegenwart von Menschen mit ihren Fehlern und Ungenauigkeiten. Auf fast jedem Foto von seinen Reisen hält er einen Kompass, einen Windmesser, eine Uhr oder ein Barometer in der Hand.

Jetzt sucht er in Gedanken immer wieder nach Schwachpunkten, die er übersehen haben könnte. Wohl wissend, dass seine Planungen ein Problem beinhalten, das für alle fatal sein könnte und an dem er nichts ändern kann. Doch das bleibt zunächst sein Geheimnis.

6. August 2011
Grönland, Ostküste

Hamburg – Reykjavik: dreieinhalb Flugstunden. Reykjavik – Kulusuk: zwei Stunden. Niemand muss heutzutage zwei Wochen auf einem schwankenden Dampfer ertragen, um nach Grönland zu reisen. Durch das Flugzeugfenster sehe ich zwischen einem Mosaik aus Packeisschollen zum ersten Mal in meinem Leben Eisberge. Diese Exemplare sind mehr Inseln als Berge, mit breiten Plateaus, aus denen Spitzen wie Zitadellen emporwachsen. Sie haben Buchten, Steilküsten und sanft geneigte Böden, komplexe Zufallsgebilde, die weiß zwischen matt wirkenden Schollen aufleuchten. Auch wenn ihre Kiele unter dem Wasser hellblau schimmern: Selbst aus der Vogelperspektive mag man kaum glauben, dass 85 Prozent ihrer Eismasse unter der Meeresoberfläche liegen. Man sieht, dass dort mehr Schönheit verborgen ist, aber man kann sich ihre wahren Ausmaße nicht vorstellen.

Auf Island können Touristen für 533 Euro Tagesausflüge nach Kulusuk buchen. Rundgang im Ort, bunte Holzhäuschen angucken, Eisberge angucken, Künstler beim Schnitzen von Walrosszahn-Figuren angucken, das Eisbärfell an der Wand der wohnzimmergroßen Abflughalle angucken. Möglichst viel gucken, möglichst schnell. Nach viereinhalb Stunden geht der Flug zurück.

Unerwartet haben wir ein paar Stunden Aufenthalt in Kulusuk. Eigentlich sollte es von hier aus per Motorboot weitergehen, aber der Fjord ist vor lauter Packeis unpassierbar. Der Reiseveranstalter hat für unsere Gruppe neun Sitze in einem Hubschrauber gebucht, und der kommt erst am Nachmittag. So haben wir Zeit für den ersten gemeinsamen Spaziergang in Grönland.

Unterhalb des winzigen Flughafens gabelt sich der Schotterweg. Zwei Möglichkeiten, rechts oder links, und die erste Orientierungsleistung unseres Reiseleiters Patrick Schoengruber besteht darin, dass er sich verläuft. Patrick, ein athletischer Naturbursche Ende 30 mit kurz geschorenen Haaren und bairischem Zungenschlag, stellt sich dabei als gut gelauntes Energiebündel und sehr rücksichtsvoller Chef heraus. »Bei so einer Familientour muss ich aufpassen – wenn ich es mir mit einem verscherze, habe ich gleich alle gegen mich«, erklärt er grinsend. Neun Monate im Jahr arbeitet der gebürtige Bayer als Bad-Installateur in London, drei Monate reist er mit Gruppen durch die Weltgeschichte. Grönland hat es ihm besonders angetan, letztes Jahr ließ er sich von einem Boot allein an einem Fjordufer absetzen und genoss jede Minute in der Einsamkeit.

In einem großen Bogen spazieren hinter ihm acht Menschen in nagelneuen Wanderhosen und Goretexjacken von der Ortschaft weg, die hinter Hügeln verborgen ist: meine Eltern, Friederike, Musik- und Schwedischlehrerin, und Wolfgang, Professor für Alte Geschichte, vor einem Jahr wurde er pensioniert. Seine Geschwister Uli, pensionierter Arzt, und Traudl, Hauptschullehrerin. Mein Bruder Christian, Uni-Dozent in Altgriechisch. Eckhart, Uni-Dozent in Philosophie. Melanie, Lehrerin. Und ich, der Journalist, der sonst über die Abenteuer anderer Leute schreibt. Fünf Doktortitel haben wir in unserer Gruppe, die Quote derer, die schon ein paar anspruchsvolle Alpintouren auf dem Buckel haben, ist geringer.

Zwischen Wollgrasbüschen, kleinen Bächen und Geröll laufen wir nun querfeldein zurück in Richtung Küste. Wir kommen an einem See vorbei und staunen über Kinder, die darin baden, ihre bunten Fahrräder liegen am Ufer. Das bräunliche Wasser dürfte kaum mehr als fünf Grad warm sein.

Im Ort werden wir vom lauten Gewinsel der Schlittenhunde begrüßt. Man sagt, Grönlands Hunde bellen nur, wenn sich ein Eisbär nähert. Das scheint momentan nicht der Fall zu sein, denn sie jaulen im Falsett, klingen mal wie krähende Hähne oder wie 100 quietschende Türen gleichzeitig, dann so, wie man sich Wölfe vorstellt, die den Vollmond anheulen.

Zahme Haustiere sind das nicht, mit rauer Gewalt zerren sie an schmiedeeisernen Ketten, normale Lederriemen würden dem Gezerre nicht standhalten. Die Hunde wirken ausgemergelt unter ihrem grauen Fell.»Manche von ihnen werden nur einmal pro Woche gefüttert«, sagt Patrick und empfiehlt, den erwachsenen Tieren nicht zu nah zu kommen.

Es ist kein Wunder, dass Tagestouristen Hunderte Euro zahlen, um nach Kulusuk zu fliegen. Die Lage des Örtchens ist phänomenal. Vom Ufer blickt man über einen Fjordarm voller Eisberge, auf der anderen Seite ragen schroffe Berggipfel mit ihren Gletscherflanken in die Höhe. Zwar liegt auf der Straße viel Müll, und es stinkt nach Fisch, doch die Häuser selbst wirken gepflegt, an einigen kleben Satellitenschüsseln. Dänemark investiert viel Geld, damit diese Seite Ostgrönlands vorzeigbar aussieht für die Touristen.

Zwei Dänen, die von Besuchern profitieren, sind Johan und Gudrun. Seit 14 Jahren kommt das Paar in den Sommermonaten hierher, um Langlauf- und Schlittentouren anzubieten und im Souvenirshop Seehundfelle und Pelzmützen, Landkarten und Grönland-T-Shirts zu verkaufen. Der elfjährige Sohn serviert Kaffee in weißen Plastikbechern. An der Wand hängen nachkolorierte Fotos von Inuit in traditioneller Tracht, darüber ein Kajak und alte Speere und Harpunen der Inuit. Auf einer Glasvitrine liegt ein Eisbärenschädel.»Das sieht ja aus wie zu Hause«, sagt meine Mutter. Wie in Opas Grönland-Diele. Zu seiner Zeit gab es hier noch keine Ortschaft, keinen Flughafen, keine Flugzeuge.

Opas Tagebuch hat meine Mutter im Original mitgenommen, es klemmt in ihrem Tagesrucksack zwischen Fleecepulli und Wasserflasche, nur von einem Frischhaltebeutel geschützt. Ich halte das für keine gute Idee auf einer Trekkingreise, sage aber nichts.

An den Anblick meiner Eltern in ihren Outdoorklamotten muss ich mich noch gewöhnen. Es gibt wohl keine zwei Menschen auf der Welt, die ich besser kenne. In karierten Funktionshemden und skandinavischen Synthetikhosen mit aufgesetzten Taschen wirken sie wie verkleidet. Tausende Euro haben sie in die Ausrüstung gesteckt, um alle Empfehlungen des Reiseveranstalters umzusetzen. Na ja, fast alle Empfehlungen: Gamaschen als Regenschutz kamen ihnen dann doch zu altmodisch vor. Mein Vater, 1,91 Meter groß, kaum ein Gramm Fett am Körper, verlässt sonst selten das Haus ohne Anzug und polierte Lederschuhe. Jetzt trägt er einen olivgrünen Schlapphut, einen Pullunder aus Wolle und eine Sonnenbrille aus den Siebzigern, die mit ihrem breiten Hornrand fast schon wieder zeitgemäß wirkt. Meine Mutter, etwa 20 Zentimeter kleiner als er, trägt eine blaue Wollmütze mit Schneeflockenmotiv und eine knallrote Regenjacke. Normalerweise bevorzugt sie dezentere Farben.

Wir gehen in die Kirche. Das hat Tradition: Auf allen Familienreisen, an die ich mich erinnern kann, gingen wir in die Kirche, manchmal mehrfach an einem Tag. Nicht, weil meine Eltern besonders religiös wären, sondern hauptsächlich aus kulturgeschichtlichem Interesse. Mit gezücktem »Reclams Kunstführer« durch gotische Kathedralen, norwegische Stabkirchen, romanische Kreuzgänge. Niemand verlässt den Raum, bevor jedes Wandgemälde und jede Heiligenfigur zugeordnet und interpretiert ist. Als Teenager habe ich es gehasst.

In der Kirche von Kulusuk gibt es nicht viel zu interpretieren. Giftgrün gestrichene Holzbänke, ein paar bunte Fenster. Ein Modellschiff hängt an der Decke, ein Dreimaster, dankbare Seeleute waren es, die das Gotteshaus gebaut haben. Die Kniebänke vor dem Altar sind mit Robbenfell gepolstert, der Raum ist auf Saunatemperatur geheizt. Meine Mutter setzt sich an die kleine Elektroorgel vorne rechts und spielt vom Blatt Choräle aus dem aufgeschlagenen Liederbuch. Das nächste Stück spielt Uli, mein Onkel, wir sind eine musikalische Reisegruppe. Eckhart, ein Freund der Familie, legt mit »Für Elise« nach. Mein Vater drängt zum Gehen.

Ein roter Hubschrauber mit neun Sitzplätzen bringt uns nach Tasiilaq, zehn Minuten dauert der Flug über das Packeis. Dreiecke, Vierecke und Fünfecke treiben im Meer, Puzzleteile, die auseinanderdriften und mit der Zeit immer schlechter zusammenpassen, bis sie schließlich ganz verschwinden. Am Flughafen wartet ein Transporter, der unsere Taschen und Rucksäcke zum Zeltplatz bringt. Der liegt am Ufer zwischen einem Schiffsfriedhof und der Müllhalde, aber von beidem weit genug entfernt, um die Fjordidylle zu wahren. Ein paar Zelte stehen schon, 24 Geografiestudenten aus Augsburg sind hier, um sich in der Landvermessung zu üben.

Tasiilaq, der siebtgrößte Ort Grönlands, hat einen staubigen Fußballplatz, einen Frachthafen und ein Hotel namens »Angmagssalik«, so hieß die Ortschaft früher. Rote, blaue und gelbe Häuschen aus importierten Holzschindeln klammern sich an den Hang, ihre dreistelligen Hausnummern wirken wie verzweifelte Versuche, die Winzigkeit des Ortes zu verschleiern.

Kinder hüpfen auf Trampolinen auf und ab, Schlittenhundbabys balgen sich zwischen Grasbüscheln. Auf der gepflasterten Hauptstraße ohne Ampeln fährt nur alle fünf Minuten ein Auto, sie endet hinter den Häusern bald im Nichts. Fernstraßen gibt es nicht, wo sollten sie auch hinführen. Etwa 2000 Menschen leben hier, zwischen dem Inlandeis im Westen und einem Treibeisgürtel im Osten, den Frachtschiffe nur wenige Monate im Jahr passieren können. Wahrscheinlich ist Tasiilaq die einsamste Stadt Europas, wer die nächstgrößere besuchen will, muss mehr als 650 Kilometer zurücklegen.

Patrick holt fünf grüne Zelte aus einer Wellblechlagerhalle und führt vor, wie man sie aufbaut. Camping für Wiedereinsteiger: Wieso ist die Zeltstange zu lang, um in die vorgesehene Lasche zu passen? Muss die Dachstange über oder unter die beiden Querstreben? Wie groß sollten die Felsbrocken sein, die auf hartem Untergrund die Zeltheringe ersetzen?

Zum Abendessen brät Patrick in einer riesigen Metallpfanne Fisch, dazu gibt es Reis und Wirsing. Über uns pittoreske Holzhäuser, vor uns ein Plastiknapf voller Köstlichkeiten – das Gefühl, in ein Abenteuer voller Anstrengungen und Entbehrungen geraten zu sein, will sich in diesem Luxus-Camp nicht recht einstellen.

Nur die Fliegenbataillone, die auf Haut und Haaren landen, nerven ein wenig. Tante Traudl trägt schon ihr Moskitonetz um den Kopf und sieht aus wie eine Imkerin.

»Wollen wir noch in die Disko?«, fragt Patrick. Ein letztes Bier vor der Wildnis klingt verlockend, Eckhart, Uli und ich gehen mit. Die einzige Bar des Ortes liegt in einer dunklen Ecke am Hafen mit seinen Motorbooten und kleinen Segelyachten. Vor dem Eingang rauchen Männer mit glasigen Augen überteuerte Marlboros, 75 Kronen kostet eine Packung, mehr als zehn Euro, und lallen vorbeihuschenden Frauen Liebesschwüre hinterher.

Es gibt nur eine Biersorte, Tuborg. Von den Barhockern beobachten die Gäste den Verlauf eines Billardspiels. Eine ziemlich betrunkene Frau mit Kurzhaarfrisur, etwa Mitte 20, drückt Patrick ihre Bierflasche in die Hand und versenkt dann gegen ihren doppelt so alten Gegner eine Kugel nach der anderen. Sie macht ihn regelrecht fertig, zwischendurch grinst sie Patrick stolz an. Dann will sie tanzen, schiebt uns in den menschenleeren Nebenraum. Diskokugeln, rote Scheinwerfer, »I will survive«. Ein Türsteher verlangt Eintritt. Wir gehen zurück zu den Barhockern.

Eine rundliche Frau mit asiatischen Zügen rupft ein paar Daunenfedern von meinem Fleecepulli und lacht vor sich hin. Sie heißt Senna, ist 30 und arbeitet an der Schule. »I learned English four years«, sagt sie, dann bringt sie uns bei, wie man »Prost«, »Wie geht's« und »Ich liebe dich« auf Grönländisch sagt. Als »Living next door to Alice« von Smokie aus alten Lautsprechern scheppert, singt sie mit, plötzlich akzentfrei, sie kennt jedes Wort. Der Song handelt von einer Frau, die abhaut. Eine große Limousine hält vor ihrer Haustür, und sie verschwindet auf Nimmerwiedersehen.

Ich sage ihr, dass mir Tasiilaq gefalle, die Hafenbucht, die Landschaft ringsum, und sie wird mit einem Mal ernst. »Ich hasse es hier. Die Winter sind schrecklich. Ich will in eine Stadt, ich hasse meine Mutter und noch mehr meinen Vater«, bricht es aus ihr heraus. Wenn sie es sich leisten könnte, wäre sie schon längst in Dänemark. Im Oktober flieht sie für ein paar Tage in die Hauptstadt Nuuk, um ihren Geburtstag zu feiern.» Der Flug kostet mehr als 500 Euro, dann habe ich kein Geld mehr für eine Party.«

Tasiilaq mag eine Idylle sein für den Besucher, »wie ein ruhiger See« bedeutet sein Name. Aber es ist offenbar kein Paradies für die Einwohner. Seit Kampagnen von Umweltschützern dafür gesorgt haben, dass die Jäger kaum noch Robbenfelle verkaufen können, sind viele Bewohner arbeitslos, leben von der Sozialhilfe der dänischen Regierung. Tasiilaq hat eine der höchsten Selbstmordraten der Welt, im Winter versinkt die Stadt monatelang in der eisigen Polarnacht. Alkoholismus und Missbrauch sind in vielen Familien Alltag. Die Inuit haben ihre traditionelle Kultur gegen Holzhäuser, Handys und Fernseher eingetauscht – und dabei einen Teil ihrer früheren Friedfertigkeit verloren. Einst wurden Konflikte durch Lachduelle beigelegt, über Jahrtausende gab es hier keine Kriege oder Revolten.

Europäer lehrten die Inuit schließlich, was Zivilisation bedeutet. Ab 1894 unterhielten die Dänen in Tasiilaq eine ständige Verwaltung, Schiffe brachten Holz und Lebensmittel, beides Mangelware in Ostgrönland. Die Einheimischen, die als Nomaden umherzogen und in einfachen Erdhütten Schutz vor den Wintern suchten, waren durch Hungersnöte stark dezimiert worden Möglicherweise bewahrte die Ankunft der Dänen die paar Hundert Bewohner der Region vor dem Aussterben. Schon bald nahm die Bevölkerung wieder zu.

Auch heute schicken die Dänen noch Geld, Lehrer und Polizisten. Doch selbst die mildesten Kolonialherren kennen keine Formel, wie man indigene und westliche Kultur ohne Kollateralschäden zusammenbringt.

Heutzutage bleiben die meisten der Besucher nur für einen Tag. Sie schwärmen morgens in Zodiacbooten vom Kreuzfahrtschiff aus, mit ihren Kameras und Geldbörsen und Handgelenk-Bändchen, und sind abends wieder verschwunden, wie ein Tagtraum.

Auf staubigen Straßen laufen wir zurück zum Zeltplatz. Zum Einschlafen lauschen wir dem Krachen rollender Eisberge in der Fjordbucht und dem Gewinsel der Hunde am Ufer.

DE QUERVAIN, ALFRED

Geboren am 15. Juni 1879 in Uebeschi bei Thun.

Sohn des Pfarrers Frédéric de Quervain, wuchs zusammen mit neun Geschwistern in Muri bei Bern auf. 1897 Matura am Lebergymnasium in Bern, anschließend Studium der Geophysik und Meteorologie in Bern. Praktikum am Observatoire de météorologie dynamique in Trappes bei Versailles unter Léon-Philippe Teisserenc de Bort, dem Entdecker der Stratosphäre. Forschungen zur Erdatmosphäre mit unbemannten Wetterballons, im Winter 1900/1901 Russland-Aufenthalt, um dort Temperaturen in verschiedenen Höhen zu messen. Praktikum in der Sternwarte Neuenburg, 1902 Promotion zum Thema »Die Hebung der atmosphärischen Isothermen in den Schweizer Alpen und ihre Beziehung zu den Höhengrenzen«. Assistenzstelle in Straßburg bei Professor Hugo Hergesell an der internationalen Kommission zur Erforschung der höheren Atmosphäre, hier für die Koordination der

Pilotballonaufstiege zuständig. Ab 1905 Privatdozent an der Universität Straßburg, ein Jahr später Ernennung zum Direktor-Adjunkt an der Schweizerischen Meteorologischen Zentralanstalt in Zürich. Privatdozent an der Universität Zürich. 1909 Grönland-Expedition mit einem ersten Vorstoß aufs Inlandeis, zahlreiche Messungen mit Wetterballons. 1911 Heirat mit Elisabeth Nil, 1912 Grönland-Durchquerung von West nach Ost. Publikation zweier Reiseberichte und einer Sammlung der wissenschaftlichen Ergebnisse seiner Arktisreisen. Nach seiner Rückkehr Leitung der Schweizerischen Erdbebenwarte Degenried in Zürich und Ernennung zum Titularprofessor an der Universität Zürich. 1922 zusammen mit dem späteren Ballonflugpionier Auguste Piccard Entwicklung des bis dahin genauesten Seismographen mit einer Pendelmasse von 21 Tonnen. Mitinitiator der hochalpinen Forschungsstation Jungfraujoch, die 1931 eingeweiht wurde.

Mai 1912
Holstenborg, Westgrönland

Die Expeditionsmitglieder schleppen ihre Ausrüstung von der »Hans Egede« an Land und verabschieden sich mit einer kleinen Kajakparade. Und einem Trompetenkonzert: Roderich bläst »Muss i denn zum Städtele hinaus«, mit hoher Wahrscheinlichkeit eine grönländische Uraufführung.

Die Besatzung an Deck antwortet weniger musikalisch mit Böllerschüssen, dann verschwindet das Schiff langsam gen Süden.

Die Schweizer machen das, was Besucher bis heute als Erstes tun, wenn sie in Grönland ein Schiff verlassen: shoppen gehen. Sie lassen sich vier Hundepeitschen machen, um für den Intensivkurs im Kutschieren von Schlitten gerüstet zu sein. Die etwa sieben Meter langen Folterinstrumente bestehen zum Großteil aus der Haut des sogenannten Riemenseehundes, an der Spitze ist ein Zwick angebracht aus Matak, der Haut des Weißwals. Ein echtes Kunstwerk. »Über Peitschenriemen wird in Grönland mit ebenso grossem Ernst gesprochen wie bei uns über Gletscherseile«, schreibt Alfred de Quervain.

Wie es die Einheimischen schaffen, mit diesen Geräten punktgenau den Hund zu treffen, den sie zu mehr Arbeitseifer anspornen wollen, bleibt den Besuchern zunächst ein Rätsel. Sie bewundern die Inuit für ihre Geschicklichkeit und wollen von ihnen lernen. Der Halbgrönländer David Ohlsen hat sich bereit erklärt, ihnen ein paar Fahrstunden zu geben. Per Motorboot reist die Gruppe über Wasser, auf dessen Boden man grüne Algen sehen kann, zu seinem Haus in Sarfanguak. Es liegt einige Kilometer fjordeinwärts von Holstenborg entfernt, acht Stunden sind sie unterwegs zwischen graubraunen Uferfelsen, die mit Flechten bewachsen sind. Roderich sitzt auf dem Bug mit seiner geladenen Jagddoppelbüchse, ein 9,3-Millimeter-Lauf und ein Schrotlauf Kaliber 20. Einmal taucht 80 Meter entfernt ein Wal auf, er schießt, trifft aber nicht. Auch zwei Eiderenten verfehlt er mit seinen Schüssen, heute ist nicht sein Tag.

Die erste Hundeschlittenlektion verläuft eher schmerzhaft als vielversprechend. »Wenn man die Peitsche in ihrer ganzen Länge nach rückwärts geschwungen hatte und nun bei dem plötzlichen Ruck, mit dem man nach vorn schnellen soll, etwas zunächst Unerklärliches verfehlte, so pfiff sie nicht ans Ziel, sondern dem Dirigenten um den Kopf und hinterliess dort blaue und rote Striemen. Ich glaube, ich habe zusammengezählt in meiner Übungszeit mindestens ebensoviel abgekriegt, als ich später je einem Hund verabfolgt habe«, berichtet der Expeditionsleiter. Er weiß am besten von allen, dass die Beherrschung der Schlittenhunde in den nächsten Wochen über Erfolg oder Scheitern der Expedition entscheiden kann.

Ohlsen pflegt einen wenig zimperlichen Umgang mit seinen Tieren: Wenn einer nachts seine Lederriemen durchgebissen hat, was ständig vorkommt, dann packt er ihn am Kragen und verprügelt ihn nach allen Regeln der Kunst. Die Schweizer Stadtmenschen beobachten das zunächst mit einiger Befremdung. Doch als sie sehen, wie brutal und blutig es auch bei Konflikten innerhalb der Hundeschar zugeht, verstehen sie Ohlsens Verhalten besser. Er muss eben gelegentlich daran erinnern, wer der Boss ist. Ganz wichtig ist allerdings, nie einen Hund grundlos zu bestrafen. Das nimmt der einem noch tagelang übel, sagt Ohlsen.

Am nächsten Tag scheucht er ein gutes Dutzend Hunde auf ein Beiboot. Mit knatternden Motoren fährt die Gruppe weiter ostwärts, wo sie auf einem schneefreien Fleckchen am Ufer für zehn Tage ihre Zelte aufschlägt. »Der blaue Fjord hier erinnert sehr an die oberitalienischen Seen«, schreibt Roderich in seinem Tagebuch. Zu gerne würde er sich ein paar Stunden hinsetzen und ein Bild der Umgebung malen, doch dazu ist keine Zeit. De Quervain bestimmt, dass er stattdessen Fotos machen solle, was Roderich später missmutig kommentiert: »Er sieht nur geologische Schichten und solches Zeugs.«

Außerdem muss mein Opa Vokabeln lernen: Ililí heißt rechts, iu heißt links, nicht zu verwechseln mit ei, das heißt »Stopp!«. Und das sehr beliebte Kommando tatata bedeutet, dass es was zu essen gibt. Mit zwei Schlitten trainieren die Männer in einem zugefrorenen Flussbett. Ohlsen hat als Assistenzlehrer noch seinen Inuitfreund Setti Kleist mitgebracht, damit kein Gespann ohne geübten Piloten losgaloppiert. Man weiß ja nie, wie die Hunde auf den Schweizer Akzent reagieren.

Die schwierigste Übung ist Bergabfahren. Dabei befinden sich die Zugtiere hinter dem Schlitten, die Riemen laufen zwischen den Beinen des Fahrers, und mit dem ständig wiederholten Befehl Imatsiak, »Langsam!«, und vielen Peitschenhieben müssen die Hunde entgegen ihrer stürmischen Natur gebremst werden.

Zwischen den Unterrichtseinheiten geht Roderich mit seinem Gewehr auf die Jagd. Er schießt mehrere Schneehühner, was keine so große Kunst ist, so behäbig, wie diese umherwatscheln. Respekt verdient er sich erst, als er nach einer halbstündigen Verfolgungsjagd am Eissee einen Schneehasen erlegt, das größte Wildtier der Region. Das anschließende Festmahl sorgt für ausgelassene Stimmung. »Hervorragend mit Tüften!«, urteilt Roderich in seinem Tagebuch.

Nicht nur am Esstisch, auch auf den Schlitten macht die Gruppe allmählich eine ganz gute Figur. »Nu tamase ajungilak«, sagt der Fahrlehrer anerkennend, jetzt geht alles gut. Doch damit ist der Inuit-Einführungskurs noch lange nicht beendet. Ohlsen erweist sich als hervorragender Mentor in den Disziplinen Angeln und Kajakfahren. Er führt ihnen das Wälzen im eiskalten Wasser vor, die Eskimorolle. Als Gaule plötzlich kentert, richtet er ihn von seinem Kajak aus wieder auf.

Ohlsens Frau Ania übernimmt das letzte Pflichtfach: Kamiker-Reparatur. Kamiker sind kniehohe wasserdichte Stiefel aus

Seehundleder. Als nach vielen Stunden sämtliche Exemplare des Ohlsen-Haushalts geflickt sind, bescheinigt sie den Gästen ausreichende Kenntnisse mit der dreikantigen Nadel.

Jetzt sind die vier Schweizer bereit für die Eiswüste. Zurück in Holstenborg laden sie die Ohlsens zum Abschied in ihr schlichtes Holzhaus zum Abendessen ein, zwei Türen dienen als Tisch, Proviantkisten als Stühle. Die Grönländer bitten, am Ende noch einige Verwandte herholen zu dürfen, und bald finden sich mehr und mehr Einheimische ein, die den improvisierten Tisch wegräumen und zu tanzen beginnen. Ein paar Matrosen der Schiffe im Hafen stoßen hinzu, und schon feiern mehr als 50 Leute auf engstem Raum eine ausgelassene Party zu Ziehharmonikamusik.

Die Gastgeber sind ein wenig überfordert. »Sie haben hier einen Tanz, wo sie auf der Stelle so schnell wie möglich trampeln«, schreibt Roderich. »Es sieht sehr dumm aus, wird aber mit grossem Ernst betrieben.« De Quervain formuliert seine Missbilligung etwas dezenter: »Obschon ich im Nebenzimmer schreibe, wackelt die Feder, wie bei einem permanenten Erdbeben.« Der Lärm lockt schon bald die Polizei an. Mit dem Hinweis, dass ab 22 Uhr Nachtruhe zu herrschen habe, beschließt ein Beamter den Abend.

Die Besucher aus der Schweiz sind nach diesem Zusammenstoß mit der Staatsgewalt vermutlich ganz froh, Holstenborg schon bald mit dem Dampfschiff »Fox« verlassen zu können. Der motorisierte Dreimaster hatte bereits Arktisgeschichte geschrieben, als er 1857 zu einer Suchmission nach Sir John Franklin ausgesandt wurde, dem britischen Seefahrer, der die Nordwestpassage finden wollte und nicht zurückkehrte. Die Folge war die größte Suchaktion des 19. Jahrhunderts, jahrelang blieb sie ohne Erfolg. Bis der irische Kapitän Francis Leopold McClintock mit der »Fox« und 25 Mann Besatzung in die Arktis reiste: Auf der King-William-Insel im Norden Kanadas fand er die Leichen von einigen der 129 Verschollenen. Und eine Nachricht in einem Steinhaufen, die nahelegte, dass niemand überlebt hatte – McClintock hatte eines der größten Rätsel seiner Zeit gelöst.

In den Tagen der Schweizerischen Grönlandexpedition ist die schon etwas altersschwache »Fox« im Verkehrsdienst vor Westgrönland im Einsatz, der Kapitän heißt Stocklund und ist Däne. Zu Ehren der Expeditionsmannschaft hat er eine selbst genähte Schweizer Flagge am Topp hissen lassen. Der Weg nach Norden führt durch eine wahre Märchenlandschaft. »In der Davisstrasse wimmelt es jetzt von Eisbergen«, schreibt Roderich. »Es gibt die tollsten Luftspiegelungen. Über dem Horizont im Südwesten scheinen die Eisberge auf hohen Stangen aus Eis zu stehen, manche schweben frei über dem Meer hoch oben. Oft ist der Horizont ganz undefinierbar mit Eiswänden von nordlichtähnlicher Struktur und tollen senkrechten Wolkenstreifen (wie Kämme) verändert. Im Zeiss vergrössert sieht es ganz gespenstig aus. Wenn jetzt ein Schiff in der Nähe wäre, müsste es direkt verkehrt in der Luft schwebend erscheinen.«

Bei einem der Zwischenstopps macht Roderich einen Kajakausflug und fährt nah an einen Eisberg heran, um die Baukunst der Natur aus der Nähe zu betrachten. Er ist nur noch zehn Meter weg, als der weiße Koloss plötzlich kalbt. Ein riesiger Brocken stürzt mit einem dumpfen Rumpeln ins Wasser, der zurückbleibende Restberg beginnt sich zu wälzen, bläulich schimmernd hebt sich die Unterseite nach oben. Nur ein paar Sekunden später, und der Mann im Kajak wäre vom Eis begraben worden. Er beschließt, nie wieder ohne Not so nah an einen Eisberg heranzufahren.

Unterwegs werden die Hunde für die Durchquerung eingesammelt, die der Expeditionsleiter bei verschiedenen Ortsvorstehern vorab bestellt hat. Das erste Gespann mit neun Tieren und einem kräftigen Leithund namens Mons macht einen hervorragenden Eindruck. Im nächsten Hafen hingegen lassen sie sich ein paar »magere gelbe Katzen« (de Quervain) andrehen. Die Grönländer vor Ort behaupten, dass gerade die kleinen und schmalen Hunde besonders gut ziehen. De Quervain glaubt das nicht so recht. Aber weil er nicht sicher ist, ob er weiter nördlich noch bessere Tiere finden wird, nimmt er sie mit.

Bei einem Stopp in Jakobshavn führt er die Ausbeute dem dänischen Handelsassistenten Krogh vor, der sich gut mit Tieren auskennt. Angesichts der ausgezehrten Köter mit gelblichem Fell muss er einen Lachanfall unterdrücken. Er möchte nicht mit schuld an einem Scheitern der Expedition sein und schlägt vor, sie für einen kleinen Aufpreis gegen bessere Zugtiere auszutauschen. De Quervain nimmt dankend an. Endlich hat er 29 Hunde zusammen, die so aussehen, als könnten sie der Marathonaufgabe gewachsen sein: Silke, Mons, Kakortok, Jack, Erselik, Björn, Cognac, Whisky, Jason, Parpu, Pualasok, Tuva, Kajortatok, Singarnartartok, Vinke, Frak, James, Pamiok, Kajojok, Kakujok, Ajajak, Kajok, Kahungnak, Sortuluk, Kamerak, Nagdli, Kakojek, Kastor und Kudlipiluk. »Jetzt ist ein großer Hundeverschlag an Bord und ein mords Hundegestank«, notiert Roderich.

7. August 2011
Grönland, Ostküste

Wir machen uns auf die Suche nach Johan Petersen. Wir fragen im Tourismusbüro nach ihm und in der Bibliothek, doch keiner weiß, wo sein Haus steht. Das Problem ist, dass Petersen schon seit etwa 80 Jahren tot ist. Er war dänischer Statthalter in Tasiilaq und empfing meinen Opa am Ufer, als der nach dem Ende der Expedition bärtig und zerzaust in einem Frauenboot hergebracht wurde. Opa hat bei ihm gewohnt und als Dank eine hochwertige Sonnenuhr mit römischen Ziffern für die Hauswand gezimmert. Wir wollen herausfinden, ob die Uhr noch hängt.

Opas Tagebuch liefert leider kaum Anhaltspunkte für die Ortsbestimmung: »Petersen hat in seinem ›Garten‹ einen jungen Eisbär, der sehr wütend ist, wenn man an seine Kiste kommt, und mit den Tatzen nach einem haut. Er soll mit uns nach Kopenhagen in den Tiergarten reisen. Gegenüber in einem anderen Kistenkäfig ist ein junger Blaufuchs, der lustig guckt und sehr scheu ist. Wenn ich an der Sonnenuhr von Petersen arbeite, unterhalt ich mich zur Abwechslung manchmal damit, den Bär zu ärgern.«

Hilfreicher ist ein altes Foto von Tasiilaq, das meine Mutter dabei hat. Damals standen hier nur sechs oder sieben Hütten. Die ehemalige Statthalterresidenz liegt demnach schräg oberhalb der alten Kirche. Ein gelbes Häuschen mit Gerüst auf dem Dach, es wird gerade renoviert, das muss es sein. Doch hinter dem Gartenzaun entdecken wir weder Eisbärenkäfig noch Sonnenuhr, dort liegen nur Holzabfälle.

Carl-Erik Holm, der Betreiber des einzigen Museums in Ostgrönland, bestätigt uns, dass wir das richtige Haus gefunden haben. »Damals haben die das erst komplett in Dänemark aufgebaut, dann wieder abgerissen und mit dem Schiff herübergebracht. Heute steht es unter Denkmalschutz, eine junge Krankenschwester wohnt da.«

Das Museum ist voller alter Kajaks und Waffen, Töpfe und Werkzeuge. Und Schwarz-Weiß-Fotos, viele davon aus der Zeit zu Beginn des 20. Jahrhunderts: Inuit in ihren Zelten, dänische Forschungsreisende mit Ferngläsern, Landschaftsaufnahmen. Kein Bild, kein Zeitungsschnipsel deutet auf eine Expedition im Jahr 1912 hin. Die Schweizer hat man am Zielort ihrer gefährlichen Reise offenbar vergessen.

Vor 99 Jahren war Johan Petersen der wichtigste Ansprechpartner für Besucher aus dem Ausland, heute ist das Robert Peroni: Der 66-jährige Südtiroler betreibt das »Rote Haus«, eine Unterkunft für Trekkingreisende, und fährt mit zwei Booten Touristen durch die Fjorde. Fast alle seine Angestellten sind Inuit. Er legt Wert darauf, den Einheimischen Jobs zu verschaffen, die ihn dafür wie einen Halbgott verehren.

Bevor er ins Tourismusgeschäft einstieg, leitete er einige besonders wagemutige Inlandeis-Expeditionen. Eine ging über unfassbare 1400 Kilometer, eine andere versuchte er in der ewigen Nacht des arktischen Winters.

Im Wohnzimmer seiner Herberge sitzt eine Kajak-Reisegruppe und sieht sich einen Film an. »Der weiße Horizont« ist sein Titel, er handelt von Peronis letzter Tour aufs Inlandeis. Im Jahr 2010 zog er mit einer Gruppe los, um noch einmal den Ort zu erleben, an dem der Horizont aller vier Himmelsrichtungen nichts als endlose Weiße erkennen lässt. Den »weißen Horizont«, wo es keine Bergspitze mehr gibt, keine Vertikale, egal, wohin man blickt. Peroni hat eine unheilbare Bluterkrankung, die Ärzte gaben ihm damals nur noch wenige Monate. Er wusste: Das ist die letzte Chance in seinem Leben, dieses Abenteuer zu wagen.

Die Zuschauer erleben einen hustenden, röchelnden alten Mann, der im Zelt mit einer Sauerstoffmaschine beatmet wird. »No Limits« steht auf seiner Daunenjacke, doch der Kragen verdeckt einen Teil der Schrift, sodass nur noch das »No« zu lesen ist. Der Erzähler aus dem Off betont ständig, auf Peronis letzter Reise dabei zu sein, einige Stellen sind kaum zu ertragen, so nah dran ist die Kamera am Leid des Protagonisten. Die letzten Tagesetappen ist er so erschöpft, dass er sich auf einem Hundeschlitten ziehen lassen muss. »Das ist so eine Ironie, dass ich diesmal das Hindernis bin«, sagt Peroni im Film. Als Expeditionsleiter war er dafür berüchtigt, seine Mitstreiter mit gnadenlosen Marathonetappen bis zum Umfallen zu fordern.

Nun sind es die anderen, die gegen die medizinische Vernunft entscheiden, noch bis zu dem ersehnten Zielpunkt weiterzugehen. Am Ziel zeigt die DVD-Dokumentation einen zu Tränen gerührten dürren Menschen, der sich um die eigene Achse dreht und davon berichtet, hier die schönsten und einige der schlimmsten Stunden seines Lebens verbracht zu haben. Zuletzt sagt er:

»Ob ich noch mal hierherkomme? Natürlich nicht. Aber ich nehme das mit. Ich nehm's einfach mit.«

Ein Jahr danach treffen wir einen überraschend munteren Peroni auf der Veranda seiner Herberge. Vielleicht hat ihm die Expedition in die über alles geliebte Einöde unvermutet neue Kraft gegeben. Wir zeigen ihm das Tagebuch und erzählen von unserer Familiengeschichte. Er beglückwünscht uns zu unserer Reise: »Alle reden nur von der Westküste, von der Diskobucht – dabei ist es hier viel schöner.« Zudem hätten wir uns einen ganz besonderen Zeitpunkt ausgesucht: In diesem Jahr sei so viel arktisches Eis in den Buchten und Fjorden wie seit 50 Jahren nicht, er habe keine Erklärung dafür. Allerdings könne es deshalb sein, dass wir nicht alle geplanten Ziele per Boot erreichen können. Beim Abschied zeigt ihm meine Mutter noch ein Foto von Opa im Kajak. »Ach, das wurde direkt dort unten in der Bucht aufgenommen.« Da, wo unsere Zelte stehen.

Wir laufen am Ortsfriedhof mit seinen weißen Holzkreuzen und an Wollgrasstauden vorbei durch das herrliche Blumental am Fluss entlang zum Fuß des Qaqartivakajik, 718 Meter hoch, und damit etwas höher als Ficks Bjerg. Nach oben führt kein Weg, Patrick sucht selbst die Route. Immer wieder macht er kurze Pausen, damit alle mitkommen.

Meine Eltern schlagen sich gut. Ihr Training scheint sich auszuzahlen, sie haben Wanderungen im griechischen Pindos-Gebirge und im italienischen Apennin gemacht, um fit zu werden.

Im Geröllfeld unter dem Gipfel, wo wir immer wieder die Hände zu Hilfe nehmen müssen, lernen wir eine grönländische Besonderheit kennen: Selbst Berge, die nur wenige Hundert Meter hoch sind, können Schwierigkeiten bieten, wie man sie aus den Alpen nur über 2000 Metern kennt, oberhalb der Baumgrenze. An den grönländischen Bergen existiert kaum Vegetation, die das Erdreich zusammenhalten könnte, und nirgends ist ein Pfad auszumachen.

Auch die Schönheit der Ausblicke ist ungewöhnlich angesichts der geringen Höhe. Von unserem ersten Grönlandgipfel sehen wir spektakuläre Bergzähne, Packeisbrocken im Meer und im Westen am Horizont zum ersten Mal – das Inlandeis! Ein weißes Ungetüm, die Oberkante eine gerade Linie, wie mithilfe einer Wasserwaage gezeichnet. Die Illusion einer konturlosen Wand über grauem Fels, in Wirklichkeit ein sanft ansteigender Eishang voller Rinnen und Unebenheiten. Ein Eisklotz, der die Sinne verwirrt. Denn wie weit die Horizontlinie von uns weg ist, ob 30 oder 100 Kilometer, lässt sich beim besten Willen nicht sagen. In den Alpen sind die Ebenen im Tal und die Zacken im Gebirge, bei diesem Blick gen Westen gilt das Gegenteil: Die Eisberge mit ihren Spitzen sind unten, und die flache Ebene überragt den Fels.

Links der Eispanzer, rechts die Bucht von Tasiilaq – mit einer kleinen Drehung des Kopfes können wir Weg und Ziel der Schweizer Expedition betrachten. Irgendwo auf dieser Eismauer hat er gestanden, der Opa, im Juli 1912, und voller neuer Hoffnung auf den Berg geschaut, auf dem wir gerade stehen. Meine Mutter zieht das alte Tagebuch aus seinem transparenten Frischhaltebeutel und beginnt, daraus vorzulesen.

Juni 1912
Westgrönland, Tagebuch Roderich Fick

Es war am 10. oder 11. Juni, als wir von Fox und seiner Besatzung Abschied nahmen. Wir sassen noch einmal in dem gemütlichen kleinen Kajütli zusammen beim Essen, und es war eine feierliche Stimmung. Natürlich wurden auch Reden gehalten, aber ernste. Der Kapitän Stocklund taufte den Platz, an dem Fox lag, Dr. de Quervainhavn und sprach die Hoffnung aus, dass wir unsere grosse Aufgabe jetzt bald glücklich durchführen werden und wieder gesund zu unseren Angehörigen nach Haus kehren werden. Es war ihm aber leicht anzumerken, dass er sich grosse Sorgen über unsere Zukunft machte, und er konnte seine Rührung kaum unterdrücken.

Q. antwortete mit einem Dank für die schöne Zeit auf dem Fox und sagte, dass es jetzt für uns keinen anderen Ausweg mehr aus Quervainshavn gäbe, als nach Osten. Das hiess also: entweder erreichen wir unser Ziel Angmagsalik, oder wir sterben. Die Entscheidung muss in den nächsten 2 Monaten fallen.

Mit diesem Gefühl verliess ich das Schiff. Allen Foxleuten hab ich noch die Hand gegeben, aber ich brachte kein Wort mehr raus, weil ich mich elend beherrschen musste, die Tränen zu unterdrücken. Julius, der Schiffsjunge, weinte richtig, und auch den jungen Matrosen gieng's beinahe so. Der Matrose Bayer wäre nur zu gern mitgekommen. Als wir vom Schiff abstiessen und an Land fuhren, versammelte sich die ganze Foxmannschaft am Heck und brachte ein dröhnendes Hurra aus. Dann fuhr das Schiff ab in die Eisberge des Fjords und verschwand bald. Erst im Herbst erfuhren wir, dass das Fox'ens letzte Fahrt gewesen ist. Jetzt liegt er als Wrack vor Godhavn.

Dann krochen wir in unsere Schlafsäcke. Ich schlief aber nicht so bald ein, sondern dachte noch lang an unsere Foxtage, und immer kam wieder die Frage, ob ich wohl je wieder ein Schiff und das Meer sehen werde. Ich habe nie von so fremden Menschen eine so liebevolle Behandlung erfahren, wie von den beiden Stocklunds auf dem Fox, und so was gar nicht für möglich gehalten. Auch Hü hat da eine ganz neue Erfahrung gemacht. ...

Das Aufstiegsgebiet von Q.havn bis ans Inlandeis kam mir landschaftlich merkwürdig schön und stimmungsvoll vor. Es waren da viele Seen, einer höher wie der andere. Von einem See fiel ein Wasserfall über eine steile Felswand direkt in einen anderen tiefer liegenden, ohne Flussläufe dazwischen mit vollständig klarem, blaugrünem Wasser. Wie man sich als Kind ein Märchenland träumt. Der Boden oft mit farbigen Steinen und

Moosen. An einer Stelle war ein Fels in etwa 1 cm dicken Schichten rot und weiss gestreift. Er lag auf unserem Weg und war ein besonderer Ruhepunkt. Stolberg, Hü und ich kannten die Stelle unter dem Namen »der schöne Stein«.

Die Woche des Lastentragens war die anstrengendste der ganzen Reise und durch die Mückenschwärme noch recht unangenehm. Im grünen Zelt konnte man mit zugebundenem Zugang einigermaßen Ruhe haben. Nur wurde es dann so heiss drin unter der Mittagssonne, dass man liegend stark schwitzte. Stolbergs Begolin hilft aber doch etwas. Die Mücken fliegen noch an einen dran, aber sofort wieder entsetzt weg ohne zu stechen. Wir sehen aber bedenklich aus, da das Begolin schwarz ist. Es trocknet, fällt dann in Schollen ab, um wieder durch einen neuen Anstrich ersetzt zu werden. Oben am Eisrand hat man noch vor den Mücken Ruhe.

Trotz allem ist mir das Aufstiegsgebiet eine schöne Erinnerung, und keiner von den vielen Aufstiegen ist mir langweilig gewesen. Am schönsten ist es, mit Stolberg zu gehen, er erzählt bei den Ruhepausen immer Räuberpistolen.

Als das Notwendigste alles oben am Eisrand war, wurde mit dem Beladen der Schlitten begonnen. Ich wollte kurz vor unserem Aufbruch noch einmal hinunter ans Meer gehen, um einen Persenning zu holen, den ich für einen eventuellen Bootbau an der Ostküste für nötig hielt, da unsere wasserdichten Schlittensäcke für den Bootbau viel Näharbeit gemacht hätten und es außerdem etwas wenig Stoff gewesen wäre. Q. wurde wieder ärgerlich und entschied dagegen, da das Depot ja sicher da sei. Das kostete ihn später manche unangenehme Stunde.

Ich hatte ausserdem das merkwürdige Gefühl, ich müsse das Meer noch einmal von Nahem sehen. . . . Jetzt wird Ernst aus der Sache. Ich habe so ein Gefühl »Ent- oder weder«, etwas Angstgefühl, von dem ich nicht weiss, ob es noch von meiner Herzgeschichte her ist, die mich immer noch etwas quält. Wie es den andern ist, weiss ich nicht. Jedenfalls lässt sich keiner was merken.

8. August 2011
Tasiilaq, Ostgrönland

»Zieht's alles an, was ihr habt«, rät Patrick. Bald stehen drei Frauen und fünf Männer am Ufer, die sich derart aufgezwiebelt haben, dass sie eher dem Michelin-Männchen gleichen als Arktisabenteurern. Liner-Socken, Wandersocken, lange Unterhose, Wanderhose, Regen-Überhose, T-Shirt, Woll-Langarmshirt, Fleecepulli, Daunenpulli, Goretexjacke, Fleecehandschuhe, Überhandschuhe, Mütze, Kapuze. Über dieses Ensemble kommt noch eine orangefarbene Schwimmweste, dann sind wir bereit. Zelte, Schlafsäcke und Proviant für zwei Wochen haben wir in wasserdichten gelben Plastiktonnen verstaut.

Zwei Motorboote mit kleiner Windschutzscheibe und offenem Verdeck, in ihrer Signalfarbenoptik den Schwimmwesten angepasst, tuckern ans Ufer neben dem Lagerschuppen heran. Mithilfe der starken Arme der Inuit-Steuermänner Vigo und Julius werden Gegenstände und Menschen verstaut.

Die ganzen wasserdichten Taschen und Rucksäcke – »Koffer sind ungeeignet«, hieß es im Infoblatt des Trekkingveranstalters – samt Patrick kommen zu Julius. Die Reisegruppe steigt bei Vigo ein, einem Mann mit wettergegerbtem braunen Gesicht und dunklen melancholischen Augen. Sein Alter lässt sich nur schwer schätzen.

Sobald wir den Schutz der Bucht von Tasiilaq verlassen, wird es ungemütlich. Packeis, schwere Brocken, wo man hinsieht, dazwischen verlaufen nur schmale Wasserwege. Das ist kein Meer, das ist ein weißes Labyrinth, dessen Mauern ständig in Bewegung sind. Steuermann Julius, ein braun gebrannter Kerl mit buschigen Augenbrauen, lässt seinen 150-PS-Motor aufheulen und rammt den Bug gegen knackende Eisschollen, um einen Weg freizupressen. Sobald die Durchfahrt frei ist, muss unser zweites

Boot schnell nachkommen, weil die Blöcke in ständiger Bewegung sind. Schon Sekunden später kann der gerade entstandene Weg schon wieder versperrt sein.

Plötzlich gerät Julius in eine Sackgasse. Er steigt vom Boot aufs Eis und blickt minutenlang mit zusammengekniffenen Augen nach Norden, um einen Ausweg zu finden.

Vor 100 Jahren hätte man einfach das Boot aus dem Wasser geholt und über die Schollen getragen. Damals gab es hier nämlich nur zwei Arten von Fahrzeugen: Kajaks, Männerboote, und Umiaks, Frauenboote. Die Jäger von einst bauten ihre wendigen Einsitzerkajaks selber, sie waren maßgeschneidert für die Größe des Fahrers. Um ein Skelett aus Treibholz und Walknochen spannten sie einen wasserdichten Rumpf aus Seehundhaut. Ein ewiges Aufrüsten: Zwei bis acht Seehunde ergaben ein Kajak, mit dem konnten dann weitere Seehunde gejagt werden. Dazu verwendeten die Inuit Harpunen, an denen ein Seil mit einer luftgefüllten Blase befestigt war, die sie hinter ihrem Sitz verstauten. Nach einem Treffer warfen die Jäger den Ballon ins Wasser, damit die Beute nicht untergehen konnte. Sogar Weißwale und Narwale wurden so erlegt.»Das Kajak ist das unvergleichlich beste Einmannfahrzeug, das es gibt«, schrieb der Polarforscher Fridtjof Nansen.

Auch die etwa neun Meter langen Umiaks dienten einst als Walfangboote. Sie waren weniger wendig als die kleinen Kajaks, dafür hatten 10 bis 15 Menschen darin Platz. Die Inuit schmückten sich zur Jagd wie für eine Hochzeit, weil sie glaubten, dass schmutzige Kleidung die Tiere verjagen würde. Oft gingen die Boote allerdings zu Bruch, wenn ein Wal mit seiner Schwanzflosse zuschlug. Im Jahr 1912 waren sie fast nur noch als Transportmittel im Einsatz.

Julius hat gute Augen, von seinem Aussichtspunkt kann er eine brauchbare Route ausmachen. Noch eine halbe Stunde geht das Eisplattenschubsen weiter, dann sind wir endlich im offenen Wasser. Die Boote beschleunigen und springen über die Wellen, die Insassen werden ziemlich durchgeschüttelt.»Bitte beachten

Sie, dass die langen Bootsfahrten den Rücken sehr beanspruchen. Sollten Sie Probleme mit dem Rücken, z. B. Bandscheiben, haben, raten wir Ihnen von dieser Reise ab«, hatte uns der Reisekatalog gewarnt, jetzt wissen wir, warum.

Im Slalom rasen wir um Eisberge in phantastischen Formen. Wer glaubt, die Arktis sei karg und eintönig, wird auf so einer Fahrt eines Besseren belehrt. Wir passieren eine Sphinx, mehrere Torbögen, einen Bären aus Eis, ein Eis-Schaf, sogar ein Art buddhistischen Tempel. Vigo blickt verträumt auf die weißen Formen um uns herum, man spürt, wie sehr er diese Landschaft liebt.

Von der Meeresbucht biegen wir nach links in den Ikasartivaq-Fjord, rauschen durch blaugraues Wasser zwischen mausgrauen Bergen mit dunkelgrauen Gipfeln unter hellgrauen Wolken.

Plötzlich sind Holzhäuser am Ufer auszumachen. Wir halten in Tiniteqilaq, kurz Tinit, der letzten Ortschaft für die nächsten Tage. Die Häuser hier sehen verfallener aus als in Tasiilaq, die Farbe ist verblichen und abgeblättert, einige Scheiben zertrümmert. Doch der stark beheizte Supermarkt verfügt über ein beeindruckendes Sortiment: Haribo-Goldbären, Kuchenmischungen von Dr. Oetker, Knorr-Fertiggerichte, Oreo-Kekse, Ferngläser, Zahnbürsten und Zehn-Kilo-Säcke mit Hundefutter. Mein Vater kauft 20 Briefmarken.

Tritt man wieder durch die schwere Metalltür nach draußen, hat man das Gefühl, in einer anderen Epoche gelandet zu sein. Fischhäute und Robbenrippen hängen zum Trocknen an Holzgestellen, in den Motorbooten der Einwohner liegen Schrotgewehre für die Jagd. Daneben treiben tote Seehunde im Wasser, die mit einer Schnur am Ufer fixiert sind: der Fjord als Naturkühlschrank.

Oberhalb des Dorfes gibt es einen Aussichtspunkt mit einem spektakulären Blick auf den zwölf Kilometer breiten Sermilik-Fjord. Hinter vielen Eisbergen sind auf der anderen Seite zwei Inseln zu erkennen, links eine große, rechts eine deutlich kleinere. Die Inseln kommen mir bekannt vor. Auf der Kopie eines kleinen Stücks Pergamentpapier aus Opas Nachlass, das ich bei mir trage, sind sie eingezeichnet, samt den groben Umrissen des riesigen Fjordes und mehrerer krakenartiger Landausläufer. Die Lage der beiden Inseln wurde auf dem Papier geändert und noch ein wenig nach Westen korrigiert. Am Festland gegenüber der kleinen Insel ist ein rotes Kreuz eingezeichnet, »Depot« steht daran, eine gestrichelte rote Linie führt durchs Wasser in eine Bucht. Patrick ist begeistert. »Da drüben ist der Hoesslyberg – und unten am Ufer war das Depot«, sagt er überzeugt und deutet über den Fjord in die Richtung der kleineren Insel.

Petersen, der Mann mit dem gelben Haus und der Sonnenuhr, hatte vor 100 Jahren dort ein paar Dinge unter einem Steinhaufen vergraben, die den vier Schweizern das Überleben sichern sollten. Falls sie jemals so weit kamen. Kajaks und Konserven waren dort verstaut, ein paar Steinmänner und eine dänische Flagge dienten als Markierung. »Ich frage Julius, ob wir da halten können«, verspricht Patrick, und schon ist Tinit, diese absurde Bruchbudensiedlung im Nirgendwo, der letzte Außenposten der Menschheit vor dem endlosen Eis, nicht mehr so interessant. »Hättet ihr das nicht gleich sagen können, dann hätten wir hier kürzer Pause gemacht«, brummt Julius etwas ungehalten. Er will heute Abend noch nach Hause. Dann willigt er ein, zumindest einen zehnminütigen Zwischenstopp einzulegen.

Kurz darauf steigen neun Gestalten in leuchtenden Schwimmwesten von einem schwankenden Boot aufs Geröll, um sich auf die Suche zu machen. Die Suche nach was eigentlich? Ob hier noch rostige Dosen herumliegen? Vielleicht ist einer der Steinmänner zu sehen? Oder sonst irgendein Hinweis auf die exakte Stelle des Materiallagers? Patrick und ich rennen über zerklüfteten Fels, der Rest der Gruppe geht es etwas langsamer an. Wo würde ein kluger Mann das Depot anlegen? Doch sicher an einer etwas geschützten Stelle, etwa unter einem Felsvorsprung. Oben auf der Anhöhe, sieht das nicht aus wie ein von Menschen aufgeschichteter Steinhaufen? Bestimmt eine Täuschung. Wir entdecken reichlich brüchigen Granit, aber keine Spuren von 1912. »Das Leben am Depot ist sehr idüllich«, schrieb mein Opa.

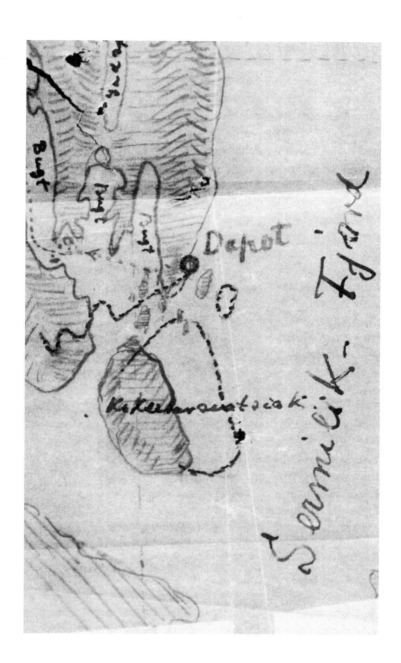

»Drunten zwischen dem Eis hören wir die Seehunde schnaufen. Manchmal kommen sie auch ganz neugierig nah heran in die Bucht, wo unser Kajaklandeplatz ist.« Der Landeplatz! Es gibt nur eine kleine Bucht an dieser Steinküste, eine geschützte Stelle etwa 15 Meter landeinwärts.» Jeder Bootsfahrer würde von dort mit dem Kajak starten«, sagt Julius. Kein Zweifel: Exakt von hier sind die damals losgepaddelt.

Es ist ein seltsames Gefühl, wenn man in eine menschenfeindliche Wildnis reist, weit weg von der Zivilisation, und dann plötzlich der kargste Ort der Welt etwas Vertrautes gewinnt. Diese Stelle kennen wir, aus Opas Tagebuch und jetzt auch aus eigenem Erleben. Gelesenes und Gesehenes fügen sich zusammen wie zwei Puzzleteile.

Vor meinem inneren Auge schieben müde, bärtige Männer in Jacken aus Robbenleder und Kamiker-Schuhen ihre Kajaks in den Fjord, während sie auf Schwyzerdütsch das kalte Wasser verfluchen. Innerlich fluche ich auch, als ich wieder ins Boot steige – hätten wir doch weniger Zeit in dem Dorf verbracht und noch etwas länger gesucht!

Auf der Weiterfahrt folgen wir exakt der gestrichelten roten Linie auf der Depotkarte und biegen bald in den Hundefjord ein. Sein Name erinnert an die Tiere, die hier vor 99 Jahren zurückbleiben und sterben mussten. Zuerst hatten die Schweizer den Wasserlauf »Hoffnungsbucht« getauft, weil genau hier ihre verzweifelte Hoffnung auf eine Rückkehr in die Zivilisation lag. Später entschieden sie sich um und sorgten dafür, dass auf Landkarten für ihre Hunde ein Namensdenkmal verewigt wurde. Am Ende der Bucht legen wir an und laden das Gepäck ab. Eine andere deutsche Reisegruppe steht mit gepackten Sachen am Ufer, sie wirken mürrisch, wahrscheinlich warten sie schon etwas länger.

Nun müssen sie auch noch mit ansehen, wie eine froh gestimmte, beim Weiterreichen der Lasten allerdings stümperhaft organisierte Michelin-Männchen-Großfamilie gemächlich ihr Zeug aus den Fahrzeugen wuchtet. Die kritischen Blicke stören uns nicht, sie hätten ja auch mit anpacken können. Wir haben bessere Manieren und bieten an, ihnen beim Verladen zu helfen. »Geht schon«, faucht der Gruppenleiter.

Bald wird das Knattern der Bootsmotoren immer leiser. Endlich allein. Wir inspizieren die Ebene, die Mücken inspizieren uns. Dann bringen wir die gelben Tonnen und unsere schweren Taschen ein paar Hundert Meter weiter ins Inland. Meine Eltern haben das schwerste Gepäck, was haben die bloß alles eingepackt?

Als das Camp steht, holt Patrick neun dreibeinige Klapphocker aus einer der Tonnen. »Erzählt das keinem, sonst lachen mich die echten Outdoorleute aus«, sagt er grinsend mit einem Seitenblick Richtung Fjord.

Dann erklärt er die Toilettenregeln: Die bei Camp-Aufbau festgelegte Kloregion aufsuchen, mit der Schaufel ein Loch graben, gebrauchtes Klopapier verbrennen. Wenn die Schaufel nicht an der üblichen Stelle im Boden steckt, heißt das: besetzt.

Beim Abendessen sitzen wir im Esszimmerzelt im Kreis auf unseren Hockern und lassen uns Corned Beef, Kartoffelbrei und Kaiserschmarren schmecken. Wir beschließen, unseren Reiseleiter ab jetzt Jamie zu nennen, denn was er immer auf die Teller zaubert, ist wirklich phänomenal.

Beim Dessert erzählt Patrick von Eisbären. Er hat ein Schrotgewehr dabei, falls wir unerwarteten Besuch bekommen. »Wenn einer kommt, müsst ihr euch in der Gruppe zusammenstellen und möglichst groß machen. Rennt bloß nicht weg, das fördert den Jagdinstinkt!« Die Wahrscheinlichkeit sei zwar nicht besonders groß, dass sich ein Tier so weit in den Süden verirrt, aber es kann schon mal vorkommen. »Wahrscheinlich würde sich ein Eisbär nachts nähern und erst einmal das Lager umkreisen.« Na dann, süße Träume.

Wir müssen morgen früh aufstehen, weil wir viel vorhaben, also gehen wir schon um zehn in die Schlafzelte. Direkt nebenan erhebt sich im Norden eine steile graue Felsflanke: Wir haben unser Lager am Fuß von Ficks Bjerg aufgeschlagen.

Die Welt vor 100 Jahren

Den Menschen in Westeuropa ging es gut im Jahr 1912. Seit Jahrzehnten herrschte Frieden, Kriege tobten nur weit entfernt, auf dem Balkan oder in Afrika, es war eine Zeit der Sicherheit und des Fortschritts. Der Alltag war voller Annehmlichkeiten, die vorherige Generationen nicht kannten. Man konnte sich mit dem Fernsprecher zum Kinobesuch verabreden und hörte Opernarien von Enrico Caruso auf dem Grammofon. Elektrische Bügeleisen und Maggi-Suppenwürze vereinfachten den Haushalt. Das Kopfschmerz- und Rheumamittel Aspirin wurde zum Welterfolg, optimistische Mediziner prophezeiten schon das absehbare Ende aller Krankheiten.

Zwischen 1890 und 1910 wurden weltweit 400000 Kilometer Schienen verlegt, 9000 allein auf der Strecke der Transsibirischen Eisenbahn. Riesige Dampfschiffe überquerten die Weltmeere, mutige Forscher hoben mit motorisierten Flugzeugen oder Luftschiffen ab, in den USA ging der Ford T in Serie und wurde hunderttausendfach verkauft.

Forscher forschten, Erfinder erfanden, Denker dachten, ihre Erkenntnisse katapultierten Wissenschaft und Technik in ein neues Zeitalter: Während der ersten 25 Lebensjahre von Roderich Fick entwickelte Sigmund Freud die Psychoanalyse, die Curies entdeckten die Radioaktivität, Einstein die Relativitätstheorie und Röntgen die Röntgenstrahlen. Er bekam dafür 1901 den ersten Nobelpreis für Physik überreicht. Wilhelm der II. regierte das Deutsche Kaiserreich, Königin Victoria herrschte über Großbritannien, Franz Joseph I. über Österreich-Ungarn.

Immer mehr Menschen zog es in die Städte, die Arbeit boten und sich rasant veränderten. Der Eiffelturm thronte über Paris, die Tower Bridge schmückte London, die Hochbahn ratterte durch Hamburg.

Wenn Angehörige der Mittelschicht genug vom Trubel der Stadt hatten, reisten sie zur Sommerfrische an die Nordsee oder in die Luftkurorte der Alpen. In der Oberschicht waren Reisen in den Orient der letzte Schrei, mit dem Dampfer zu den Pyramiden in Ägypten, im Orient-Express nach Istanbul. Die Literatur der Zeit spiegelte das Interesse an exotischen und fremden Welten wider. Jules Verne feierte weltweite Erfolge, Karl May schrieb »Winnetou der Rote Gentleman«, Rudyard Kipling »Das Dschungelbuch«, Jack London »Ruf der Wildnis«. Wer von der Ferne träumte, war nicht nur auf Bücher angewiesen. Dank Filmkameras war es erstmals möglich, kulturelle Eigenarten und geschichtliche Ereignisse aus anderen Teilen der Welt auch in bewegten Bildern zu betrachten, ohne selbst vor Ort zu sein.

Was in den Fünfzigerjahren die Himalaja-Gipfel wurden und in den Sechzigern der Mond, waren um die Jahrhundertwende die Polarregionen: Die ganze Welt blickte auf die Wagemutigen, die sich auf den letzten großen Entdeckungsreisen in unbekannte Eisregionen vorwagten, sie wurden bewundert wie heute die größten Sportidole.

1888 durchquerte der Norweger Fridtjof Nansen in 49 Tagen auf Skiern das Inlandeis Grönlands. Fünf Jahre später wagte er sich mit der »Fram« auf eine dreijährige Pionierfahrt in die Arktis. Das Schiff wurde vom Packeis eingeschlossen und trieb mit der Strömung in Richtung Nordpol. Zusammen mit Hjalmar Johansen, einem der damals weltbesten Skifahrer, versuchte Nansen, auf Skiern den Pol zu erreichen. Sie kamen bis auf 86° 04' nördlicher Breite, so weit war noch niemand vorher nach Norden vorgedrungen.

Anfang des 20. Jahrhunderts beanspruchten gleich zwei US-amerikanische Forscher für sich, den nördlichsten Punkt der Erde erreicht zu haben: Frederick Cook im April 1908 und Robert Edwin Peary im April 1909. »Endlich der Pol!«, schrieb Peary in seinem Bericht. »Der Preis von drei Jahrhunderten. Mein Traum und Ziel seit 20 Jahren. Endlich mein!« Wäre es in dem Wettstreit darum gegangen, wer seine Leistung mit besonders blumigen

Worten ausschmücken kann, hätte Cook gewonnen: »Zuletzt steigen wir über farbige Felder glitzernder, ansteigender Wände aus Purpur und Gold – endlich, unter kristallblauem Himmel mit flammenden Ruhmeswolken, erreichen wir unser Ziel! Die Seele ist erfüllt vom endgültigen Triumph; in uns geht die Sonne auf, und die ganze Welt voll nachtdunkler Mühsal schwindet dahin. Wir sind auf dem höchsten Punkt der Welt! Die Flagge flattert im eisigen Wind des Nordpols!«

Ein heftiger Streit, der sich über Jahrzehnte hinzog, entbrannte im Anschluss zwischen den einstigen Expeditionskameraden Peary und Cook darüber, wer den Nordpol für sich beanspruchen konnte. Nach heutigem Stand der Forschung hatte keiner Recht: Beiden fehlten bis zu ihrem Ziel etliche Kilometer.

Auch der Norweger Roald Amundsen hatte eine Nordpol-Expedition geplant, doch da der Titel scheinbar vergeben war, konzentrierte er sich auf den Südpol. Mit seiner ersten Befahrung der Nordwestpassage hatte er schon arktischen Ruhm erworben. Mit 52 Hunden, vier Schlitten und vier Begleitern brach er im Oktober 1911 an der Walfischbai der Ross-See in die Antarktis auf. Am 14. Dezember vermerkte Amundsen vergleichsweise nüchtern in seinem Tagebuch: »Endlich haben wir unser Ziel erreicht und unsere Flagge am geografischen Südpol gehisst. Gott sei Dank!«

Gut einen Monat später tat es ihm der Brite Robert Falcon Scott gleich, der zwölf Tage nach Amundsen an einem anderen Punkt der Ross-See gestartet war. Statt mit Hunden versuchte er, mit Ponys und pannenanfälligen Motorschlitten voranzukommen, was sich als fataler Fehler erwies. Am Pol fand er einen Brief des Norwegers: nur Zweiter, nach diesen Mühen in der Kälte! Und der Rückweg stand ihnen noch bevor. Dabei gerieten die Männer in einen mehrtägigen Orkan, erlitten bei Temperaturen um minus 40 Grad Celsius schwere Erfrierungen, dann gingen Nahrung und Brennstoff zu Ende. Ein Jahr später fand man ihre Leichen, nur 18 Kilometer vom rettenden Camp entfernt.

Auch sonst war 1912 ein Jahr der Katastrophen in den Polargebieten: Die deutsche Schröder-Stranz-Expedition in Spitzbergen, als Vorbereitung für eine geplante Nordostpassage, wurde zum »German Arctic Desaster« (»New York Times«), weil die Mannschaft zu unerfahren war und die Gefahren unterschätzte. Acht von 15 Teilnehmern starben, die Überlebenden konnten teils nur mit schweren Verletzungen und Erfrierungen gerettet werden.

Auch die Südpol-Expedition Wilhelm Filchners, des Mannes, bei dem Roderich Fick sich in Berlin beworben hatte, scheiterte. Beim Aufbau wurde ihre auf einem Eisberg errichtete Überwinterungsstation durch eine Springflut zerstört, und das Schiff, die »Deutschland«, kam nicht so weit wie erhofft nach Süden. Sie blieb im Packeis stecken und war neun Monate manövrierunfähig. Dennoch brachte die Reise wertvolle meteorologische und ozeanografische Erkenntnisse.

Selbst die größte Katastrophe des Jahres hatte indirekt mit der Arktis zu tun: Ein grönländischer Eisberg schlitzte am 14. April 1912 den Rumpf des Luxusliners »Titanic« auf. Das tödliche Hindernis war am Gletscher Jakobshavn Isbræ entstanden, dort, wo vier Schweizer zu ihrer Inlandeis-Expedition aufbrechen wollten. Der Untergang belehrte alle, die geglaubt hatten, der Fortschritt könne es längst mit jeder Naturgewalt aufnehmen, eines Besseren.

Als Frederick Cook nach seiner angeblichen Nordpol-Eroberung im August 1909 mit der »Hans Egede« von Grönland zurückreiste, befand sich an Bord auch ein junger Geophysiker, der an der Westküste mit Wetterballons atmosphärische Strömungen gemessen hatte. Mit Begeisterung lauschte Alfred de Quervain den Erzählungen des Hochstaplers. Doch schon auf dem Schiff verstrickte sich Cook in Widersprüche, als er behauptete, am Pol sei die Sonne am Mittag und um Mitternacht nicht an gegenüberliegenden Positionen zu sehen gewesen. De Quervain wies ihn darauf hin, dass es dann nicht der nördlichste Punkt gewesen sein könne. Trotzdem wollte er dem charmanten Amerikaner nichts Böses, und so äußerte er selbst die wohlwollende Vermutung, dass es sich um eine falsche Erinnerung als Folge der enormen Anstrengungen handeln müsse. Bei einer Feier mit allen Passagieren hielt de Quervain die Lobrede: »Ein Cook war es, der vor mehr als hundert Jahren die Meridiane rings um die Erde kreuzte, wo sie breit auseinander sind. Ein Cook ist es heute, der sie dorthin verfolgt hat, wo sie in einem Punkte zusammenfließen. Heil seinem Namen!«

Als sich die »Hans Egede« Kap Skagen an der Nordspitze Dänemarks näherte, wurde sie von Reportern in Booten in Empfang genommen. Die hatten mehr als zehn Stunden auf dem Wasser ausgehalten für die Chance, das erste Interview zu führen oder das erste Foto zu knipsen. »Im Nu waren die Journalisten an Bord, und Cook verschwand im Handumdrehen zwischen Zylindern, Strohhüten, Notizblöcken und Bleistiften«, schrieb de Quervain später. Drei Kinematografen wurden in Position gebracht und filmten das Geschehen an Bord, auch der Schweizer war ab und zu mal im Bild.

Ob de Quervain diesen Rummel mit Neid beobachtete? Schon damals muss ihm klar gewesen sein, dass seine geplante Grönland-Durchquerung ihm nie zu der Berühmtheit eines Amundsen, Peary oder Cook verhelfen würde. Sein Plan war nichts für die Geschichtsbücher, trotz aller bevorstehenden Strapazen und Gefahren: Er konnte nicht mehr Erster sein.

9. August 2011
Hundefjord, Ostgrönland

Meine Mutter fühlt sich seit der langen Bootsfahrt gestern etwas schlapp, sie will lieber im Lager bleiben und die heutige Tour auslassen. Patrick hatte noch angeboten, eine Stunde früher zu starten, damit wir besonders langsam gehen können. Vergeblich. Ausgerechnet auf der heutigen Etappe legt sie eine Pause ein, mein Vater bleibt mit ihr im Lager am Fjord.

Ein junger Blaufuchs beobachtet uns aus der Ferne, als wir zu siebt den Hang hinaufsteigen, zunächst parallel zu einem Fluss, der nach oben hin immer reißender wird. Patrick geht voran, er trägt eine löchrige blaue Latzhose, nicht das einzige seiner Kleidungsstücke, das seine besten Jahre schon hinter sich hat. Aus seinem Rucksack ragt der Knauf eines Gewehrs, mit dem er im Notfall Eisbären den Garaus machen will. Über trittfesten Stein laufen wir an tosenden Wasserfällen entlang, die irgendwo da oben aus dem Gletscher kommen, aus der gigantischen Eisplatte, die 85 Prozent von Grönland bedeckt.

Von Weitem wirkt die Felslandschaft eintönig grau, doch sobald man näher herangeht, zeigen sich Formen und Farben im Fels, die wie von einem abstrakten Künstler aufgetragen wirken. Schwarz-weiß gestreifte Klötze, runde Markierungen, glitzernder Quarz und rostfarbene Granate. Wo der Fels geborsten ist und sich Dutzende Risse zeigen, wirkt er wie ein Puzzlespiel aus der Steinzeit. Während berühmte Alpenberge manchmal aus der Ferne spektakulärer wirken und sich aus der Nähe als dröges Geröllfeld entpuppen, verhält es sich mit Ostgrönland umgekehrt. Nicht im Weitwinkel, sondern erst im extremen Zoom zeigt sich die wahre Pracht.

Wir passieren Schneefelder und Moränengeröll, blicken dann noch einmal zurück ins Tal. Drei lang gestreckte Felszungen sind deutlich um unser Lager herum auszumachen: Hoesslys Bjerg, Ficks Bjerg und Gaule Bjerg. Wie graue Riesenschlangen strecken sie sich in Richtung Sermilik-Fjord, in Richtung Tasiilaq, in Richtung Zivilisation. Besonders schön sind sie nicht. Hätte de Quervain für seine Mitstreiter nicht drei so richtig hübsche Felszacken aussuchen können, wie sie hinter dem Fjord viel spektakulärer aus ihren Gletschermänteln herausragen?

Als die Expeditionsteilnehmer im Sommer 1912 hier standen und zum Wasser herabblickten, wird es ihnen egal gewesen sein. Endlich wieder fester Stein unter den Füßen!

Wir haben das umgekehrte Ziel. Nach vier Stunden sind wir auf 810 Höhenmetern am Rand einer zerfurchten weißen Wüste. Der erste Schritt aufs Inlandeis fühlt sich an, als würde man auf drei übereinandergelegte Knäckebrote treten. Ich habe noch nie Eis erlebt, das so wenig rutschig ist, man kann ohne Steigeisen problemlos laufen. Dieses vergängliche Gebilde aus gefrorenem Wasser wirkt verblüffend stabil. Und verblüffend dreckig: An vielen Stellen hat ein schwarzes Pulver runde und ovale Löcher in den Boden gebohrt. »Kryokonit«, erklärt Patrick, Asche von Waldbränden und Industrieabgasen aus Nordamerika, die der Wind bis hierher geweht hat. Durch Sonneneinstrahlung sinken die dunklen Partikel schnell ein und lassen das Eis schmelzen. Ich ertappe mich bei dem Gedanken, dass es schön wäre, die Asche meines Opas hier zu verstreuen. Jeden Tag würde sie ein kleines bisschen tiefer einsinken, eine letzte Wanderung im Eis, jahrzehntelang, jahrhundertelang.

»Wollen wir da auch mal rüberlaufen?«, fragt mich Patrick und deutet nach Westen, wo nur noch Weiß zu sehen ist bis zur Horizontlinie, wo das Eis etwas dunkler zu werden scheint. »Klar. Jetzt gleich?«, antworte ich.

Für 700 Kilometer reicht die Zeit dann doch nicht, wir werden ja abends wieder im Camp erwartet. Aber zwei Kilometer gehen wir immerhin, zwischen unzähligen hellblauen Gletscherflüssen, die sich vom Landesinneren herabschlängeln. Ab und zu müssen wir über die Furchen springen. »Die Größe lässt sich erst begreifen, wenn man zumindest ein paar Hundert Meter darauf gelaufen ist«, behauptet Patrick. Ich glaube ihm nicht. Die Dimensionen eines Eispanzers, der 1,8 Millionen Quadratkilometer groß ist, 2400 Kilometer von Süden nach Norden und bis zu 1100 Kilometer in ostwestlicher Richtung und in der Mitte über drei Kilometer dick, diese Dimensionen lassen sich überhaupt nicht begreifen. Das Eis ist so schwer, dass der Boden teilweise Hunderte Meter nach unten abgesackt ist unter dem Gewicht. Man stelle sich Deutschland vor, komplett bedeckt von einer eineinhalb Kilometer dicken Eisschicht. Ganz Berlin unter Eis, ganz Bayern, ganz Nordrhein-Westfalen. Dann stelle man sich sechs Deutschlands vor mit einer solchen Abdeckung, und es ergibt sich etwa das Volumen des grönländischen Eises. Wenn das alles schmilzt, würden die Meere um mehr als sieben Meter ansteigen und weltweit Küsten überschwemmen.

»Klar. Jetzt gleich?« Habe ich das wirklich eben gesagt? Tatsächlich, am liebsten würde ich sofort losgehen, um herauszufinden, was es bedeutet, das Inlandeis zu überqueren. Ob es zu schaffen wäre. Ich ahne, dass mich die Idee in den nächsten Monaten weiter beschäftigen wird.

Beim Abstieg lernen wir noch eine weitere ostgrönländische Besonderheit kennen: Die Felslandschaft verwirrt die Sinne, man verschätzt sich immer wieder bei den Distanzen. Vielleicht liegt es daran, dass hier nirgends ein Baum wächst, der als Maßstab für Entfernungen helfen würde. Vielleicht liegt es an der extrem klaren Luft, die eine ungewohnt weite Sicht ermöglicht. Irgendwie funktionieren hier die Instinkte nicht so wie in anderen Gebirgen, mal braucht man das Doppelte, mal die Hälfte der erwarteten Zeit, um einen anvisierten Punkt zu erreichen. Das geht nicht nur mir so, sondern auch Patrick und Uli, meinem Onkel, der von uns allen der erfahrenste Bergsteiger und seit Jahrzehnten ständig in den Alpen unterwegs ist.

Vier Stunden brauchen wir vom Eis bis zum Camp. »Ihr habt was verpasst«, sagen wir zur Begrüßung. »Ihr auch«, sagen meine Eltern. Sie haben eine Tour in der Talsenke hinter sich und sind nicht weniger begeistert als wir.«Ist gar nicht einzusehen, warum wir seit 35 Jahren nicht gezeltet haben«, sagt mein Vater.

Zum Abendessen brutzelt Patrick frischen Lachs, den er in Tinit gekauft hat. Das ganze Aufenthaltszelt riecht nach Fisch, als meine Mutter nach dem Essen Opas Tagebuch aus der Hülle zieht. Dabei fällt etwas heraus, hinten aus der Umschlagklappe. »Huch, ich habe zu Hause vergessen, das rauszunehmen«, sagt sie. Ein winziger Briefumschlag mit Poststempel aus Jevnaker in Norwegen, nicht weit von Oslo. Darin befindet sich nur eine leicht vergilbte Visitenkarte. »FRIDTJOF NANSEN« steht vorne in Versalien, die beiden Anfangsbuchstaben mit feinen Schnörkeln verziert, und hinten eine Botschaft auf Deutsch: »Kapt. Amundsen ist abwesend auf seiner Expedition durch das Nordpolmeer. Irgend eine geographische Zeitschrift für 1917 wird die gewünschten Auskünfte geben. 5.1.20«. In meiner Begeisterung, eine handgeschriebene Notiz von Nansen in der Hand zu halten, vergesse ich fast die viel interessantere Frage: Was wollte mein Opa 1920 von Amundsen?

19. Mai 1911
Westgrönland

Den Danske Artiske Station
Disko, Grønland   19/5 1911.

Herrn Dr. A. de Quervain,
Direktor Adj. D. Schweiz. Met. Centralanstalt.

Hochgeehrter Herr!
Wenigstens in der Einleitung will ich mich der von Ihnen angegebe-
nen pompösen Form bedienen, sollte ich im spätern Thema auf eine
andere herabsinken, bitte ich Sie mir dies verzeihen zu wollen. In Sachen,
die mich lebhaft interessieren, wie die Ihrige, kann ich besser meine Meinung sagen, wenn ich etwas über die formellen Seiten hinausgehen
kann. ...
   Sie wollen im Frühjahr nach Holstenborg kommen, dort 6 Wochen lang
Schlitten fahren und dann im Sommer über das Inlandeis fahren! Lieber
Herr Dr. Quervain, was würden Sie einem braven Kopenhagner Bürger
antworten, wenn er Ihnen erzählte, er werde nach der Schweiz reisen, den
Montblanc ohne Führer besteigen und zur Uebung unterwegs den Blocks-
berg erklimmen? Ja, wir können eigentlich mit so verschiedenen Ansichten
gar nicht diskutieren. ... Wenn ich für das Scheitern Ihres Planes irgend
ein Interesse hätte, wüsste ich auf Ehrenwort nichts zweckmässigeres als
diesem Plan zuzustimmen.
   Trotzdem Sie Ihren Plan als abgemacht dahinstellen und keinen Rat
wünschen, möchte ich mir meines eigenen Gewissens halber Ihnen ein-
dringlich raten:
   Pro primo: Kommen Sie hier im Herbst und machen Sie mit Ihren
Begleitern nichts anderes als Hunde und Kutschieren lernen, Sie werden schon alle Zeit nötig haben. Pro secundo: Wählen Sie eine andere
Jahreszeit, nämlich April oder spätestens Mai für die Ueberquerung. Even-

tuell, pro tertio: Lassen Sie die Hunde; Sie werden nach 6 wöchentlicher Training (!) in Holstenborg (!!) nur Qualen und unnütze Belastung davon haben.

Ich kann diesen Rat nur dogmatisch und apodiktisch dahinstellen, sollten Sie Ihren Plan ändern, werden Sie selber mir gestehen müssen, wie richtig der Rat war; ändern Sie ihn nicht, habe ich wenigstens die Genugthuung, dass ich Ihnen dieses gesagt habe.

Ihr Postskript, den Nansenschlitten mit Hunden voran benutzen zu wollen, kann ich auch nicht mit Ihnen diskutieren. Die Parteien sind zu inegal. Ich habe persönlich etwa 9 verschiedene Hundeschlitten gebaut und benutzt, ausser den verschiedenen Typen der hiesigen Grönländerschlitten auch solche von wenig modifiziertem Nansentypus, habe allerlei Gelände versucht, auch steile Halden, Gletscherspalten und Firneis. Ich habe jetzt mir eine Meinung über die Form eines Hundeschlittens für diesen oder jenen Zweck erworben.

Obgleich es zwecklos ist, möchte ich hier zufügen, dass für den Fall, dass Sie Ihren Plan auf diesen Punkt ändern sollten, bin ich gern bereit Ihnen eine Zeichnung und Beschreibung eines Inlandeis-Hundeschlittens zuzustellen. Es wäre nämlich wegen Materialmangel hier vorteilhaft, dass derselbe in Europa gebaut würde. ...

Mit Ihnen aufs Inlandeis, etwa zu einem der Nunataks, werde ich nicht gehen, nach diesem Plan; wenn ich Ihnen sage, dass wir hier, Dänen wie Grönlander, selbst bei ganz gleichgültigen Reisen auf wohlbefahrenen und -bekannten Wegen von Kolonie zu Kolonie, nicht mit solchen zusammen fahren, die nicht, wenn ich so sagen darf, »Freischwimmer« sind, ausser wenn sie sich lediglich als Passagier von zuverlässigen Grönländern befördern lassen, dann werden Sie auch verstehen, dass ich von einer Begleitung über den Rand absehen muss. Sind Sie aber in optima forma Hundekutscher und ist es auch nach meiner Meinung zu einer vernünftigen Jahreszeit, dann wäre mir der Gedanke nicht so fremd. ...

Ja, Sie sind natürlich schon längst müde, und ich kann den bei uns wortsprüchlich gewordenen Ausspruch eines alten biedern Pastoren zitieren: Es waren auf Balle-Lars vergeudete Worte Gottes. Balle-Lars war ein verstockter Frevler, der bis er abgerufen wurde, nichts vom alten Herrn

hören wollte. Ich hoffe, dass Sie wenigsten einsehen werden, dass die ver-
geudeten Worte gut gemeint waren. ...

Ihr sehr ergebener,
Morten P. Porsild

Den Danske Arktiske Station
Disko, Grønland   10. Sept. 1911.

Lieber Herr Balle-Lars!
Herzlichen Dank für Ihren letzten Brief! ... Ueber die Methodik Ihres
Plans können wir wohl nicht einig werden. Ich wünsche Ihnen also nur
viel Glück bei den Vorbereitungen und hoffe auf ein gutes Wiedersehen
nächstes Jahr.

Ihr sehr ergebener,
Morten P. Porsild

---

19. Juni 1912
Westgrönland

Die Gruppe, die sich am westlichen Rand des Inlandeises für
die Expedition bereit macht, wirkt ein wenig lädiert. Roderich
Fick ist beim Ausladen des Gepäcks von der »Fox« in den Lade-
raum gefallen und hat sich die Hüfte geprellt. Karl Gaule trägt
einen Verband an der Stirn, weil sich eine Wunde infiziert
hat. Und Hans Hoessly hat sich beim Aufstieg den Pickel ins
Bein gehauen und eine Sehne verletzt. Wenig vertrauenerwe-

ckend muss dieses Drei-Mann-Lazarett aussehen, als de Quervain von einem Erkundungsmarsch zurückkommt und seine Mannschaft mit völlig schwarzen Gesichtern vorfindet. Gegen die unerträgliche Mückenplage haben sie sich mit Begolin gepanzert, einer teerartigen Spezialsalbe. Die hilft tatsächlich gegen Insekten, hat aber die Nebenwirkung, noch wochenlang in Spuren an den Wangen zurückzubleiben – oben auf dem Eis, wenn längst keine Mücke mehr zu sehen ist.

Die Schweizer haben beschlossen, jedem aus der Mannschaft eine Geburtstagsfeier während der Reise zu gönnen, egal, ob sein Geburtsdatum tatsächlich in den Zeitraum fällt. Zwecks Aufrechterhaltung der Moral. Einzig bei dem Expeditionsleiter passt das Datum, am 15. Juni wird er 33. Gaule führt ihn ins Zelt, als Symbole für de Quervains Position trägt er feierlich Eispickel und Hundepeitsche vor sich her. Was denn die Peitsche zu bedeuten habe, will das Geburtstagskind wissen. Mit schonenden Worten wird ihm beigebracht, dass er ein harter Befehlshaber sei und eigentlich die Regierungsform der Tyrannis ins Altertum gehöre.

Zum Festessen entkorken die Männer zwei Flaschen alkoholfreien Champagner der Marke Briod – Roderich und Gaule sind militante Anti-Alkoholiker und haben durchgesetzt, dass dies die einzigen Getränke im Gepäck sind, die sich für eine Party eignen.

Am 20. Juni 1912 um 11.50 Uhr wird es ernst: Bei einem Grad Celsius und starkem Nebel beginnt auf 556 Metern Meereshöhe der lange Marsch durch die Eiswüste. Die Männer zurren die Verpflegungskisten fest, 350 Kilo für die Hunde und 216 Kilo für die Menschen, für 60 Tage soll das notfalls reichen. Die Hunde werden angeschirrt, nach einiger Warterei zerren sie ungeduldig an ihren Riemen. Schon jetzt zeigt sich, dass die Kontrolle einer Meute wilder Tiere nur durch weise Führung zu bewerkstelligen ist.

»Bei der Zuteilung der Hunde mussten neben der möglichst gleichmässigen Zugkraft der Gespanne auch die schon vorhandenen besondern Hundefreundschaften berücksichtigt werden. Diese konnte man natürlich nicht ohne weiteres erraten und wurde erst bei den ersten Lagerplätzen durch unglückliches Hinüber- und Herüberwinseln von einem Hundegespann zum andern über das Bestehen einiger besonderer Sympathien belehrt«, schreibt de Quervain.

Ein erheblich größeres Problem als die Sozialstruktur des Gespanns sind schon bald Kryokonitlöcher im Boden, an denen sich die Hunde ihre Pfoten aufscheuern. Eine Blutspur markiert die erste Etappe.

Mehrmals müssen die schweren Schlitten mit vereinten Kräften wieder aufgerichtet werden, weil sie sich auf dem von Flussläufen durchzogenen Grund überschlagen haben. Im Lager quetschen sich am Abend acht Männer in das 2 mal 2,40 Meter große Expeditionszelt. Mercanton und Jost sowie zwei Grönländer namens Jens und Emil sind noch mitgekommen, um beim Aufstieg zu helfen.

Die beiden Inuit erweisen sich allerdings nicht als große Hilfe. Einerseits sind sie ungeduldig, weil am Ufer ein Großereignis bevorsteht, das kein Einheimischer verpassen will: der jährliche Angmasettenfang, die traditionelle Jagd auf Lodden, rund 20 Zentimeter lange Schwarmfische. Andererseits halten die Inuit eine Tour über das Inlandeis für eine völlig absurde Idee. Legenden zufolge sollen auf dem Eis menschenfressende Riesen auf Opfer warten.

Das Interesse von Jens und Emil, die Legende auf ihren Wahrheitsgehalt zu überprüfen, ist erkennbar gering. Anstatt wie verabredet noch eine ganze Woche mitzulaufen, bestehen sie darauf, schon am Morgen des dritten Tages umzukehren. Keine Überredungsversuche können sie umstimmen. Damit sie nicht allein den Rückweg antreten müssen, heißt es auch für Jost und Mercanton »Abschied von der Expedition zu nehmen, die am 22. Juni in bester Verfassung und wohlausgerüstet den langen Marsch nach der Ostküste allein fortsetzte«, wie Mercanton in einem Artikel für die »Neue Zürcher Zeitung« schreibt, der drei

Monate später erscheint. Bald sind von den beiden nur noch die Köpfe zu sehen, dann nur die Mützen – die vier Expeditionsteilnehmer sind allein mit ihren Hunden und Schlitten.

Und prompt bekommt es de Quervain, der sonst bis in die gezwirbelten Bartspitzen rationale Wissenschaftler, mit der Angst zu tun. Er schreibt: »Am Abend dieses Tages hatte ich ein seltsames und für Philister vielleicht unverständliches Erlebnis. Ich hatte allein noch vor dem Zelt zu tun. Die andern schliefen drinnen. Da sah ich in den weissen, eigentümlich verschlungenen Federwolken, die den Himmel überzogen, im Osten riesengross, unbeweglich eine grinsende Fratze stehen. Sonst war ich ja der letzte, in den Wolken Phantasiebilder zu suchen. Aber war das nicht der Dämon des Inlandeises, der uns erwartete? Es stieg in mir auf, was mir einer geschrieben hatte, der wohl urteilen konnte: ›Die Ausführung Ihres Planes bedeutet Ihr Verderben ...‹ Doch was konnte passieren? Unsere Schlitten waren beladen mit reichlichem Proviant, die Ausrüstung war wohl überdacht und schon erprobt, die Hunde stark, die Schneebahn erreicht, die Spalten verschwunden! Die Antwort brachte schon der folgende Morgen.«

10. August 2011
Hundefjord, Grönland

Am nächsten Morgen bekommen wir als Erstes kalte Füße. Wir müssen durch den eisigen Fluss, der nördlich von unserem Lager den Weg zu Ficks Bjerg versperrt. Für etwa 40 Meter ziehen wir die Wanderschuhe aus und schlüpfen in Sandalen, nur Patrick läuft barfuß. Meine Eltern im Eiswasser, mit ihren dicken Wanderschuhen aus Leder um den Hals gebunden und hochgekrempelten Hosenbeinen. Ohne Klagen machen sie das alles mit. Das Wasser ist so kalt, dass die Füße taub sind, als wir an der anderen Seite ankommen. Wenigstens sind jetzt alle wach.

Heute sind wir vollzählig, diese Tour will sich wirklich keiner entgehen lassen. Ich frage meine Mutter, wie es ihr geht. »Ja, ganz gut«, sagt sie. Bei den anderen ist die Stimmung blendend, was man auch daran erkennen kann, dass sich die Geschwister Wolfgang, Uli und Traudl mit Inbrunst necken.

Mein Vater hat einen viel zu schweren Rucksack für die Tagestour dabei, sogar Biwaksäcke hat er eingepackt, falls eine Notübernachtung unter freiem Himmel nötig wird. Eine Diskussion beginnt, was er wohl sonst noch an Unbrauchbarem dabeihat. »Jetzt pack' mal alles aus«, verlangt Uli im Oberlehrerton. Patrick versucht, das Thema zu wechseln, sagt irgendwas über die Schönheit der Landschaft. Aber gegen Sticheleien zwischen Familienmitgliedern, die für Außenstehende immer schärfer klingen, als sie gemeint sind, kommt er nicht an. »Jetzt geben wir ihm alles zurück, was er uns früher angetan hat«, frohlockt Traudl, die jüngste der drei.

Über steile Schneefelder und Geröll erreichen wir auf 540 Höhenmetern den ersten Rastplatz, direkt an einem kleinen See im Fels. Plötzlich spricht keiner mehr, vielleicht aus Erschöpfung, vielleicht aus Begeisterung über die Aussicht auf die Fjordlandschaft. Teeschlürfen, ratschende Reißverschlüsse, das Klicken von Rucksackschnallen, schniefende Nasen – mehr ist nicht zu hören. Mit den Worten »Frisch wird's« beendet Patrick die Schweigeminute. Das sagt er immer, wenn er aufbrechen will. Mein Vater säubert den Becher seiner Thermoskanne im See. »Hast du auch noch eine Flasche Spüli dabei?«, fragt Uli.

Ab jetzt ist es weniger steil, über abgeschliffene Granitblöcke kommen wir dem höchsten Punkt näher. Der ist zunächst gar nicht so leicht zu identifizieren, weil der Berg oben eine Hochebene bildet mit einigen Buckeln. Welcher davon ist der Höchste? Meine Mutter deutet auf einen davon. »Dann erklären wir das da drüben zum Gipfel«, schlägt sie vor, schon etwas ungeduldig.

Patrick geht noch 100 Meter weiter, bis er sicher ist, die richtige Stelle gefunden zu haben. Dann bleibt er plötzlich stehen. Er stellt seinen Rucksack mit dem Schrotgewehr auf den schwarzweißen Granitboden und dreht sich um. »Du musst als Erste rauf«, sagt der Reiseleiter zu meiner Mutter. Digitalkameras werden gezückt, fünf Objektive richten sich auf die 61-Jährige im grau-weiß karierten Hemd, als sie langsam den Bergbuckel hochspaziert. Die letzten Schritte sind ein Kinderspiel, der griffige, flache Fels bietet sicheren Halt, eine Wohltat nach den ganzen Schneefeldern und Geröllhalden. Sie erreicht den höchsten Punkt, stemmt die Hände in die Hüften, zufrieden, ein bisschen erschöpft, voller Genugtuung: »Ganz ungewohnt ist das.« Sie meint die Fotoapparate, doch eigentlich gilt das für die ganze Reise.

Hinter uns bildet das Inlandeis einen geraden weißen Horizont über dem Granit, vor uns liegt der Fjord, irgendwo weit unten, hinter Felsen versteckt, unsere grünen Zelte. Eisberge, so groß wie Wohnmobile, wirken von hier oben wie Würfelzucker. Es ist ein perfekter Tag, sonnig, 14 Grad Celsius, kaum eine Wolke am Himmel.

Als Nächstes dürfen mein Bruder Christian und ich aufsteigen. Wieder piepsen und klicken die Kameras, das Motiv ist jetzt komplett. Was für manchen Extrembergsteiger der Mount Everest oder der K2 ist, das ist dieses Stück Granit für uns Hobbywanderer: der wichtigste Gipfel von allen.

Unser persönlicher Schicksalsberg ist weder besonders hoch noch besonders schön. Mancher Profialpinist würde ihn nicht mal in seinem Tourenbuch vermerken. Aber der Rundblick aus 640 Metern Höhe auf eine baumlose Welt aus Kälte und Stein ist genauso spektakulär wie die Aussicht von erheblich berühmteren Bergen. »So ähnlich muss es in den Alpen in der letzten Eiszeit ausgesehen haben«, sagt Uli.

Ficks Bjerg. Opas Berg im Eis. Es ist eine Ironie des Schicksals, dass er selbst nie hier oben stand. Aber oft blickte er von Zeltplatz 29 am Rand des Inlandeises auf seine Felszunge herab. Auf eine so absurde Idee, dass in 99 Jahren alle seine Nachkommen dort stehen würden, wäre er wohl im Traum nicht gekommen.

Bei dem Anblick, wie meine Mutter nun Opas Tagebuch, das »scheissende Rabenbüchli«, auf den höchsten Punkt des Berges legt, würde so mancher Antiquar in Ohnmacht fallen. Just in dem Moment taucht am Himmel ein echter schwarzer Rabe auf, zieht seine Kreise über uns und stößt ein paar lang gezogene Krächzer aus. Außer den Fliegen ist er das einzige Tier, das wir heute gesehen haben, bald dreht er ab nach Osten in Richtung Fjord.

Der Wind blättert durch die 100 Jahre alten Seiten des Tagebuchs, ich mache Fotos aus allen Perspektiven. »Mit den Bildern könntest du ihn wirklich überraschen«, sagt meine Mutter. Plötzlich finde ich es absolut richtig, dass wir das Original dabeihaben und keine Kopie. Mein Opa hatte sich sein Leben lang gewünscht, noch einmal nach Ostgrönland zu kommen. Jetzt sind wenigstens seine Erinnerungen zum zweiten Mal hier.

»Bitte alle mal die Augen zumachen«, sagt Traudl plötzlich. Und eine halbe Minute später: »Jetzt dürft ihr schauen!« Auf dem Gipfel stehen fünf silbern schimmernde Dosen Secco Frizzante, 2010, Italia, Mario Collina, pfand-, aber garantiert nicht alkoholfrei. Zusammen mit selbst geschmierten Schwarzbrotscheiben mit Käse und Salami und schwedischen Brago-Schokokeksen ergibt sich ein in der Familiengeschichte einmaliges Festpicknick.

Mein abstinenter Opa soll nur einmal in seinem Leben ein Glas Weißwein getrunken haben, bei der Hochzeit mit seiner zweiten Frau, meiner Oma.

Ich glaube, wenn er heute dabei wäre, würde er zumindest mal nippen.

Dann trennen wir uns: Patrick, Uli, Eckhart und ich gehen noch ein paar Stunden weiter bis zum nächsten Fjordarm, die anderen kehren nach einer längeren Rast um in Richtung Zeltlager. Eckhart beneide ich im Stillen, weil er einen Bilderbuch-Opa hatte, einen Kieler Kapitänsveteran, der noch mit 85 nach Japan in den Urlaub flog, mit 90 eine neue Freundin präsentierte und mit 95 bei seiner Geburtstagsrede alle Gäste (und das waren ziemlich viele) mit Namen und Herkunft vorstellte. Vor zwei Jahren starb er im Alter von 101 Jahren. Wäre Roderich so alt geworden, hätte ich ihn noch ein paar Jahre erlebt. Wäre er noch so fit gewesen, hätte er mir selbst alles über Grönland erzählt.

Wir schlittern über Gletscher und queren reißende Sturzbäche, bis wir an einer mit Eisbergen übersäten Bucht herauskommen. Ein Entenschwarm fliegt in Formation darüber hinweg, Opa hätte ein köstliches Abendessen schießen können. Auf dem Rückweg verschätzen wir uns wieder einmal mit den Distanzen: Als wir abends wieder zu den Zelten hinabsteigen, ist die Sonne schon untergegangen, seit unserem Aufbruch sind 13 Stunden vergangen. Dunkel wird es hier im August nicht vor Mitternacht, so können wir beobachten, dass wir nicht mehr allein sind. Zwei weiße Inuit-Motorboote liegen am Ufer, daneben sind Netze ausgespannt, um Angmasetten zu fangen.

21. Juni 1912
Zürich, Tagebuch von Marie Fick, Mutter von Roderich Fick

Heute ist der zweite Brief von Roderich aus Grönland/Holstenborg angekommen. Es ist wahrhaft beglückend, Roderich so befreit u. losgebunden von aller ihn bedrückenden europäischen Pseudokultur in seinem Element zu wissen. Seine Briefe sind Tagebuch ohne jegliche Gefühlsäußerungen, nur lebendige Thatsachen, klar, aber doch sehr anschaulich. Man ersieht doch daraus höchstes Glücksempfinden, ein Leben aus vollen Zügen; er friert u. hungert mit Vergnügen. D. h. Hungern brauchten sie bis jetzt noch nicht.

24. Juni 1912
Westgrönland, Inlandeis, Tagebuch Roderich Fick

Wir erreichen den ersehnten Firn, aber er ist so weich und sumpfig, dass das Fortkommen recht schwer ist. Q. gieng ein weites Stück voran, um einen Weg zu suchen. Es handelt sich um die Umgebung eines Sees. Wir müssen stundenlang warten, bis er winkt, dass wir nachkommen sollen, was auch nur schwer durch den Zeiss zu erkennen war. In der Wartezeit wollte ich mir von einer flachen Anhöhe die Wegverhältnisse übersehen, aber kaum war ich einige Schritte von den Schlitten weg, als ich auch schon bis über die Hüften versank im Schneesumpf. Ich konnte mich rückwärts glücklich wieder herausarbeiten.

Wir müssen deshalb von jetzt ab nachts reisen, da dann der Schnee und die Sümpfe gefroren sind und besser tragen. Die Schlitten schlagen gewiss 10 mal am Tag um, und immer muss wieder gehalten werden, um sie aufzuheben, und dann kostet's oft grosse Mühe, bis sie wieder in Gang sind, da sie sich immer dabei festrammeln. Das Fahren des nachts auf dem Harsch, der aber immer doch durchbricht, nimmt die Pfoten der Hunde stark mit, sie wollen auch oft nicht mehr recht ziehen und brauchen viel Zureden.

Es war am Morgen nach dem vierten Reisetag im Gebiet der Inlandeisseen, als Hoesslis Gespann auf einen gefrohrenen sol-

Die erste Tagreise allein geht besser
wie ich es erwartet habe, besonders
was die Lenkung des Schlitten und
die Hunde anbetrifft.
Wir erreichen auch den ersehnten Firn
aber er ist so weich und sumpfig, dass
das Fortkommen recht schwer ist.
Q. gieng ein weites Stück voraus um
einen weg zu suchen. Es handelt
sich um die Umgehung eines Sees.
Wir müssen stundenlang warten bis
er winkt, dass wir nachkommen sollen,
was auch nur schwer durch den Tein
zu erkennen war. In der Wartezeit
wollte ich mir von einer flachen
Anhöhe die Wegverhältnisse übersehen,
aber kaum war ich einige Schritte von
den Schlitten weg, als ich auch schon
bis über die Hüften versank im
Schneesumpf. Ich konnte mich
rückwärts glücklich wieder heraus
arbeiten. — Wir müssen deshalb von
jetzt ab nachts reisen, da dann der Schnee
und die Sümpfe gefroren sind und bes

tragen. Die Schlitten schlagen gewiss 10 mal am Tag um, und immer muss wieder gehalten werden um sie aufzuheben und dann kostet's oft grosse Mühe bis sie wieder in Gang sind, da sie sich immer dabei festrammeln. Das fahren des Nachts auf dem Harsch, der aber immer doch durchbricht nimmt die Pfoten der Hunde stark mit, sie wollen auch oft nicht mehr recht ziehen und brauchen viel Zureden.

Es war am Morgen nach dem vierten Reisetag im Gebiet der Inlandseeen als boxelis Gespann auf einen gefrohrenen solchen See losfährt und auch mitten drauf. Ich wollte meine Hunde noch zurück- halten, da mir das Eis zu dünn aussah die stürmten aber den ersten Schlitten im Gallopp nach und ebenso das x. Gespann von Hü mit Q. drauf auch. Als wir alle 3 Schlitten ganz dicht beieinander standen war es zu viel für die dünne Eisdecke, es entstehen überall

chen See losfährt und auch mitten drauf. Ich wollte meine Hunde noch zurückhalten, da mir das Eis zu dünn aussah. Die stürmten aber dem ersten Schlitten im Galopp nach und ebenso das 2te Gespann von Hü mit Q. drauf auch. Als alle drei Schlitten ganz dicht beieinander standen, war es zu viel für die dünne Eisdecke, es entstehen überall Sprünge und (sie) bricht durch. Hoessli kommt mit Peitsche und Zurufen glücklich weg auf festeres Eis, da seine Hunde auf etwas rauhem Eis standen. Bei unseren beiden andern Schlitten gelingt es nicht, die Hunde wollen ja ziehen, gleiten aber einfach aus, und alles geht in die Tiefe.

Es sah kritisch aus und ich glaubte, es gienge zu Ende! Schon jetzt!? Dass Hoessli nicht mit eingebrochen war, hatte ich im ersten Augenblick nicht gewusst oder bemerkt. Es war ein saumässiges Gefühl, und ich fluchte: »Donnerwetter«! Wir waren bis zum Hals im Wasser, hielten uns an den Schlitten und fühlten keinen Grund. Die Schlitten sanken langsam mehr und mehr. Hü und mir gelang es schnell, uns auf die Schollen zu ziehen. Ich wollte Q. die Hand reichen, um ihm auch auf eine Eisscholle herauszuhelfen. Er verweigerte die Hilfe und zog sich an einem Schlitten selbst auch raus. Unsere Kleider waren in dem kalten Wind fast momentan zu Eispanzern gefroren. Ich rufe: »abpacken!« und will eben anfangen, die Materialsäcke loszuschneiden, indem ich mich vorsichtig dem einen Schlitten nähere. Darüber wird Q. wütend und sagt: »Hier muss ich das Kommando haben!« und nach einer Pause. »Schneeschuhe anziehen!« Wir machen nun die Schneeschuhe zuerst los. Ich habe es vorgezogen, nur einen Ski und ausserdem ein Steigeisen anzuziehen, um mit dem einen Fuss Halt zu haben und das Hauptgewicht auf den Ski zu stützen.

Zuerst machten wir die obersten Sachen auf den Schlitten los und schnitten die Hundegespanne ab. ... Mein Gewehr habe ich zuerst in Sicherheit gebracht; Hoessli verstand mich sofort und sagte, ich möchte doch auf alle Fälle für jeden von uns eine Patrone aufheben.

11. August 2011
Ostgrönland

Uli, Patrick, Eckhart und ich stehen heute besonders früh auf, schon um fünf Uhr starten wir am Camp. Mittags soll ein Boot kommen und uns zum nächsten Zeltplatz bringen, deshalb haben wir nicht viel Zeit. Aber diese Tour muss sein. In Opas Tagebuchaufzeichnungen haben wir eine Passage über seine »Warte« entdeckt: einen Steinmann, den er als Hilferuf auf einem markanten schwarzen Berg über dem Hundefjord errichtete. Oben befestigte er eine leere Pemmikandose, um damit das Sonnenlicht zu reflektieren. An diesem Leuchten sollten Kajakfahrer im Fjord erkennen können, dass oben Menschen waren.

Die dunkle Felskuppe, über die er schreibt, kann man nicht übersehen, sie ist uns schon länger aufgefallen. Ein schwarzer Tafelberg, von Weitem erinnert seine Form an einen Ayers Rock im Miniaturformat. Wir marschieren auf ihn zu, laufen oben am Moränenrand noch einmal über das Inlandeis, wo wir mit großen Sätzen einige Gletscherflüsse überspringen müssen. Nach vier Stunden sind wir oben – und trauen unseren Augen nicht: Wir entdecken tatsächlich einen Steinmann aus hellen und dunklen Felsbrocken.

Er steht an der Stelle, die vom Sermilik-Fjord unten am besten sichtbar ist. Und nicht am höchstgelegenen Punkt des Plateaus. Für Patrick ist das der Beweis, dass wir tatsächlich vor dem 99 Jahre alten Leuchtturm stehen, einem der frühesten Werke des Architekten Roderich Fick. »Wer hier nur eine Gipfelmarkierung baut, würde doch die höchste Stelle auswählen«, sagt Patrick.

Ich suche die Umgebung ab in der vagen Hoffnung, noch rostige Blechreste der Pemmikandose zu finden. Natürlich ohne Erfolg. Doch im Hohlraum in der Mitte des schwarzgrauen Bauwerks liegt ein orangefarbener Gegenstand. Ich versuche hineinzugreifen, bekomme das Ding aber nicht zu fassen. Zerlegen möchte ich den Steinmann auch nicht, das kommt nicht infrage. Ich probiere es noch einmal, ganz vorsichtig, mit dem Zeigefinger voraus, der Arm bleibt fast stecken. Dann habe ich es. Ich hebe eine Schrotgewehrpatrone mit geriffelter Plastikummantelung auf, der Herstellername Eley und die Zahl Zwölf stehen auf dem Patronenboden aus rostigem Metall.

Wie die wohl da reinkommt? Wer einen solchen Hilferuf aus Stein baut, wird darin mit Sicherheit irgendeine Art von Nachricht hinterlassen. Das Stück Munition kann unmöglich fast 100 Jahre alt sein. Jemand muss es später hineingeworfen haben. Ob dieser Jemand stattdessen die Originalnachricht mitgenommen hat?

Ich setze mich neben die Warte und blicke für einige Minuten nur nach Westen, auf die zerfurchte Eisfläche, die sich am Horizont in Endlosigkeit verliert. Rechts ist ein Nunatak zu sehen, so nennen die Inuit Felsen, die aus dem Eis herausragen. Ansonsten nur Weiß. Gen Osten ist die Landschaft viel schöner, doch Bergpanoramen, Fjorde und Eisberge interessieren mich in diesem Moment nicht. Dort sind sie hergekommen. Nächstes Jahr komme ich wieder und laufe da rüber, das steht fest.

Auf dem Rückweg ruft Patrick bei Robert Peroni in Tasiilaq an, um zu erfahren, ob die Boote pünktlich kommen. »Sechs Stunden später«, ist die Antwort. Wir gehen baden. Na ja, eigentlich geht nur Patrick baden. Nackt schlittert er von einem schrägen Eishang herunter, wie über eine Sprungschanze geht es dann aus einem Meter Höhe ins eiskalte Wasser eines kleinen Sees. Der Kerl ist echt schmerzfrei. Wir anderen wagen uns nur bis übers Knie hinein, aber den geschundenen Füßen tut ein bisschen Wasser auch mal gut.

Im Tal haben wir noch etwas Zeit. Ich frage meine Mutter, was Opa für ein Mensch war.

Sie muss ein bisschen überlegen. »Auf jeden Fall war er ein Einzelgänger, der sich in Gesellschaft oft sehr unwohl fühlte und ein starkes Bedürfnis nach einer abgeschlossenen privaten Sphäre hatte«, sagt sie schließlich. »Er war sehr selbstkritisch und unsicher, sehr sensibel, andererseits aber doch von seinen Fähigkeiten überzeugt. Und getrieben von einer großen Neugier in den Naturwissenschaften, Luft- und Raumfahrttechnik zum Beispiel. Später hat er sich auch viel mit philosophischen Problemen beschäftigt. Da war er sehr hartnäckig, las Kant und Schopenhauer und konnte jahrelang an einem Thema knobeln.« Aus Berichten meiner Oma weiß sie, dass er sich als Professor an der Uni oft über das Autoritätsgehabe seiner Kollegen und Vorgesetzten lustig machte. »Er imitierte ihre Art, die Studenten bogen sich vor Lachen, und er fragte sie dann mit gespielter Unschuld: ›Worüber lachen Sie denn jetzt?‹« Was sich gehörte und was nicht, darum habe er sich nicht besonders geschert. Einmal sei er auf Fahrrädern mit meiner Oma durch die Gänge der Technischen Hochschule gefahren, einfach nur, weil es Quatsch war und verboten, da war er schon fast 60. »Und er erzählte gern Gespenstergeschichten. Wenn er die Zuhörer so richtig geängstigt hatte, schickte er einen von ihnen in den dunklen Keller, um was zu holen.« Als Patrick schon drängelt, nun die Zelte abzubauen, fällt ihr noch etwas ein. »Roderich hatte übrigens entschieden etwas gegen Journalisten«, sagt sie und grinst.

Wir packen unsere Sachen und nehmen Abschied vom Hundefjord. Zwischen den Felsausläufern von Ficks Bjerg und Gaule Bjerg, steinernen Denkmälern der beiden Freunde, die auf ewig nebeneinanderliegen, nimmt unser Motorboot Fahrt auf.

19. September 2011
Hamburg

Es gibt in Deutschland Tausende Familiennamen, und Fick zählt zu den weniger schönen. Ich bin froh, dass ich nicht so heiße, ich glaube, ich hätte mich längst umbenannt. Das ist gemäß Namensänderungsgesetz (NamÄndG) gegen eine Gebühr beim Standesamt kein großes Problem, wenn der Name lächerlich oder anstößig ist und man belegen kann, dass man darunter leidet. Ich hätte mir sogar einen neuen aussuchen können, eine verlockende Vorstellung, dann hieße ich jetzt Beckenbauer, Mozart oder Amundsen oder irgendwas mit Mac- am Anfang wie ein Lord aus einer schottischen Adelsdynastie.

Aber zurück zu Fick. Egal, welchen Vornamen man damit kombiniert, da ist nichts zu retten. Kann ein Fick Fußballstar werden? Bundeskanzler? Arktisheld?

Manchmal denke ich, dass die Schüchternheit meines Opas gegenüber Fremden darin begründet lag, dass er schlicht Angst davor hatte, sich vorzustellen. Aber das ist Quatsch, denn zu seinen Lebzeiten hatte der Begriff noch keine sexuelle Bedeutung. Meine Mutter wurde in ihrer ganzen Schulzeit nicht damit aufgezogen. Erst nach 1968, als sie zum Studium nach München gezogen war und dort im Telefonbuch stand, kamen zum ersten Mal nachts obszöne Anrufe. Auch meine Oma hatte immer mal wieder kichernde Teenager am Telefon.

Was für ein seltsames Erbe ist doch ein Name, der zu Hänseleien verleitet! So war Roderich Fick immer dann im Alltag seiner Witwe oder Tochter präsent, wenn die Scherzanrufe kamen. Dabei ist der Name Fick gar nicht so selten. Eine Suche im Online-Telefonbuch bringt 579 private Einträge in Deutschland. Zum Vergleich: Müller bringt es auf 192 203 Treffer, Schmidt auf 140 573. 426 Menschen heißen Ficker, 63 Fuck und 40 Ficken.

25. November 2011
Dresden

Wer die Begriffe » Grönlanddurchquerung de Quervain« googelt, gelangt bald auf eine Expeditionsseite von Professor Wilfried Korth aus Berlin. Wohl niemand in Deutschland kennt die Route von 1912 so gut wie er. Schon dreimal ist er sie nachgelaufen, um einige der wissenschaftlichen Messungen von damals zu wiederholen. Ohne Schlittenhunde, nur auf Skiern, mit wechselnden Begleitern. Und mit einer Ausrüstung, die dank modernster GPS-Technologie eine zentimetergenaue Bestimmung der Eishöhen erlaubt. Die Route verläuft an der Westseite weiter im Norden als die Standardquerung von Tasiilaq nach Kangerlussuaq, die heute am häufigsten begangen wird und bei Reiseveranstaltern gebucht werden kann. Zum ersten Mal machte er die Tour 2002, zum 90-jährigen Jubiläum der de-Quervain-Expedition. Die Idee hatte der befreundete Geodät und Extrembergsteiger Wieland Adler. Nach jahrelanger Vorbereitung schaffte es die Vierergruppe, das Eis in 39 Tagen zu überqueren. Vier Jahre später wiederholten sie die Leistung mit einer anderen Mannschaft.

2010 brach Korth erneut auf. Um sich diesmal den mühsamen Aufstieg an der Ostküste zu ersparen, ließ er die Gruppe von drei Männern per Hubschrauber auf 1250 Höhenmeter bringen. Trotz dieser Erleichterung wurde das die aufreibendste Tour der Serie. Weil ein Teilnehmer nach fünf Tagen auf dem Eis krank wurde und Fieber hatte, mussten sie seinen Schlitten entlasten und Proviant zurücklassen. An der Westküste gerieten sie dann in ein heftiges Spaltengebiet, wie sie es vorher nicht erlebt hatten, und die Verpflegung wurde knapp. Sie sahen ein, dass es unmöglich war, aus eigener Kraft bis ans Ziel zu kommen, also riefen sie per Satellitentelefon einen Rettungshubschrauber und ließen sich ausfliegen.

Ich habe Korth per E-Mail angeschrieben, er war begeistert, von einem Enkel eines Teilnehmers seiner Vorbildexpedition zu hören. Zumal er in Roderich Fick seinen Vorgänger sah, weil dieser ebenfalls für die Vermessungsarbeiten auf dem Eis verantwortlich war. Er schickte mir eine gedruckte Ausgabe seines Expeditionstagebuches von 2002, erschienen unter dem Titel »Die Schönheit der Monotonie«, und deutete an, dass er zum 100-jährigen Jubiläum auch gern was machen würde. Er lud mich zu einem Vortreffen in seinem Haus in Potsdam ein – leider zu einem Termin, an dem ich über ein Bergsteiger-Festival schreiben sollte, deshalb musste ich am 25. Oktober per Mail absagen:

Lieber Herr Korth,
vielen Dank für die Info. Leider ist mir das etwas zu kurzfristig, ich bin die nächsten Tage beruflich in Südtirol unterwegs.

Aber: Ich hätte tatsächlich möglicherweise Interesse, an Ihrer Grönland-Tour teilzunehmen.

Es würden sich tolle Parallelen für meine späteren Berichte ergeben, wenn ich mit einer wissenschaftlichen Expedition wie der Ihren unterwegs wäre. Und größte Lust darauf habe ich.

Kurz noch zu mir:

Habe mehrere Trekking-Touren auf 4–5000 Höhenmeter in Peru, Armenien und Nepal gemacht, einige Skitouren in den Alpen, diverse Solo-Wanderungen im Gebirge etc.

Halte mich für recht unkompliziert, was die Zusammenarbeit im Team angeht, und belastbar in Stress-Situationen. Würde gern auch einfachere wissenschaftliche Aufgaben übernehmen, wenn da etwas leicht erlernbar ist (mein Opa war schließlich auch für die Erstellung des Höhenprofils zuständig).

Vielleicht kommen wir ja tatsächlich zusammen mit dieser Unternehmung.

Schöne Grüße und ein schönes Wochenende!
Stephan Orth

Die Antwort kam am nächsten Morgen, abgeschickt um 8.39 Uhr:

Hallo Stephan,
wenn wir ernsthaft an eine gemeinsame Tour im Eis denken, sollten wir zuerst die förmliche Anrede lassen ;o).
Wenn es irgendwie geht, wäre ein Treffen zum Polarfilmabend in Dresden sinnvoll. Dort wären auch andere potentielle Teilnehmer der Tour.
Ich würde Dich in die allgemeine Kommunikation ab jetzt einbeziehen. Nach dem Wochenende wird manches klarer sein.
Herzliche Grüße aus Potsdam
Wilfried

Angehängt war eine Einladung zum Polarfilmabend Ende November. »Bis dahin wünschen wir Euch immer eine Handbreit Schnee unter den Kufen«, steht auf der E-Card, die mit einem Weihnachtsmann-Cartoon illustriert ist. Jedes Jahr im Herbst lädt Wieland Adler zu diesem gemütlichen Privattreffen Polarbegeisterte in sein Landhaus in Dresden-Rossendorf ein.

Ausgerechnet Dresden. An der Technischen Hochschule lernte Roderich im Sommersemester 1910, wie man Bogenminuten und Bogensekunden misst. »Dresden ist überhaupt eine so stimmungsvolle Stadt für mich gewesen, vielleicht weil dort das wunderschöne Marieli Günther wohnte. Ich hab's aber nur 2 oder 3 Mal in dem Sommer gesehen«, schrieb er später. »Ich war damals etwas scheu und fand keine glaubwürdigen Vorwände, öfters hinzugehen.« Die Eltern der damals 13-Jährigen waren gut mit seinen Eltern befreundet, Roderichs Mutter war Marielis Patentante. Bei ihrer Konfirmation im Frühjahr 1911 war er erneut in Dresden und sollte ein Geschenk überbringen. »Die Mamma schrieb mir, dass ich dem Marieli in ihrem Auftrag ein Goldstückli und ein Blumenstöckli bringen soll. Das Blumenstöckli brachte mich in einige Verlegenheit. Was sollte ich da aussuchen?! Der Onkel Hans gieng mit mir in Tharandt in einen Blumenladen und wir wussten beide nicht recht was wir nehmen sollen und haben schliesslich ein Myrtenstöckli ausgesucht. Der Onkel Hans meinte allerdings, dass das nach einem Heiratsantrag aussehen könnte. Daran dachte ich damals allerdings noch nicht.«

Dresden vor 100 Jahren ist jedoch zunächst nicht das Thema des Polarfilmabends, sondern der Nordpol vor 80 Jahren. Bei Bier und kaltem Buffet wird auf Großleinwand ein Dokumentarfilm gezeigt über den Versuch des Australiers George Hubert Wilkins, im Sommer 1931 mit einem U-Boot den Nordpol zu erforschen. Seine waghalsige Expedition ist weitgehend in Vergessenheit geraten. Mit einem ausrangierten Tauchboot aus dem Ersten Weltkrieg wollte er durch die Gewässer der Arktis reisen, das Fahrzeug bekam er von der US-Marine für einen Spottpreis von einem Dollar Miete pro Jahr. Er nannte es »Nautilus«, nach dem Schiff aus Jules Vernes »20 000 Meilen unter dem Meer«. Der Enkel des Schriftstellers war sogar bei der Taufe dabei.

Dem Australier ging es nicht nur um das Abenteuer, er wollte Daten sammeln, um präzisere Wettervorhersagen möglich zu machen. Doch Wilkins scheiterte, bevor er überhaupt den entscheidenden Tauchgang versuchen konnte. Unterwegs ging das Tiefenruder verloren, das Schiff wäre unter Wasser nicht mehr manövrierbar gewesen. Bis heute ist nicht geklärt, wie es zu dem ungewöhnlichen Defekt kommen konnte, auch die Recherchen der Filmemacher kommen zu keinem eindeutigen Ergebnis. Vielleicht war das Teil bei einer Kollision mit Eismassen abgebrochen. Gerüchte deuten allerdings auf Sabotage hin: Wilkins vermutete, dass ein Maschinist das lebensgefährliche Manöver um jeden Preis verhindern wollte, weil er es unterwegs mit der Angst zu tun bekam.

Auch ich bekomme an dem Abend mulmige Gefühle, denn ich unterhalte mich mit einigen Leuten, die schon einmal Grönland durchquert haben. Harald Fuchs zum Beispiel, der in Berlin beim Alpenverein Kurse für angehende Arktis-Expediteure leitet. Er erzählt davon, wie ungemütlich eine Nacht im Zelt bei minus 40 Grad und 140 km/h Windgeschwindigkeit ist. Und er hat sogar schon ein System entdeckt, zu welchen Zeitpunkten einer Expedition er die meisten Motivationsprobleme hat. »Tag 3, Tag 10 und Tag 20 sind meine Durchhänger«, sagt er.

Oder Martin Rückamp. Er war 2006 mit Wilfried Korth unterwegs und meint: »Hätte ich vorher gewusst, dass das Abendessen und der Schlafsack die Highlights der Tour sind, hätte ich das nicht gemacht.« In anderen Gesprächen erfahre ich von Streitigkeiten, die aus der Grönland-Tour eine zeitweise Grönland-Tortur gemacht haben, bis hin zur handfesten Prügelei im Eis.

Ein wenig einschüchternd sind auch die alpinen Erfahrungen der meisten Anwesenden. Achttausender im Himalaja, Siebentausender im Kaukasus, wochenlange Eistouren in Arktis und Antarktis. Dazu Marathons, Ultra-Marathons, Radrennen. Der Zenit meiner Laufbahn als Sportler dagegen liegt 24 Jahre zurück: In der dritten Klasse der Grundschule Münster-Amelsbüren erkämpfte ich mir eine Ehrenurkunde bei den Bundesjugendspielen (Weitsprung und 800-Meter-Lauf super, Weitwurf erbärmlich). Jetzt gehe ich im Urlaub ab und zu in die Berge und spiele einmal pro Woche Fußball.

Wilfried will tatsächlich 2012 noch einmal auf Skiern durch Grönland laufen. Grauer Vollbart, lebendig blitzende Augen, eine Eisbärenkralle am Lederband um den Hals – würde man sich überlegen, wie man sich heutzutage einen typischen Arktisforscher vorstellt, käme dabei wohl eine Art Wilfried Korth heraus. »Man muss schon fit sein für so was, aber viel wichtiger ist die mentale Stärke«, sagt der gut gelaunte 52-Jährige. Mit dieser Eintönigkeit, der vollkommenen Monotonie von Landschaft und Tagesabläufen klarzukommen, das sei eigentlich die größte Herausforderung.

»Die Vorbereitung beginnt im Januar«, sagt er beim Abschied.

7. Januar 1912
Zürich

An Alfred de Quervain

Sehr geehrter Herr Doktor!
Unsere Erfahrungen von der Versuchsexpedition im Engadin sind kurz folgende:

1. Zelt: Eingang mit Schlauchverschluss hat sich gut bewährt. Der Boden (Seidenboden) ist nach einer Nacht feucht und festgefrohren. Ski als »Häring« benutzt ging gut. Lässt sich klein zusammenpacken.

2. Primus: Hat jedesmal gut funktioniert. Den Petroleumverbrauch werden wir hier zu Haus feststellen, weil uns geeignete Messgefässe fehlen.

3. Schlittenverpackung: Messingplatten haben sich gut bewährt. Für Proviant, Primus u. s. w. Kistchen geeigneter wie Sack.

4. Das Schlittenziehen haben wir nur auf Ski ausprobiert, da wir keine Schneereifen mithatten. Wir sind aber auch mit Ski auf ganz ungebahntem Schnee nicht zurückgeglitten. Es gieng so auffallend gut, dass wir gar kein Bedürfnis nach Schneereifen hatten.

5. Temperaturen (Föhnwind)

	Zelt	Aussen
3.1.12. Abends 10h	+4°	−3°
4.1.12. Morgens 8.30	+4°	−2,5°
5.1.12. Morgens 9.00	0°	−4°

Bei dem Föhnwind herrschte im Zelt vollkommene Windstille.

6. Schlafsäcke haben sich schlecht bewährt. Knöpfe giengen oft auf. Luft-kissenventile nicht zuverlässig. Ohne Pelze entschieden zu kalt.

Mit Fellkleidern und Kamikern hatten wir sehr schön warm.

Vorschläge zu Abänderungen werden wir am besten mündlich erör-tern.

Falls Sie diese Woche noch nicht wieder nach Zürich kommen, werden wir Sie auf Ihren Wunsch gerne in Basel aufsuchen, da es wohl zweckmäs-sig ist, vor meiner (d. i. Fick's) Abreise nach Deutschland (Ende der Woche) eine gemeinsame Besprechung zu haben.

Im übrigen hoffen wir, dass Sie bald wieder im Besitze Ihrer vollen Bewegungsfreiheit sein werden.

Hochachtungsvoll, Ihre ergebenen

R. Fick. K. Gaule

Rechnung für Schweizerische Grönlandexpedition

von

Roderich Fick, Architekt
Zürich V
Schmelzbergstraße 34
Fernsprecher 2825

Auslagen Engadinexpedition

3 kg Corned Beef zu	2.20	6.60
3 Maggisuppen	0.60	1.80
5 Ochsenschwanzsuppen	0.15	0.75

2 Knorr Suppenwürste	0.15	0.30	
2 Cond. Milch	0.65	1.30	
100 gr Butter		0.40	
1 kg Zucker		0.74	
Fahrkarte Zürich HB –			
Pontresina und zurück		21.00	Fick
Davos – Pontresina		6.10	Gaule
Pontresina – Zürich		13.90	
Schlittentransport Passagiergut			
Zürich – Pontresina		17.00	
Pontresina – Zürich (Fracht)		15.10	
		84.25	

Betrag dankend erhalten.

Roderich Fick

14. Januar 2012
Boží Dar, Tschechien

Der Schnee weht waagerecht vor der Windschutzscheibe. Alles ist weiß, kaum kann man die Straße erkennen vor lauter Verwehungen. Wilfried Korth stoppt den dunkelblauen Skoda Roomster an einer Wechselstube direkt hinter der Grenze, um ein paar tschechische Kronen einzutauschen. Er macht die Tür auf, Schnee dringt ein, der Wind pfeift, es ist verdammt ungemütlich da draußen. Er macht die Tür wieder zu. »Wir zahlen in Euro«, bestimmt der Polarveteran und fährt weiter.

Per GPS sucht er erst nach einer Abzweigung, dann nach einem Parkplatz. Es ist schon dunkel, als wir Rucksäcke, Skier und Schneeschuhe auspacken. Der Pfeil auf dem GPS-Gerät zeigt nach Westen, 50° 41' 86" Nord, 12° 87' 57" Ost. Wilfried, Harald und ich laufen mit Stirnlampen zwischen Bäumen durch tiefen Schnee.

»Wir sind da«, behauptet Wilfried auf einer Lichtung nach etwa 500 Metern. Mit Skiern klopfen wir den Boden platt, dann bauen wir die Zelte auf. Wilfried hat versucht, im bislang recht milden Winter eine möglichst unwirtliche Gegend ausfindig zu machen, die einigermaßen gut per Auto von Berlin aus erreichbar ist.

Boží Dar scheint eine ausgezeichnete Wahl zu sein: Im höchsten Ort Mitteleuropas an der tschechischen Grenze herrschen Minusgrade, und es liegt reichlich Schnee. So viel, dass das zweite Auto, das ein paar Stunden später nachkommt, wenige Meter vor dem Ziel in einer Schneewehe stecken bleibt. Mit Eispickeln und Schaufeln müssen wir es ausbuddeln.

Meine erste Nacht in einem Wintercamp. Wer hier die Arktisprofis sind und wer das Greenhorn, merkt man schon an den Namen der Daunenschlafsäcke. Links von mir Everest, rechts Ice Peak Expedition. Und dazwischen ich mit meinem Schlafsack

Snow Shoe, was eher nach winterlichem Sonntagsspaziergang klingt als nach ewigem Eis. Apropos Schuh: Meine Füße werden langsam kalt, weil ich auf einer Leichtgewicht-Luftmatratze liege, die nur drei Vierteln meiner Körperlänge entspricht.

Im Laufe dieser Januarnacht kommen mir Ice Peak und Everest samt Inhalt immer näher, weil der Schnee unter dem Zelt nicht gut festgetreten und zur Mitte etwas abschüssig ist. Ich schlafe ohnehin nie gut im Schlafsack, und die beidseitige Quetschungsgefahr und kühlen Zehen erleichtern das Einschlafen nicht gerade.

Ein fürchterliches Fauchen kündigt den neuen Tag an. Gregor, einer der Männer aus dem anderen Auto, hat den Benzinkocher angeschmissen, um Schnee zu schmelzen. »Wenn du länger im Eis unterwegs bist, bekommt das Geräusch was richtig Heimeliges«, verspricht Harald, der neben seiner Grönland-Durchquerung schon jede Menge Wintertouren in Skandinavien hinter sich hat.

Er packt ein Stück selbst gebackenen Streuselkuchen und Speck aus. »Das brauche ich unterwegs unbedingt zum Frühstück, sonst macht das ja keinen Spaß«, sagt er. Ob man mit so einem Ernährungsplan noch sportliche Höchstleistungen bringen kann, frage ich. »Ist alles Energie«, ist die lapidare Antwort. Jeder darf mal ein Stück Speck kosten, der tatsächlich phantastisch schmeckt, ansonsten gibt es Müsli mit Peronin, Geschmacksrichtung Vanille. Dabei handelt es sich um ein Zauberpülverchen aus mittelkettigen Triglyceriden, das Robert Peroni einst für seine Grönlandtouren entwickelt hat. Angeblich steckt da alles drin, was man zum Leben braucht, zum Beweis hat sich der Erfinder auf seiner extremsten Expedition 88 Tage lang nur von seiner Astronautenverpflegung ernährt.

Niemand verbreitet unnötige Hektik, erst mittags brechen wir zu einer Schneewanderung in gemütlichem Tempo auf, die schon nach zwei Stunden in einer Kneipe endet. Gar nicht so hart wie gedacht, diese Expeditionsvorbereitung, denke ich, als ein fröhlicher Wirt mit eindrucksvollem Schnurrbart Borschtsch, Lammgulasch mit Klößen und Kozel-Dunkelbier serviert.

22. Januar 2012
Zell am See, Österreich

Auch der nächste Abschnitt meiner Vorbereitung ist weniger anstrengend als erwartet: Ich habe einen Snowkiting-Kurs gebucht auf dem zugefrorenen See in Zell bei Salzburg, doch hier weht kein Lüftchen. Während der dreitägigen Flaute lerne ich einiges über die Theorie des Segelns, im Stehen kann ich morgens ein paar Achten üben mit dem Lenkdrachen. Aber für eine Fortbewegung auf Skiern reicht es nicht. Der Kursanbieter erstattet die Teilnahmegebühr zurück. Bezahlen sollte ich dann später dennoch für diesen Fehlschlag.

Juni 1912
Grönland, Inlandeis

»Unsere schöne Expedition! dachte ich beim Hinabsinken. Ich fand unter meinen Füßen keinen Grund, aber über mir eine Schlittenkufe und eine hilfreiche Hand, die mir erlaubten, mich aufs festere Eis emporzuarbeiten«, schreibt de Quervain in seinen Erinnerungen über den Schock, den die Gruppe am vierten Reisetag erlebte. Alle drei Schlitten sind ins Eiswasser eingebrochen und drohen zu versinken. Wenn sie sich der Unglücksstelle nähern, bricht nur mehr Eis ab, sie verlieren den Halt und stürzen ins Wasser, das kaum wärmer als null Grad ist und die Haut in Sekundenschnelle taub werden lässt. Zum Glück können einige Skier von den Schlitten gelöst werden. Mit ihrer Hilfe ist es den Männern möglich, sich näher an das Eisloch vorzuarbeiten, ohne gleich wieder einzubrechen. »Vor allen Dingen muss der Sack mit den Schlafsäcken geborgen werden, denn davon hängt unser Leben ab«, schreibt Roderich in seinem Tagebuch. »Es gelingt, sie sind sogar in dem wasserdichten Sack trocken geblieben. Dann die Schneeschuhe und Gletscherseile. Mit den Seilen werden die Schlitten gegen das festere Eis verankert, damit sie nicht ganz untergehen.«

Die vier versuchen, einen der Schlitten mit dem Seil herauszuziehen. Vergeblich. Dabei bröckelt nur mehr von der Eisdecke ab, und der See vor ihnen vergrößert sich. Roderich und Gaule gehen halb ins Wasser, um die Ladung an Land zu bugsieren. Oft brechen sie wieder durch und sinken ein.

Drei Stunden dauert es, die Ausrüstung einzeln von den Schlitten zu schneiden, Roderich blutet stark an den Händen, Hose und Jacke sind so fest gefroren, dass er danach kaum mehr zum Zelt laufen kann. Würde er gleich jetzt und nicht mit einigem zeitlichen Abstand sein Tagebuch schreiben, den Satz vom »Abenteuer, das die Reise nur verschönert, da es gut abgelaufen ist« hätte er vermutlich so nicht geschrieben.

8. Februar 2012
Hamburg

Als ich ein Kind war, las meine Mutter meinem Bruder Christian und mir abends »Die unendliche Geschichte« von Michael Ende vor. Ein Junge namens Bastian Balthasar Bux entdeckt in einer Bibliothek ein altes vergilbtes Buch, das von einer exotischen Welt namens Phantásien handelt. Die wird vom Untergang bedroht, weil sich das »Nichts« immer weiter ausbreitet: Ganze Teile dieser Welt werden in einem grauen Nebel buchstäblich zu nichts und sind verloren.

Bastian bewundert den furchtlosen Atréju vom Stamm der Grünhäute, den Hauptcharakter der Erzählung, weil er viel heldenhafter ist als er selber: ein wilder Jäger, der auf einem Pferd ohne Sattel durch die Landschaft reitet und für jedes Problem eine Lösung findet. Nach und nach gerät Bastian immer mehr in die Geschichte hinein und gelangt schließlich selbst nach Phantásien, wo er zusammen mit Atréju die Welt retten soll. Ein altes Buch hat sein Leben komplett auf den Kopf gestellt und bedeutet für ihn die Eintrittskarte ins Abenteuer.

Für mich gibt es ein solches Buch nun mit den Aufzeichnungen meines Großvaters tatsächlich. Es führt ebenfalls in eine Welt, die vom Nichts beherrscht wird, auf jeder Weltkarte ist es als große weiße Fläche eingezeichnet. Allerdings handelt es sich um ein kostbares Nichts. Ein heutiger Weltenretter müsste seine Zerstörung stoppen, nicht seine Ausbreitung, denn die Erde im 21. Jahrhundert könnte ein bisschen mehr »Nichts« gut gebrauchen.

Wegen des alten Tagebuches habe ich Haralds Expeditions-Theoriekurs in Berlin gebucht und Flugtickets nach Oslo und Zürich. In Norwegen werde ich mit Korth und Team eine Woche lang mit Zelt und Skiern durch die Wildnis stapfen. Und in der

Schweiz werde ich den Nachlass von Alfred de Quervain sichten und anschließend zum Training in die Berge fahren.

Ich nehme neuerdings bei jedem Wetter das Fahrrad zur Arbeit, gehe joggen und ins Fitnessstudio. Sportmedizinisch interessant wird meine Arktisvorbereitung durch die Tatsache, dass ich gleichzeitig schlemme wie ein Irrer. Wer längere Zeit in der Kälte verbringt, kann ein paar Fettpolster gut gebrauchen. Motivationsprobleme am Esstisch sind erheblich seltener als beim Sportprogramm. Kürzlich las ich von zwei Australiern, die sich vor ihrer Antarktis-Expedition unfassbare 20 Kilogramm zusätzlich angefressen haben.

Ich wäre schon mit fünf zusätzlichen Kilo zufrieden, denn mein Talent zur Gewichtszunahme ist begrenzt, was für den Lebensalltag fernab von Eiswüsten ein Glücksfall ist. Unlängst habe ich mir aus einer Weight-Watchers-Tabelle alles notiert, was dort als Todsünde für Schlankheitskuren eingestuft wird. Currywurst mit Pommes (24 Punkte), Pizza Calzone (30 Punkte), Brathähnchen mit Haut (18 Punkte), Döner (16 Punkte). Nach zwei Tagen mit einem hieraus entstandenen Experimental-Speiseplan gebe ich wegen Komplikationen bei meinen Fitnessfortschritten wieder auf. Jetzt muss es ein täglicher Nachschlag in der Kantine am Arbeitsplatz richten.

Inzwischen beschäftige ich mich mehr mit meinem Großvater als mit meinen Freunden oder lebenden Verwandten. Mein neuer bester Freund heißt Roderich und ist seit 57 Jahren tot, ich habe viele unvergessliche Abende mit ihm verbracht. Vor Kurzem habe ich angefangen, sein Tagebuch abzutippen, Wort für Wort. Ich schreibe seinen Text noch einmal und behalte seine eigentümliche Rechtschreibung bei. Inzwischen komme ich nicht mal mehr ins Stocken, wenn er giengen statt gingen schreibt oder idüllich statt idyllisch oder Tüpen statt Fotografieren. Ein paar Passagen kenne ich schon auswendig, »Es war am Morgen nach dem vierten Reisetag im Gebiet der Inlandeisseen, als Hoesslis Gespann ...« und so weiter, das kann ich runterrattern wie ein Pfarrer die Weihnachtsgeschichte.

Wie gerne würde ich Opa ein paar Fragen stellen. Ob er in Grönland die schönste Zeit seines Lebens hatte. Wie sich das anfühlt, zu wissen, dass man entweder aus eigener Kraft ans Ziel kommt oder stirbt.

In Schweizer Online-Verzeichnissen suche ich nach Menschen, die Hoessly oder Gaule heißen. Per E-Mail frage ich dann, ob sie verwandt sind mit dem Arktis-Hoessly oder dem Arktis-Gaule und ob möglicherweise noch Aufzeichnungen ihrer Vorfahren in irgendeinem Schrank lagern. Bislang ohne Erfolg. Außerdem schreibe ich an potenzielle Sponsoren, ob sie unsere Reise unterstützen wollen. Vor 100 Jahren gab es für de Quervain und seine Männer unter anderem Maggi-Suppen, Kondensmilch von Cham und Stalden, Lindt-Schokolade und Dethleffsen-Holzski umsonst. Für die Skier mussten sie eine Vereinbarung unterschreiben, dass sie später das am stärksten beanspruchte Paar zurückgeben, damit die Schäden inspiziert werden konnten. Ansonsten genügte das Versprechen, die Hersteller in Zeitungsartikeln und Büchern zu erwähnen. Expeditionsfotos mit auffälligen Ausstatterlogos, wie man sie heute ständig sieht, sind damals nicht entstanden.

Meine Mutter ruft an und fragt, ob ich eigentlich das Zusatzheft zum Grönland-Tagebuch schon gelesen habe. Das Zusatzheft? Ja, die Aufzeichnungen, die er in Kamerun im Ersten Weltkrieg verloren und nachher aus dem Gedächtnis wieder aufgeschrieben hat. Mit den ganzen persönlichen Sachen, wo er seine Motivation beschreibt und so. Sie sagt das ganz beiläufig, als würde sie von einer Rezeptsammlung für Nudelgerichte reden. Ich bin völlig aus dem Häuschen und kann es kaum erwarten, eine Kopie zu bekommen.

Ich genieße ich es sehr, zum ersten Mal im Leben einen Opa zu haben. Ich lerne ihn nicht als Pfeife rauchenden alten Mann im Schaukelstuhl kennen, der von alten und besseren Zeiten erzählt. Und schon gar nicht als verwirrten »Früher war mehr Lametta«-Greis aus einem Loriot-Sketch. Sondern als abenteuerlustigen 25-Jährigen, der noch nicht so recht weiß, wo sein Platz im Leben ist. Er hat einen Traum und gibt alles dafür, ihn sich zu erfüllen, obwohl es ein lebensgefährlicher Traum ist. Vielleicht beneide ich ihn ein bisschen für diesen Mut.

Er ist jetzt sieben Jahre jünger als ich, wir könnten Studienfreunde sein oder uns im Sportverein kennengelernt haben. Zwei junge Männer, die das Reisen lieben. Im Sommer laufen wir gemeinsam quer durch Grönland, er voran und ich in seinen Spuren.

16. März 2012
Oslo

Für das abschließende einwöchige Assessment Center hat Wilfried Korth die Hardangervidda in Norwegen ausgewählt, eine Hochebene, in der schon Amundsen für seine Arktisreisen trainierte.

Bevor es losgeht, muss ich allerdings noch meine Ausrüstung in Oslo aufstocken. De Quervain hat damals Schlitten und Schlafsäcke in Norwegen bestellt, weil sie woanders nicht in der benötigten Qualität zu kriegen waren. Ich dachte, diese Zeiten sind dank riesiger Outdoor-Kaufhäuser und globalisierter Marken längst vorbei. Doch tatsächlich bekommt man die besten Arktis-Skischuhe, die für die richtig kalten Extremtouren, auch heutzutage nur in Norwegen. Durch die Amundsen-Straße und über den Nansen-Platz laufe ich zum Sportgeschäft.

Der Verkäufer stellt mir einen schwarz-roten Stiefel mit fast kniehohen Goretex-Gamaschen hin, 600 Euro das Paar. »Ich leite selber Grönland-Durchquerungen, da empfehle ich immer diesen Schuh«, sagt er. Dann drückt er mir zwei beigefarbene Riesensocken aus einer Art steifem Filz in die Hand, noch mal 130 Euro. »Die kommen als Innenschuhe da rein, handgemacht aus Schafwolle.« Weil sie extrem fusseln, kommt noch eine blaue Übersocke darüber, um den teuren Schuh vor den teuren Flusen zu bewahren. »Die Dampfsperresocke habe ich leider nicht in deiner Größe da, aber Plastiktüten gehen auch«, erfahre ich dann. Das ausgefuchste System ist nämlich erst komplett, wenn man eine dünne Socke am Fuß trägt und darüber eine Art wasserdichten Plastiksack, auch Dampfsperre oder Vapour Barrier Liner (VBL) genannt. Der verhindert, dass Fußschweiß in die Schafwollfusselsocke gelangt. Ein perfekt durchdachtes System, diese vier Schichten: Um meinen Fuß vor der Kälte zu schützen, muss der Skischuh vor der Fusselsocke geschützt werden, die wiederum per Plastiktüte vor meinem Schweißfuß geschützt wird. Die denken an alles, die Norweger.

Abends treffe ich im Hostel Gregor Rückamp, er ist wie ich 32 und bereits gesetzt als Teilnehmer der Grönland-Durchquerung. Der athletische 1,95-Meter-Glatzkopf arbeitet als Verkaufsleiter in einem großen Outdoorgeschäft und ist in unserer größtenteils aus ziemlich fitten Sportlern bestehenden Gruppe so etwas wie der Supersportler. Mit mehrtägigen Transalp-Radrennen, Trailrunning-Wettbewerben und Fahrrad-Ultramarathons hält er sich in Form, wenn er nicht gerade an irgendwelchen Nordwänden in den Alpen herumklettert. Seine Marathon-Bestzeit liegt deutlich unter drei Stunden.

Zusammen fahren wir am nächsten Tag mit dem Zug nach Finse. »Willkommen am höchsten Bahnhof Norwegens«, sagt die Stimme aus dem Lautsprecher nach viereinhalb Stunden Fahrt. Willkommen in der Arktis hätte auch gepasst, denke ich beim Blick auf die komplett in weißen Schnee gehüllte Puderzuckerlandschaft vor dem Fenster.

Der Rest der Gruppe ist schon da, fröhlich begrüßen uns Wilfried, Harald, der Fotograf Jürgen Hohmuth und Jan von Szada, ein weiterer Durchquerungskandidat, an dem mir zunächst vor allem sein starker Berliner Zungenschlag auffällt. Sechs Leute sind wir, vier Pulkaschlitten haben wir dabei. Jeder besteht aus einer etwa zwei Meter langen Wanne, so groß wie ein Sarg, die oben mit wasserdichtem Stoff abgedeckt ist. Im Notfall kann man angeblich sogar schlafen in den Dingern. Natürlich bekomme ich als Greenhorn gleich mal den schwersten Schlitten. Er wiegt 70 Kilo und hat obendrein noch das schlechteste Zugsystem, Marke Eigenbau mit Autogurten, ständig verrutscht da was. Bei den ersten Schritten am Hang korrigiere ich innerlich mein bisheriges Wochenziel, zwecks Grönland-Qualifikation nicht unterwegs zusammenzubrechen, auf die Parole, zumindest am ersten Tag nicht zusammenzubrechen.

Um zu simulieren, wie es sich anfühlt, einen Pulkaschlitten bergauf zu ziehen, muss man nur einen Crosstrainer im Fitnessstudio auf eine ziemlich hohe Stufe einstellen, sich dann einen Gurt um die Hüfte legen und jemanden bitten, bei jedem Schritt mit einem festen Ruck daran zu ziehen. In Grönland werden zu den 70 Kilo Gewicht noch einmal 50 Kilo hinzukommen. Und trotzdem gerate ich schon jetzt stark ins Schwitzen, bin langsamer als die anderen und extrem erleichtert über jede Fünf-Minuten-Pause. Wenn es bergauf geht, rutsche ich trotz der Kurzfelle unter meinen Skiern rückwärts. Besonders kräftezehrend ist das Anfahren am Hang, was nur mit einem kräftigen Hüftschwung möglich ist, der mich in einer Art gedanklicher Übersprungshandlung an brasilianische Sambatänzerinnen denken lässt.

Einmal muss Gregor meine Pulka übernehmen, weil ich einfach nicht weiterkomme an einer Schräge. Bei ihm sieht das Manöver relativ lässig aus. Ich bin sehr erleichtert, als Wilfried endlich entscheidet, dass wir die Zelte aufbauen. Das kann ja heiter werden in Grönland.

Die nächsten Tage sind für mich ein Polar-Crashkurs. Das Prinzip ist, dass ich jede Menge dumme Fehler mache, die ich dann hoffentlich in Grönland nicht mehr wiederhole. Exemplarisch möchte ich auf drei Fehler genauer eingehen:

1. Bergab laufen ohne Handschuhe
2. Über Nacht eine Wasserflasche im Schlitten lassen
3. Den Weg zum Zelt vergessen

Nummer eins führt zu blutenden Schürfwunden an den Fingern, wenn man stürzt. Und man stürzt unweigerlich, wenn man zum ersten Mal mit einer Pulka bergab läuft, die mal stärker und mal weniger stark von hinten schiebt. Punkt zwei dürfte logisch sein, denn Minusgrade und Flüssigkeiten sind nicht die besten Freunde. Wie umständlich es jedoch ist, einen Liter Eis wieder aufgetaut zu bekommen, war mir neu. Selbst eine Nacht im Zelt änderte rein gar nichts am Aggregatzustand. Fehler Nummer drei unterlief mir auf einem nächtlichen Klogang zu einer 300 Meter entfernten Hütte. Ich war mir sicher, mir für den Rückweg die Richtung gemerkt zu haben, und vertraute darauf, bald die Lichter der Zelte zu sehen. Bei der Distanz hatte ich mich aber ziemlich verschätzt und suchte schon nach etwa 200 Metern den Hang nach dem Unterschlupf ab. Fußspuren waren nicht erkennbar und auch kein Licht, weil ein Schneesturm wütete. Nach zehn Minuten kam mir zum Glück eine Stirnlampe entgegengelaufen, das war Jan, nun ebenfalls auf dem Weg zum Klo, und damit wusste ich wieder, wo es langging.

Vorsichtig sollte man zudem beim Aufstehen von einem Sitzkissen sein, wenn man sich außerhalb des Zeltes befindet und starker Wind bläst. Ein fliegendes Sitzkissen kann dann nämlich eine Geschwindigkeit erreichen, die das Höchsttempo eines müden Schneewanderers um etwa das Dreifache übertrifft. Die Wahrscheinlichkeit, dass der Wind plötzlich um 180 Grad dreht und das Eigentum zurückgibt, liegt bei annähernd null.

Manches lerne ich zum Glück auch, ohne die entsprechenden Fehler selbst zu machen: dass man Schneeschaufeln und Skier abends immer senkrecht in den Boden rammt, damit sie am nächsten Morgen noch auffindbar sind. Dass man Skier, wenn man sie als Hering benutzt, immer mit der Unterseite zum Zelt befestigt, weil sonst die Kanten die Rebschnüre durchsägen. Wie man eine Schneemauer baut als Windschutz für die Zelte. Dass man sich beim Laufen immer etwa alle zwei Minuten umguckt, ob die anderen noch da sind. Und dass mein Wellness-Lauftempo, also das, bei dem ich mich kaum anstrengen muss, langsamer ist als das der anderen. Oder, positiv gesehen: Ich bin oft der Anführer der zweiten Gruppe, weil beim Gänsemarsch mit der Zeit die Lücke vor mir immer größer wird, aber hinter mir aus höflicher Zurückhaltung keiner überholt.

Ich lerne, sehr genau in mich hineinzuhorchen. Wie gut oder schlecht es mir gerade geht, kann ich vom Atemzug/Stockschlag-Quotienten ableiten. Ein Atemzug pro drei Stockschläge bedeutet: alles entspannt. Zwei Atemzüge pro drei Stockschläge: ganz schön anstrengend. Drei Atemzüge pro drei Stockschläge: richtig Stress. Viel zu oft trifft Letzteres zu. Ich ahnte ja nicht, wie sehr man sich nach der nächsten Pause sehnen kann. Dazu macht auch noch der Pulkaschlitten Ärger. Immer wieder verrutschen die Gurte, die ähnlich wie ein Rucksack-Tragesystem angelegt sind. Plötzlich habe ich dann das ganze Gewicht auf dem Bauch statt auf der Hüfte, dann plötzlich den Großteil der Last auf der Schulter. Bei einer Acht-Stunden-Etappe raubt einem das den letzten Nerv, jeder einzelne Schritt tut weh. Und wer ständig anhalten muss, um den Gurt wieder neu zu justieren, kommt nie in einen vernünftigen Laufrhythmus.

Am dritten Tag erleben wir echte Whiteout-Bedingungen mit heftigem Sturm. Ich kann gerade noch den Schlitten vor mir erkennen und ab und zu einen der Äste im Boden, die als Routenmarkierung dienen. Aber die meiste Zeit ist es so, als würde man durch ein weißes Nichts laufen, der Boden lässt sich vom Himmel nicht mehr unterscheiden. Meine Sonnenbrille beschlägt, mein rechtes Auge tränt vom Seitenwind. Auch Jan hat Probleme, seine Pulka ist zu hoch gepackt und fällt immer wieder um. »Das wäre schon einer der extremeren Tage in Grönland«, sagt Wilfried später. Wie beruhigend.

Ich lerne, dass an meiner Hand zuerst Ring- und kleiner Finger, dann der Daumen, dann Zeige- und Mittelfinger frieren. Immer in dieser Reihenfolge. Wenn einem kalt ist, ist das schlimmer als die Anstrengung, schlimmer als Hunger oder Durst. Das alles spürt man erst wieder, wenn das Frieren aufgehört hat.

Ich lerne, dass Marzipan und Schokolade auf einer Wintertour zehnmal so gut schmecken wie zu Hause. Und selbst die Outdoor-Tütengerichte, bei denen nur noch warmes Wasser dazukommt, sind hier ganz erträglich.

Ich erfahre, wie sehr man unter solchen Bedingungen gute Ausrüstung zu lieben und schlechte zu hassen beginnt. Ich hasse nicht nur mein Pulka-Zuggeschirr, sondern zum Beispiel auch die Plastiktüten, die ich mir auf Anraten des Verkäufers immer in die Skischuhe stopfe, als Dampfsperre. Sie reißen leicht und stinken abends extrem. Und meine Sonnenbrille hasse ich, die schon etwas zerkratzt ist und hier ständig beschlägt. Und die Hardshell-Jacke, weil sie für diese Art von Tour zu kurz ist und die Kapuze wenig Windschutz bietet.

Verliebt bin ich dagegen in meine Daunenjacke, die ist wie Urlaub von der Kälte, pure warme Wonne. Die Wollunterwäsche, die sich trotz Schwitzens nicht kalt anfühlt. Die Daunenluftmatratze und den Schlafsack – ich habe mir seit Boží Dar einen neuen zugelegt, der wiegt fast vier Kilo, ist aber jedes Gramm wert. Er heißt Denali, wie der höchste Berg Nordamerikas, der für eisige Wetterbedingungen berüchtigt ist – ein erheblicher Fortschritt also zu meinem Vorgängermodell Snow Shoe. Eine Hassliebe verbindet mich mit den neuen Skischuhen: Einerseits habe ich mit denen wirklich nie kalte Füße – andererseits aber zwei riesige Blasen an der Ferse.

Zuletzt lerne ich noch, dass eine der besten Erfahrungen einer Expeditionsetappe die erste richtige Mahlzeit danach ist. Noch nie haben mir eine Banane, ein Stück Käse und eine Tomate so gut geschmeckt wie nach dieser Woche in Norwegen.

HOESSLY, HANS

Geboren am 30. April 1883 in Malans.

Einziger Sohn des Mediziners Anton Hoessly, der viele Jahre Präsident der Sektion Bernina des Schweizerischen Alpen-Clubs war. Jugend in St. Moritz, erste alpine Ausflüge auf Skiern und zu Fuß. 1902 Maturität am Realgymnasium in Basel, Studium in Basel, Zürich, Freiburg und München, abgeschlossen 1908 mit dem medizinischen Staatsexamen. Assistenztätigkeit bei Professor Ernst Hedinger am Pathologischen Institut in Basel, Dissertation zum Thema Appendizitis. Zwischen 1909 und 1911 Assistenzarzt an der Inneren Abteilung des Eppendorfer Krankenhauses in Hamburg, an der Klinik für Ohrenheilkunde in Basel und an der Chirurgischen Klinik in Basel bei Professor Fritz de Quervain, dem Bruder von Alfred de Quervain. 1912 Expeditionsarzt der Schweizerischen Grönlandexpedition. Im Juni 1914 Vermählung mit der Ärztin Gertrud Tabitha Haerle, zwei Kinder. Habilitation für Chirurgie an der Universität Basel. 1916 für einige Monate Leitung der Chirurgischen Abteilung des Krankenhauses Aarau in Stellvertretung, danach Arzttätigkeit am Orthopädischen Institut in Wien und an der Schweizerischen Anstalt für krüppelhafte Kinder im Züricher Stadtteil Balgrist. Dort 1917 nach einer weiteren Habilitation an der Universität Zürich im Fach Orthopädie zum Direktor befördert. Zahlreiche Veröffentlichungen zu den Themengebieten Bakteriologie, Ohrenheilkunde, Anthropologie, Chirurgie und Orthopädie, unter anderem: »Ueber die schädigende Wirkung der physiologischen Kochsalzlösung«, »Experimentell erzeugte professionelle Schwerhörigkeit«, »Kraniologische Studien über die Ost-Eskimo nach dem Material der Schweizerischen Grönlandexpedition 1912«, »Leukozytose bei Intraperitonealblutungen« und »Die osteoplastische Behandlung der Wirbelsäuleerkrankungen speziell bei Verletzungen und bei der Spondylitis tuberculosa«.

7. Juni 2012
Hamburg

In den meisten Fällen ist die Verfilmung eines guten Buches eine Enttäuschung. In diesem Fall ist das anders, denn ich wusste überhaupt nicht, dass es den Film zum Buch gibt. Aber von vorne: Die geowissenschaftliche Abteilung der Eidgenössischen Technischen Hochschule (ETH) in Zürich organisiert zum 100-jährigen Jubiläum der Schweizerischen Grönlandexpedition eine Ausstellung. Ich hatte schon länger mit den Verantwortlichen Kontakt, weil sie großes Interesse an ein paar Reisesouvenirs meines Opas hatten. Meine Eltern haben dann veranlasst, dass ein Kajak, ein paar Inuitwaffen und eine Jacke aus Seehundleder von Herrsching nach Zürich transportiert wurden.

In einer Woche wird die Ausstellung eröffnet, gestern bekam ich das Programm per E-Mail zugeschickt. Zunächst viele Reden: Begrüßungsworte des dänischen Konsuls, »Die kulturelle Bedeutung der Expedition für das heutige Grönland«, »100 Jahre Schweizer Grönlandforschung«. Der nächste Programmpunkt allerdings macht mich stutzig: »Kurzfilm. Alfred de Quervain und seine Grönlandreise 1912«.

Sofort schreibe ich an Gillian Grün, eine der Veranstalterinnen, was es denn damit auf sich habe. Sie schickt mir einen Link, unter dem das Video online zu sehen ist.

»Leider nicht wirklich Ausschnitte der Expedition selbst, sondern mehr aus der Zeit der Anreise«, schreibt Grün. »Könnte für Sie aber trotzdem besonders interessant sein.« Da hat sie recht. Das Zeitdokument ist 4 Minuten und 42 Sekunden lang, wie die Leiste unter dem Bild anzeigt. Ziemlich wacklige Schwarz-Weiß-Aufnahmen, die Qualität ist nicht besonders, eine Tonspur gibt es nicht.

Zunächst sind ein paar Szenen von der Abreise im Hafen von Kopenhagen zu sehen, am Ufer winken Männer in langen Mänteln mit ihren Hüten der »Hans Egede« nach. Vorne auf dem Kopfsteinpflaster des Piers fällt eine Frau in hellem Kapuzenmantel auf, die besonders ausdrucksstark mit einem weißen Taschentuch wedelt und etwas zu rufen scheint. De Quervain erwähnt in seinem Buch, dass seine Frau am Ufer gestanden habe, erst vor wenigen Monaten hatte er geheiratet. Das muss sie sein.

Die Überfahrt: Wellen neben der Reling, schäumende Gischt. Vorne am Bug werkeln ein paar Männer an der Expeditionsausrüstung herum, zurren schützende Planen fest.

Dann sehe ich Opa. Zum ersten Mal in Bewegung. Mit seiner hohen Schirmmütze steht er mitten in der Expeditionsgruppe, eine gestellte Szene, alle wirken ein wenig unbeholfen und albern herum wie Jugendliche. Wie man das eben so macht, wenn man zum ersten Mal vor einer Filmkamera steht. Wer auch immer die Kamera bedient hat, ich stelle mir vor, dass er gerade so etwas gesagt hat wie »Macht doch mal was, ich brauche Bewegung«.

Und los geht's: De Quervain spielt mit seinem Windmesser herum, Hoessly klappt seine Uhr auf und zu, Gaule steigt auf eine Stufe und blickt durch den Feldstecher in die Ferne, Mercanton kramt eine Flöte aus seiner Innentasche und spielt ein Stück. Nur Roderich hat kein Gimmick zur Hand. Stattdessen wirken seine Bewegungen besonders fahrig, er scheint nicht so recht zu wissen, wohin mit seinen langen Armen, lächelt immer mal wieder nervös, wackelt von einem Fuß auf den anderen. So ähnlich komme ich auf Filmaufnahmen auch immer rüber, jetzt weiß ich endlich, von wem ich das habe.

Roderich wechselt ein paar Worte mit de Quervain, sicher Belanglosigkeiten, trotzdem würde ich jetzt so gerne von den Lippen ablesen können. Jedenfalls scheinen die beiden sich auf der Hinfahrt noch gut zu verstehen.

Es folgen die möglicherweise ersten Filmaufnahmen der grönländischen Westküste. Die mächtige Eiswand des Gletschers Ekip Sermia zieht vorbei, spiegelt sich im Wasser, im Vordergrund schwimmen Eisberge.

Die nächsten Bilder zeigen Trainingseinheiten, in denen die Gruppe von den Inuit lernt, wie man sich hier am besten fortbewegt. Eine Gruppe Kajakmänner rast in Formation durch den Fjord, an einem Felsen sieht man meinen Opa, wie er mit einer geschickten Bewegung aussteigt und sein weißes Boot, das er in Zürich gebaut hat, auf die vereiste Anhöhe zieht. Beinahe Slapstick-Charakter haben die Szenen vom Hundeschlittenfahrkurs. Mehrmals fahren die Gespanne durchs Bild, die Fahrer rennen hinterher und halten sich am Heck fest, einer wird so stark mitgerissen, dass er fast stürzt. Die Hunde laufen mit erhobenem Schweif kreuz und quer vor den Schlitten her, das Tempo scheinen sie zu bestimmen und nicht die Zweibeiner.

Ich spule immer wieder zu der Stelle auf der »Hans Egede« zurück, wo die Gruppe ihre Faxen macht. Und denke an alle Fotos, die ich sonst von Opa kenne. Etwas ist hier anders, endlich komme ich darauf, was: So fröhlich wie auf der Fahrt zu seinem großen Abenteuer habe ich ihn noch nie gesehen.

23. Juni 2012
Ötztal, Österreich

Um ein Haar wäre es mit unserem großen Abenteuer vorbei gewesen, als Wilfried auf einem Schneefeld am Hang abrutscht. Keine besonders kritische Stelle, eine ganz normale Alpenwandertour, wir sind auf etwa 2700 Meter Höhe in der Nähe der Braunschweiger Hütte. Er schlittert nach unten, wird immer schneller. Gregor brüllt noch »Auf den Bauch drehen!«, und kurz vor einem Überhang bleibt er endlich im Geröll liegen. Nur zwei Meter weiter geht es steil in die Tiefe, ohne Knochenbruch wäre er bei einem Sturz nicht davongekommen. Er hat Glück, nur seine beiden Unterarme sind aufgeschürft, und die Hüfte ist geprellt.

Inzwischen steht fest, wir werden zu viert sein in Grönland: Wilfried, Gregor, Jan und ich. Offenbar habe ich mir nicht zu viele Fehler geleistet in Norwegen: Kurz nach unserer Rückkehr kam eine Mail des Expeditionsleiters mit einer 20-seitigen Ausrüstungsliste im Excel-Format und der Information, dass er sich mit der genannten Vierergruppe »eine gemeinsame Tour vorstellen« könne und »sie auch so möchte«. Die anderen beiden, die in der Hardangervidda noch dabei waren, haben für den Sommer abgesagt.

Wir haben uns im Ötztal getroffen für die letzte Trainingseinheit vor Grönland. Wir üben die Bergung aus Gletscherspalten. Eisschrauben befestigen, Flaschenzüge bauen, mit lautem »Hau ruck!« den Abgestürzten am Seil herausziehen – das alles muss im Notfall reibungslos funktionieren.

Zunächst ziehen wir uns gegenseitig an einem Berghang hoch, dann gehen wir auf den Gletscher, der gleich neben der Hütte beginnt. An einer Furcht einflößenden Spalte, mindestens 30 Meter tief, perfektionieren wir unsere Bergungstechnik, bis jeder Handgriff sitzt.

Die Probephase ist nun vorbei: Von Anfang August bis Mitte September wollen wir quer durch Grönland laufen, von Ost nach West, in der entgegengesetzten Richtung der de-Quervain-Expedition. 35 Tage haben wir dafür eingeplant, Das wären sechs Tage weniger, als mein Opa unterwegs gewesen ist. Die Expeditionszulassung hat das grönländische Umweltministerium ausgestellt, amtliche Nummer C12-12. Wenn wir uns das nächste Mal treffen, wird es ernst.

28. Juni 2012
Hamburg

Ernst wird auch Frau Doktor Dorn, die Sportärztin im Fitnessstudio, als sie meine Versuche beobachtet, achtmal in Folge auf einem Bein langsam von einem Stuhl aufzustehen. Ich habe ihr von meinen Expeditionsplänen erzählt. Jetzt komme ich schon nach fünf Wiederholungen ins Schwitzen, und mein hoher Blutdruck gefällt ihr überhaupt nicht. »Haben Sie gestern viel Alkohol getrunken?«, ist ihre indiskrete Frage. Eher nicht, ein Bier, einen Mojito, dazu gab es das fettigste Holzfällersteak, das ich je gegessen habe. Ich war in einer Kneipe, Public Viewing, Portugal gegen Spanien im Halbfinale der Fußball-EM. Dabei erzählte ich einer Freundin stolz, dass ich nun so viel Sport mache wie noch nie. Mit einigem Erfolg, dachte ich zumindest: An den Geräten im Kraftraum lege ich etwa die Hälfte mehr Gewicht auf als noch im Januar, fast 350 Pfund in der Beinpresse sind kein Problem, zehn Kilometer laufe ich in unter 50 Minuten.

Ob ich wegen des Abendessens heute nicht so richtig in Schwung bin? Oder weil ich ein Morgenmuffel bin und es

7.30 Uhr ist? Eine bislang nicht erkannte Sportärztinnenphobie? Verzweifelt suche ich nach einem Grund, warum ich trotz monatelangen Trainings so eine schwache Vorstellung abliefere.

Im Übungsraum höre ich Gusseisenplatten aufeinanderkrachen, und die Sportärztin sagt, ich solle mal anfangen, mich wirklich anzustrengen. »Legen Sie mehr Gewicht auf, so viel, dass Sie nach etwa 70 Sekunden keine weitere Bewegung mehr schaffen.« Sie empfiehlt, nun dreimal die Woche herzukommen, und schreibt neue Übungen für Oberschenkel und Adduktoren und Klimmzüge auf mein Trainingsprogramm. Die Kürzel der Geräte hackt sie in ihren Computer, A2, B1, B7, J2, J3 und G1, das sind meine zusätzlichen Folterinstrumente für die nächsten Wochen. »Da haben Sie sich ja ganz schön was vorgenommen«, sagt sie.

14. Februar 1912
Zürich

Brief von Adolf Fick an Alfred de Quervain:

Zürich, 14. Hornung 12

Sehr geehrter Herr Doktor!
Heute habe ich meinen Sohn Roderich u. Herrn Karl Gaule untersucht und bei beiden Herren an Herz, Lungen und Leistenkanal nichts Abnormes gefunden.
Hochachtungsvoll

Dr. A. Fick

2. Juli 2012
Zürich

Wenn man zur Abteilung »Archive und Nachlässe« der ETH-Bibliothek in Zürich will, muss man im vierten Stock eines Atriums zunächst an ein paar Rechercheplätzen vorbei. Klug aussehende Studenten sitzen an ihren Laptops zwischen hohen Bücherstapeln und arbeiten. Hinter ihnen hängen einige Schautafeln mit Fotos wichtiger Forschungsreisen. Neuseeland 1902. Iran 1950. Argentinien 1897. Und Grönland 1912. De Quervain mit Schweizer Fahne, Opa mit Segelschlitten, Hunde auf dem Inlandeis: Gleich zur Begrüßung blicken mir von der Wand ihre bekannten Gesichter entgegen.

Im nächsten Raum steht ein riesiger Globus aus dem 17. Jahrhundert, Grönland ist darauf viel zu klein eingezeichnet, man wusste es damals noch nicht besser. Eine Bibliotheksmitarbeiterin führt mich an einen Tisch, dann fährt sie zwei Wagen voller Ordner und Kisten herein. Sie gibt mir noch einen Bleistift für meine Aufzeichnungen, Kugelschreiber sind verboten, die wertvollen Dokumente könnten beschädigt werden.

Schnell finde ich das, was ich suche. Auf dem Deckel eines Pappkartons steht »Tagebücher A. de Q Grönland«, darin liegen 27 ausgefranste Notizbücher mit dunkelblauen und beigefarbenen Einbänden und kariertem Papier, etwas kleiner als Din A5, gekauft bei Chr. Nyborg-Lassen, 5 Gothersgade, Kopenhagen. »Finderlohn 5 fr« steht auf der Umschlag-Innenseite über dem blauen Stempel »Schweizerische Grönland-Expedition 1912«, bei manchen Heften sind es sogar »10 fr«. Ich habe nur ein paar Stunden Zeit, unmöglich kann ich alles lesen. Einige der Heftchen sind für mich nur flüchtig interessant, sie enthalten Hunderte Seiten mit Zahlenkolonnen zu Windgeschwindigkeiten, Temperaturen, Luftdruck, Höhenmetern und zurückgelegten Distanzen.

Doch ich entdecke auch Passagen, die später nie veröffentlicht wurden, aber andeuten, dass sich schon auf der Hinfahrt mit dem Schiff die ersten Konflikte anbahnten. So schreibt de Quervain am 12. April über den vorigen Tag: »Am Mittag musste ich Gaule ermuntern, sich nur wirklich an die mit so viel Selbstvertrauen in Zürich geplanten luftelektrischen Messungen heranzumachen, und die Zeit nicht bloß in idyllischem Vorlesen arm in arm mit Fick zuzubringen. Ich weiss ja, dass es auch bei gutem Befinden Selbstüberwindung kostet, auf dem Schiff an eine Sache heranzugehen. Aber er lächelte so überlegen, als ich ihn in Zürich darauf hinwies! Nun soll ers haben.«

Ein anderer Satz, den er an Zeltplatz 17 am 9. Juli vor dem Aufbruch zur nächsten Tagesetappe aufgeschrieben hat, gibt mir Rätsel auf, weil ein Wort der Sütterlinschrift kaum zu entziffern ist. Einigermaßen lesbar ist: »Ficks eisige ... geht mir auf die Nerven.« Ich würde viel darum geben, das fehlende Substantiv lesen zu können. Die erste Silbe scheint »Pfeif-« zu sein. Pfeiffuchserei? Pfeifsprechfonie? Pfeifsprechserei? Was muss der Expeditionsleiter auch so komplizierte Wörter verwenden! Ich mache ein Foto der Seite, um es später genauer unter die Lupe zu nehmen.

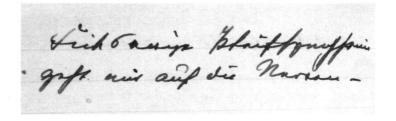

Andere Stellen beziehen sich auf seine Frau Elisabeth, die er erst 1911 geheiratet hatte, und zeigen einen de Quervain, den ich bislang noch nicht kennengelernt habe. Nicht den strengen Wissenschaftler, sondern den liebenden Ehemann: »Meine Frau, wie viel mehr bin ich Mensch, <u>bin</u> ich überhaupt durch

Dich – Findest Du dieses mir selbst Vorrechnen der Vorteile meines Verheiratetseins kindlich, oder gar klein und bedenklich. Das ist kein Vorrechnen, nein etwas ganz Unmittelbares; wenn ich sage ›meine Frau‹, so atme ich freier, stehe gerade da, und fühle mich glücklicher.« Ein paar Absätze später reflektiert er über seine eigenen Schwächen: »Mußte Dir nicht manchmal bange werden? Dieser A. de Q., an dem doch gewisse harte, und wohl nicht vermutete Kanten zum Vorschein kommen; diese absolute Art!«

In dem Nachlass befindet sich auch eine ganze Sammlung martialischer Zeichnungen. Die Darstellungen zeigen Inuit in Kamiker-Stiefeln, die einander mit Hundepeitschen schlagen oder mit Speeren abstechen.

Und Dutzende Rechnungen, fast jedes Ausrüstungsstück der Expedition lässt sich samt genauem Preis belegen. Die Schlitten haben 165 Norwegische Kronen gekostet, die Schlafsäcke »von Herbstgeschlachteten Rennthierfellen« 50 Kronen pro Stück, das 12 Millimeter dicke Gletscherseil aus italienischem Hanf 60 Franken. 624 Dosen Alpenmilch gab es gratis, wie ein Beleg der Berneralpen-Milchgesellschaft zeigt, genauso wie eine Kiste »Dr. Mampes Bittere Tropfen, Marke Elefant« – die wurden allerdings wegen der beiden Antialkoholiker im Team aus Grönland ungeöffnet wieder zurückgesandt, wie ich schon aus de Quervains Buch erfahren habe.

Im nächsten Ordner befinden sich zwei Nachrufe auf de Quervain, eine Einladung zu einem Lichtbildvortrag des Antarktisforschers Ernest Shackleton bei der »Gesellschaft für Erdkunde zu Berlin« mit anschließendem Festmahl, zwei Briefe des deutschen Arktisforschers Alfred Wegener und ein Grönländisch-Lehrbuch, das dem Leser verspricht, in 100 Stunden die Sprache lernen zu können.

Jedes Dokument ist wie ein Puzzleteil, zusammen ergibt sich ein immer klareres Bild davon, was vor einem Jahrhundert passiert ist. Noch niemand hat sich bislang die Mühe gemacht, den Nachlass von de Quervain systematisch zu erforschen.

Natürlich befinden sich auch jede Menge Fotos darin. Ein Bild fällt mir besonders auf, es zeigt meinen Opa in Angmagssalik. An einen Stein gelehnt, sitzt er da, mit einem Gewehr über den Knien, und blickt den Betrachter verwegen an. Sympathisch wirkt das nicht, eher rabiat. Er sieht ungefähr zehn Jahre älter aus als auf den Bildern vor der Abreise.

Ich entdecke das Protokoll einer Sitzung der »Neuen Zürcher Zeitung«: »Das Verwaltungskomitee der N.Z.Z. hat am 11. ds. beschlossen, an die schweiz. Grönland-Expedition des Jahres 1912 eine Subvention von 10 000 Fr. zu verabfolgen.« Bedingung war laut dem Dokument vom 18. Dezember 1911, dass de Quervain sämtliche »die Expedition betreffenden Mitteilungen und Berichte an die Presse in erster Linie der N.Z.Z.« zur Verfügung stellt.

Diese Exklusivgeschichte will ich unbedingt nachlesen. Ich gehe von der Bibliothek zum Verlagshaus der »Neuen Zürcher Zeitung«. Die Zeitung verfügt über ein weltweit einmaliges digitales Archiv, das jede Ausgabe seit 1780 enthält. Ich habe kurzfristig einen Termin bekommen. Eine gläserne Schiebetür öffnet sich zum Empfang. Ich werde in ein unscheinbares Büro im dritten Stock geführt, in dem ein paar Computer stehen. Ein eher schlichtes Umfeld für die sensationelle Datenmenge, auf die man hier Zugriff hat. »USB-Stick haben Sie dabei?«, fragt der Mitarbeiter. Dann lässt er mich allein. Der Suchbegriff »Alfred de Quervain« ergibt 28 Treffer. Der erste Expeditionsbericht von der Westgruppe erschien am 23. September 1912, der erste von de Quervain selbst am 24. November, zwei Monate nach seiner Rückkehr aus Grönland.

Ich bin ein wenig neidisch auf diese Zeitspanne, denn vor ein paar Tagen habe ich meinem Arbeitgeber angeboten, ein Blog über meine Grönland-Expedition zu schreiben. Der Chefredakteur war begeistert und schlug einen täglichen Live-Bericht vor. Ich konnte zum Glück heraushandeln, dass ich wegen der zu erwartenden Anstrengungen nur jeden zweiten Tag etwas schicke. Per Satellitentelefon werde ich Texte und Bilder senden, mit wenigen Stunden Verzögerung werden sie veröffentlicht.

In der »Neuen Zürcher Zeitung« erschienen die Berichte in loser Folge, der letzte am 4. April 1913. Ich speichere die Berichte als pdf-Dokumente, um sie später zu lesen, und mache noch einen Spaziergang in die Schmelzbergstraße. Die führt direkt vom ETH-Hauptgebäude den Hang des Zürichbergs hinauf, vorbei an der Sternwarte und dem Uni-Klinikum.

Dass ich Nummer 34 gefunden habe, ist mir klar, bevor ich die Hausnummer lesen kann. Ein mit Efeu bewachsener Altbau zwischen hohen Kastanien, drei Stockwerke, braune Fensterläden aus Holz. Im verwilderten Garten steht eine Scheune, die ein paar Farbeimer und ein Motorrad beherbergt. Die Fenster sehen fast genauso aus wie in Opas Haus in Herrsching. Offensichtlich hat der Züricher Wohnsitz seiner Familie, das »Schmelzbergparadies«, wie es der Vater nannte, noch viele Jahre später Roderichs Architektur inspiriert. Er wohnte als Student unter dem Dach, in einem Zimmer mit tollem Blick auf die Stadt. In einer Werkstatt in diesem Garten zimmerte er die Expeditionsausrüstung zusammen, hier packte er seine Koffer für die Abreise nach Grönland.

Naegeli und Zarius heißen jetzt die Bewohner, die beiden Klingelknöpfe an der Tür lösen ein dumpfes Scheppern aus, kein Klingeln, sondern eher ein Geräusch, als würde man Kieselsteine in ein Trinkglas werfen. Aus dem Garten beobachtet mich argwöhnisch eine Katze, ansonsten ist leider niemand zu Hause. Ich schleiche noch einmal ums Haus, fühle mich wie ein Einbrecher. Zur Stadtseite hin steht ein Verhau mit Brennholz. Dank der hohen Bäume fühlt man sich wie auf dem Land, angenehm abgeschirmt von der Umgebung. Und trotzdem ist man in wenigen Minuten an der Uni und in der Stadt. Trotz unübersehbarer Spuren des Verfalls: Der Schmelzberg 34 ist auch heute noch ein bisschen Paradies mitten in Zürich.

März 1912
Zürich, Zusatzheft zum Tagebuch von Roderich Fick

In der 2ten Hälfte März 1912 kam der Tag der Abreise. Der Abschied fiel mir weniger leicht als ich es nach aussen erscheinen liess. Ich tat so, als ob es nichts anderes wäre, als ob's ein halbes Jahr ins Heer gienge, damit sie zu Haus weniger Angst hätten. Etwas Angst oder doch Sorgen hatte ich selbst, denn ich hielt das Unternehmen für sehr gewagt.

Der Vater begleitete mich zur Bahn. Karl Gaule hatte seine ganze Familie am Bahnhof. Als der Zug sich in Bewegung setzte und der Vater zurückblieb war ich natürlich mit Gedanken, ob ich wieder zurückkommen würde oder nicht beschäftigt. Der Zug fuhr das Limattal hinab, ich sah Zürich kleiner werden und suchte am Zürichberg die Stelle, wo der Schmelzberg liegt, und suchte sie so lange im Auge zu behalten als möglich.

Wir sprachen lang nichts zusammen. Ich dachte drüber nach, welche Beweggründe mich zu der Grönlandreise drängten. Ich fand sie nicht klar zusammen, wusste aber dass ich musste. Aber ich wollte auch und hatte den sehnlichsten Wunsch dazu. Es war das einzige bedeutendere Unternehmen meines Lebens, das ich nach meinem Willen seit Jahren vorbereitete.

21. Juli 2012
Hamburg

Meine Eltern besuchen mich in Hamburg. Ich wohne hier seit sechs Jahren, in denen sie mich noch nie besucht haben. Dann sieht man sich noch mal, haben sie gesagt. Wir sitzen auf dem Balkon und reden über Grönland letztes Jahr, über Grönland 1912, über meinen Opa. Meine Mutter erinnert sich: »Er konnte perfekt ein Froschquaken imitieren, das machte er auch, wenn er konzentriert arbeitete. Toll fand ich, wenn wir zusammen ›heiße Bildchen‹ gemacht haben – ich durfte mit rotem Wachs sein Siegel auf Briefe stempeln.«

Die beiden zeigen mir ein Foto von einer Entdeckung, die sie vor ein paar Wochen im Skandinavienurlaub gemacht haben. In Mariehamn auf den Ålands-Inseln, Hotel »Esplanad«, Doppelzimmer ab 37 Euro. Im Treppenhaus hing eine Weltkarte, auf der die Routen wichtiger Forschungsreisen eingetragen waren. Marco Polo. Vasco da Gama. Sir Francis Drake. Und mitten in Grönland eine gestrichelte Linie: »Alfred de Quervain, 1912«. Die Schweizer Expedition ist doch nicht in Vergessenheit geraten. Zumindest auf den Ålands-Inseln.

25. Juli 2012
London

Nachrichtenmeldung auf der Online-Seite der BBC:

Satelliten zeigen plötzliche Eisschmelze in Grönland

Grönlands massives Inlandeis ist diesen Monat auf einer ungewöhnlich großen Fläche geschmolzen, berichtet die Nasa.

Wissenschaftler sagten, die Schmelze sei in einer größeren Region eingetreten als vorher in drei Jahrzehnten der Satellitenbeobachtung. Selbst an Grönlands höchstem und kältestem Punkt »Summit Station« sei das Eis geschmolzen.

Die tauende Eisregion vergrößerte sich von 40 Prozent des Inlandeises auf 97 Prozent in nur vier Tagen nach dem 8. Juli.

Obwohl etwa auf der halben Fläche des grönländischen Inlandeises normalerweise in den Sommermonaten eine Schmelze zu beobachten ist, überraschte die Geschwindigkeit und das Ausmaß in diesem Jahr die Wissenschaftler, die das Phänomen als »ungewöhnlich« beschrieben.

»Wenn wir eine Schmelze an Stellen beobachten, wo wir das vorher nicht gehabt haben, zumindest für einige Zeit, dann macht das einen stutzig, und man fragt sich, was da passiert ist«, sagte Waleed Abdalati, wissenschaftlicher Leiter bei der Nasa. »Das ist ein wichtiges Signal, dessen Bedeutung wir in den nächsten Jahren erforschen werden.«

Die Nasa sei sich nicht sicher, ob es ein natürliches, aber seltenes Ereignis ist oder ob es auf durch Menschen verursachte Erderwärmung zurückzuführen ist.

Bislang betrug der größte Anteil der Eisfläche, der laut Satellitenmessungen von einer Schmelze betroffen war, 55 Prozent.

Am Punkt »Summit Station« schmolz das Eis zuletzt im Jahr 1889, wie die Analyse von Eisbohrkernen ergab.

---

30. Juli 2012
Hamburg

Reisewarnungen im Wandel der Zeit: Der dänische Botaniker und Expeditionsspezialist Morten Porsild beschwor 1911 Alfred de Quervain per Brief aus Grönland, seinen Plan noch einmal zu überdenken. Die Mitarbeiterin des Reiseveranstalters fragte 2011 meine Eltern im persönlichen Gespräch, ob sie sich das wirklich gut überlegt hätten. In meinem Fall kommen die Zweifel vor allem von eifrigen, aber anonymen Kommentatoren, die über einen Online-Artikel über meine Arktisvorbereitungen diskutieren.

okx:
Viel zu spät angefangen zu trainieren. ... Für so was braucht man deutlich mehr Training als für einen Marathon, und schon für einen simplen Marathon braucht man mit den hier beschriebenen Ausgangsvoraussetzungen schon mal gut ein halbes Jahr ernsthaftes Training.

riomer:
Na toll – da reicht jemand aus der Familie, der vor 100 Jahren eine Heldentat vollbracht hat, als Eintrittskarte aus. Qualifikationen Fehlanzeige. Das ist schwer zu akzeptieren. Wie beim »Adel«: Da sind die Verdienste (oder Vergehen) auch oft jahrhundertealt.

liquimoly:
Klar doch, ein bißchen Tschechien und ein bißchen Norwegen, schon hat man die Polarreife! Das ist wie Training im Kletterwald und dann mal ab auf den Mount Everest. Ich freue mich jetzt schon auf Reinhold Messners Kommentar.

3. August 2012
Tasiilaq, Ostgrönland

Ich habe mir oft ausgemalt, wie es sein würde, zum zweiten Mal nach Tasiilaq zu kommen. Ganz bestimmt habe ich aber nicht damit gerechnet: Als Wilfried, Jan und ich mit schweren Rucksäcken die Veranda zum »Roten Haus« hochstapfen, wo wir die ersten Nächte schlafen werden, fragt ein junger Mann mit Schweizer Akzent, wo wir herkämen. »Aus Deutschland? Seid ihr die mit dem Enkel von Roderich Fick?« Wir bejahen, und er stellt sich als Lorenz vor. Er ist Reiseleiter und hat in meinem Blog von unserem Vorhaben gelesen.

Derzeit ist er mit einer ganz besonderen Gruppe unterwegs. »Da sind acht Enkel von Alfred de Quervain dabei, zum hundertjährigen Jubiläum reisen wir an die Orte, wo er damals war«, berichtet er und lädt uns für den Abend ins Hotel »Angmagssalik« ein. Ahnenforschung im Eis ist offenbar der Trend des Sommers, sollte sich mal ein Reisebüro drauf spezialisieren.

In den letzten 24 Stunden haben wir uns immer mehr von der Großstadt und den Annehmlichkeiten der Zivilisation entfernt. Deutlich wird das schon an der Größe der Fluggeräte: Von Hamburg nach Reykjavik flog eine Boeing 737 mit 180 Sitzplätzen. Von Reykjavik nach Kulusuk in Grönland eine Fokker-50-Propellermaschine, 54 Sitzplätze. Und von Kulusuk nach Tasiilaq ein Hubschrauber, neun Sitze.

Robert Peroni wirkt noch besser in Form als auf unserer letzten Reise. Er empfängt uns mit ein paar guten Neuigkeiten: »Das Eis ist gut dieses Jahr, es hat viel geschneit im Winter, mehr als 2011.« Viel Schnee, das bedeutet, dass die Skier laufen und man gut vorankommt. Das klingt schon erheblich besser als die BBC-Meldung, dass es oben auf der Eisfläche so viel getaut hat wie seit mehr als einem Jahrhundert nicht. Jeden Tag matschiger Sulzschnee wäre eine kaum zu ertragende Quälerei.

»Zum ersten Abendessen seid ihr eingeladen«, sagt er noch, ihm sind Inlandeis-Expeditionen besonders sympathisch, weil er selbst die Reisen durch die Eiswüste vermisst: »Am liebsten würde ich meine Sachen packen und mitkommen.« Die Kraft und das Durchhaltevermögen, das er früher für seine Extremtouren brauchte, verwendet er nun für sein Tourismusgeschäft. Vor allem den Inuit des Ortes bietet es eine Lebensgrundlage anstelle der nicht mehr allzu lukrativen Jagd.

Die Mitarbeiter tischen ein arktisches Festgelage mit Seehundrippchen und Zwiebelrisotto auf. Peroni hat aus Italien die Esskultur importiert und vermischt sie mit den lokalen Ressourcen. Auch wenn sich niemals ein Restauranttester hierher verirren wird: In einem Radius von vielen Hundert Kilometern lässt es sich nirgendwo besser dinieren als im »Roten Haus«.

Mit vollem Magen laufen wir zur Unterkunft der Schweizer, dem Hotel »Angmagssalik«, am Hang oberhalb des grauen Staub-Fußballplatzes gelegen. In einer Art Vereinsraum mit Eisbärenfell und Inuittrommel als Wanddekoration schütteln wir acht Enkeln von Alfred de Quervain die Hand. Ich lerne bei der Begrüßung endlich die korrekte Aussprache des Namens: auf Französisch und mit Betonung auf dem »de«. Bislang war mir der Name immer als »de Kérwein« vertraut gewesen, weil meine Oma ihn so ausgesprochen hatte.

Die Familienmitglieder sind zwischen Mitte 40 und Mitte 60 und hatten die gleiche Idee wie wir: die Route von 1912 nachreisen. Allerdings nicht auf Skiern. Sie sind nach de Quervainhavn an der Westküste geflogen, dem damaligen Startpunkt der Expedition und unserem jetzigen Ziel, heute unter dem Namen Port Victor bekannt. Eine Ironie des Schicksals: De Quervain selbst gab so vielen Bergen und Buchten in Grönland ihre Namen zu Ehren anderer, doch sein eigener Hafen heißt heute anders.

Dort entstand vor 100 Jahren ein besonderes Foto, das die komplette damalige Mannschaft vor einer Steinwand zeigt, auf der mit rot-weißen Buchstaben der damals nagelneue Ortsname stand.

»Die Stelle haben wir gefunden und das Bild nachgestellt – es war noch etwas Farbe von dem ›h‹ und dem ›v‹ zu sehen«, berichtet Martin Meili, der Sohn einer Tochter de Quervains. »Und sogar ein paar Farbtropfen auf dem Boden.«

Ihre nächste Etappe führte sie über das Inlandeis – per Flugzeug. Und noch weit darüber hinaus. Weil es keine geeigneten Verbindungen zur Ostküste gab, buchten sie einen Flug nach Reykjavik und von dort zurück nach Grönland, ein Umweg von zweimal 700 Kilometern.

Nicht weit von Tasiilaq haben sie zwei Nächte nahe der Umiagtuartivit-Insel am Sermilik-Fjord gezeltet. An der Stelle, wo 1912 das Depot für die Expedition eingerichtet war. »Wir haben dort zwei Steinmänner gefunden«, berichtet Bernhard de Quervain mit leuchtenden Augen, die GPS-Koordinaten hat er aufgeschrieben. Diese Steinaufschichtungen wiesen damals den Abenteurern den Weg, 100 Jahre später stehen sie immer noch.

Am 1. August 1912, dem Schweizer Nationalfeiertag, stieg Alfred de Quervain an einer kleinen Bucht vor dem Depot in ein Kajak und paddelte in Richtung Tasiilaq. »Und am 1. August 2012 waren wir an dieser Bucht und haben Caipirinha mit Inlandeis getrunken«, berichtet sein Enkel.

Interessiert hören die Schweizer zu, als Wilfried von seinen bisherigen Touren auf der historischen Route berichtet. Es ist ein lustiger Abend, wir sind nach wenigen Minuten beim Du und leeren ein paar Carlsberg auf die glückliche Fügung, uns hier getroffen zu haben. Ein unglaublicher Zufall, denn die Schweizer sind nur heute in Tasiilaq, morgen fliegen sie nach Hause.

Acht Enkel von Alfred de Quervain wünschen uns per Handschlag Glück und Durchhaltevermögen für die nächsten Wochen.

25. Juni 1912
Grönland, Inlandeis

De Quervain, Hoessly, Gaule und Roderich sichten gemeinsam den Schaden, der durch den Wassereinbruch entstanden ist. Ein Stereoskop ist nicht mehr zu gebrauchen, ein Sack mit Angmasetten-Fischen, die als Hundefutter dienen sollten, im Eissee versunken. Die Kisten mit Brot, Biskuits und Zwieback haben viel Wasser abbekommen, sie werden unausweichlich zu festen Klötzen gefrieren. Die wichtigsten Ausrüstungsgegenstände sind jedoch nicht beschädigt: die Schlafsäcke, die Messinstrumente, das Kochgeschirr und die Zündhölzer, die Roderich noch an der Westküste extra wasserdicht verpackt und auf alle Schlitten verteilt hatte.

Jetzt gilt es, zügig mit den Schlitten in günstigeres Terrain zu kommen, denn die Gruppe befindet sich immer noch auf dünnem Eis über einem riesigen See. Immer wieder entstehen bedrohliche Risse im Boden. Es knackt und kracht unter den Männern, die ihre Hunde zu immer höherem Tempo antreiben.

Gaule scheint sich die Belehrungen des Expeditionsleiters zur Arbeitsmoral auf der »Hans Egede« zu Herzen genommen zu haben und ist nun besonders eifrig: »Hü macht die Beobachtungen mit dem Sextant für die Ortsbestimmung«, schreibt

Roderich. »Wenn wir in den Schlafsäcken liegen, macht er noch elektrische Messungen und arbeitet überhaupt am meisten. Q. hat ihn schon gewarnt, er solle sich ja nicht überarbeiten. Er will auch durchaus das Kochen vor dem Aufstehen machen, wenn wir noch im Schlafsack liegen.«

In der Einöde werden kleine Begegnungen zu Großereignissen. Am fünften Reisetag passiert die Kolonne eine Möwe, die auf einem gefrorenen Tümpel sitzt: »War sie vom Sturm in die Wüste verschlagen, hatte sie Hunger?«, fragt de Quervain in seinen Aufzeichnungen. »Gerne hätte ich sie an die Angmasetten verwiesen, aber wir konnten uns nicht verständigen.«

5. August 2012
Tasiilaq, Ostgrönland

Die »Irena Arctica« hat Verspätung. Schon vorgestern sollte das Frachtschiff ankommen, an Bord eine große Holzkiste, in der sich unsere Pulkaschlitten, Skier und 117 Kilo Lebensmittel befinden. Am Hafen erfahren wir, dass es mindestens drei Tage später kommt. Keine guten Nachrichten für uns, denn dadurch wird sich unser Aufbruch ins Eis verzögern. Selbst wenn die »Irena Arctica« im Hafen festmacht, kann es noch lange dauern, bis alle Container entladen sind. »Bei der letzten Lieferung habe ich acht Tage gewartet«, berichtet Robert Peroni. »Aber ihr habt bestimmt mehr Glück.«

Wir können nun also nur warten, was den Vorteil hat, dass wir überraschend Zeit für eine Sightseeingtour haben. Ein letztes Mal Tourist sein, bevor es aufs Eis geht: Wir buchen eine Bootstour zu einem Ort, den uns Peroni ans Herz gelegt hat.

»Am Rasmussen-Gletscher habe ich meine Liebe zu Grönland entdeckt«, sagt er. Mehr als 30 Jahre ist das her.

Mit 225 PS hüpft das orangefarbene Motorboot über das Wasser, zwischen den steilen Flanken 1000 Meter hoher Berge hindurch. »Das ist hier so, als würde man die Schweiz auf 2500 Meter Höhe fluten«, sagt einer der neun Tourteilnehmer, die in dicken Klamotten und Schwimmwesten im Boot sitzen.

Der Rasmussen-Gletscher zeichnet sich als dünner weißer Streifen am Horizont ab. Als wir näher kommen, wächst er zu einer imposanten Mauer aus zerklüftetem Eis heran, die sich auf der glatten Wasseroberfläche spiegelt. Vigo, der Steuermann, den ich schon vom letzten Jahr kenne, grauer Overall, rote Mütze, macht etwa 100 Meter davor den Motor aus. Näher heranfahren wäre zu gefährlich, da der Gletscher plötzlich kalben kann. Konzentriert beobachtet der Inuit das Eis. Wenn ein großer Brocken herabstürzt, müsste er sofort Gas geben.

Deutlich ist unten am Gletschereis die Gezeitenlinie zu erkennen, eine Einbuchtung dort, wo das Wasser am Eis nagt. Etwa 30 Meter hoch ist die Wand: »Wie der Perito Moreno in Patagonien in klein«, sagt Wilfried. Wie der Ekip Sermia aus dem Schwarz-Weiß-Video von 1912, denke ich. Wilfried schätzt, dass sich der Gletscher mit etwa drei Meter pro Tag in den Fjord bewegt. Eine unaufhörliche Eisbergproduktion, ein weißer Lindwurm, der seine Ableger zum Sterben ins Wasser schickt. Ab und zu rumpelt mit einem dumpfen Grollen ein Wandstück in den Fjord.

Wir landen am östlichen Ufer, um eine Pause zu machen. Ein paar Zelte stehen dort. Ein Mann in abgewetzten Klamotten läuft aus einem Camp auf mich zu. Er kommt mir bekannt vor, ich ihm offenbar auch: »Stephan, bist du das?«, ruft er. Wäre dies ein Fantasyroman, würde sich nun ein Dialog von der Art entspannen: »Hallo, Opa. Wurde ja auch Zeit«, er würde sagen: »Ich habe uns ein Hühnli geschossen«, und dann würden wir Pemmikansuppe mit Schneehuhn löffeln, leicht schrotiger Beigeschmack, und er würde mir alles erzählen, von Hü und Q., vom Eis und den Hunden.

Doch das hier ist kein Roman, deshalb kann jemand mit diesem Outfit – Piratentuch auf dem Kopf, Shorts über einer Art grauweiß karierter Schlafanzughose, ausgelatschte uralte Wanderschuhe – eigentlich nur einer sein: »Patrick?«, rufe ich zurück. Tatsächlich. Patrick Schoengruber, unser Reiseleiter von 2011. Heute Morgen ist er mit einer Gruppe hier angekommen. Die Welt ist klein, und die Welt von Ostgrönland ganz besonders.

Wir gehen ein bisschen am Hang spazieren und plaudern. Er berichtet, dass er bald zum zweiten Mal Vater wird. »Da könnte ich jetzt unmöglich aufs Inlandeis steigen. Aber toll, dass du das wirklich machst!« Wir würden am liebsten stundenlang quatschen, aber meine Bootsgruppe wartet schon am Ufer. Wir verabschieden uns. »Dann bis nächstes Jahr irgendwo in Grönland!«, sagt Patrick.

Auf dem Rückweg in unser Camp besichtigen wir eine ehemalige US-Militärbasis, die 1942 angelegt und bereits zum Ende des Zweiten Weltkriegs wieder eingestellt wurde. Tausende verrostete Ölfässer liegen dort verstreut wie die Überbleibsel eines Dominospiels für Riesen. Mitten in der ansonsten unberührten Naturlandschaft künden sie davon, dass hier ein kleiner Schotterpisten-Landeplatz für Kampfflieger unterhalten wurde. Der Ort war strategisch günstig, mitten im Nirgendwo und auf halber Strecke zwischen den USA und Europa. Monströs ragen verwitterte Gebäudereste und Maschinen aus dem Boden, 70 Jahre alte Kettenfahrzeuge, Schneepflüge und Lastwagen stehen herum, man hat sich nicht mal die Mühe gemacht, sie vor dem Abzug ordentlich nebeneinanderzuparken. »Hier sind ja mehr Autos als in ganz Tasiilaq«, witzelt ein Tourteilnehmer aus Bayern, wahrscheinlich hat er recht.

Mit dem Besuch der Fliegerbasis verfestigt sich die Erkenntnis, die sich schon bei den Reiseberichten der Quervain-Enkel aufgedrängt hatte: In Grönland bleiben die Spuren der Vergangenheit erheblich länger erhalten als anderswo.

26. Juni 1912

Grönland, Inlandeis, Tagebuch von Roderich Fick

Die folgenden Tage geraten wir immer mehr in Spaltengebiete. Sie sind leicht mit Schnee überdeckt, manchmal die breiteren auch offen und blau und grundlos. Man muss jetzt sehr aufpassen und die Spalten möglichst senkrecht überfahren. Die Hunde können gewöhnlich über die hartgefrorene Schicht ohne durchzubrechen drüber. Der Schlitten auch; aber ich selber breche oft 20 mal auf einer Tagesreise bis zum Bauch durch und werde vom Schlitten, an dessen Steuerbügel ich mich festhalte, rausgezogen.

Die Schlitten fallen auch immer noch bei den Unebenheiten und Buckeln und sind dabei durch das Eis, das wir seit dem Seeeinbruch mitschleppen in den Brotbüchsen, sehr viel schwerer wie früher. Einmal ist beim Überqueren einer Spalte mein Schlitten nicht gut senkrecht gekommen und umgefallen. Es war sehr schwierig, ihn aufzurichten, da man am Rand der Spalte keinen sicheren Standpunkt finden konnte. Ist aber schliesslich doch gelungen. Es ist recht unbehaglich, aber allmählig gewöhnt man sich an die Sachen.

Mit den Hunden hat man viel Verdruss. In jedem unbewachten Augenblick fressen sie an ihren Zugriemen und Geschirren. Besonders Hoessli hat dadurch viel Arbeit mit Geschirrflicken und Anfertigen neuer Geschirre, hat's aber los.

Dadurch, dass die Hunde während der Reise immer die Plätze wechseln, entsteht der bekannte Zopf, der dann noch vollgeschissen wird und mit blossen Fingern alle halbe Stunde aufgelöst werden muss. Dabei infiziert man sich immer von neuem die Wunden an den Fingern, und sie wollen gar nicht mehr heilen. Der Sonnenbrand und die Kälte tun das übrige. Die Lippen sind ganz verbrannt und entzündet. Beim Essen reissen sie immer wieder neu auf und bluten oft stark. Die Schnurrbart-haare verkleben sich dann in der Geschichte, und das Loslösen tut weh, sodass das Vergnügen des Essens etwas beeinträchtigt ist. Meine Nase ist auch stark verbrannt und verschwollen.

Die Hunde machen immer mehr Angriffe auf alles mögliche. Eines morgens haben sie den Schlittensack, wo die Reserverie-men für Hundegeschirre und Bindungen drin sind, aufgerissen und das meiste Riemenzeug aufgefressen. Auch das Schnau-zenzubinden hilft nicht ganz und hat den Nachteil, dass die Hunde ringförmige Wunden ums Maul kriegen. Sie schätzen das Zubinden natürlich nicht und sträuben sich anfangs dage-gen. Allmählig finden sie sich aber drein.

Mein Jakobshavner kommt immer selber und hält seine Schnauze hin, wenn er fertig gefressen und geschleckt hat. Ich tu es ungern, aber es muss doch gemacht werden. Bei Parpu gelingt es nicht immer, weil er sich ungern anfassen lässt und sehr scheu ist; er schnappt dabei immer drohend nach einem, hat aber nie wirklich gebissen. Die Hunde haben es überhaupt schlecht. Sie kriegen zwar genug Nahrung, aber das Volumen des Pemmikans ist so gering, dass sie doch immer Hunger haben. Auf der Reise kriegen sie, wenn sie schlecht ziehen, oft die Peitsche.

Trotz allem werden sie immer anhänglicher. Hoessli schaut morgens immer nach, was die Hunde nachtsüber angerich-tet haben ...

Damals dachte ich oft, ob wir nicht ohne Hunde mit selber Ziehen besser daran wären, aber jeden Tag, wenn die Reiserei schön im Gang war: »heut' lohnt sich's doch noch.« Wir müs-sen sie wenigstens bis auf den höchsten Punkt mitkriegen. Wenn die Hunde übrigens gut im Zug sind, geht es so schnell, dass man nicht lange auf Ski danebenherlaufen kann. Wir sit-zen, wo's glatt geht, schon häufig auf mit den angeschnallten Ski; kommen Hindernisse, Schneedünen, Spalten und derglei-chen, springt man ab und hilft wenn nötig nach.

Die Ostküste Grönlands.

Für die Schweizerische Grönlandexpedition von 1912 war Tasiilaq das Ziel an der Ostküste – für uns ist es der Ausgangspunkt.

Familientour mit Schwimmweste: Robert Peronis orangefarbene Motorboote bringen heute die wenigen Touristen in die Fjorde.

Trotz großer Vorbehalte des Trekking-Reiseveranstalters wagen meine Eltern die Reise in die Wildnis.

Der Aufstieg zum Ficks Bjerg führt über mehrere Schneefelder.
Die Aussicht auf den Hundefjord ist phantastisch.

Sermilik-Fjord am Abend: Wanderer können in Ostgrönland viele Berge und Routen entdecken, in denen keine menschlichen Spuren auszumachen sind.

Hindernisse auf dem Inlandeis: Reiseleiter Patrick Schoengruber hilft Ulrich Orth über einen Schmelzwasserbach.

Wie stark verändert sich so eine Landschaft in 100 Jahren? Mein Opa dürfte damals sehr ähnliche Eindrücke von der unberührten Natur gehabt haben.

Mehr als 80 Prozent Grönlands sind von dem riesigen Eispanzer bedeckt.

Opas Tagebuch überstand eine Grönlanddurchquerung, den Ersten Weltkrieg in Kamerun und eine zweite Reise in die Arktis.

In seinem Tagebuch beschreibt mein Opa, wie er diesen Steinmann baut – 100 Jahre später steht er noch immer.

Bar am Ende der Welt: Der Geschmack von Whisky mit den saubersten Eiswürfeln, die man sich vorstellen kann, ist einmalig.

Familienpicknick mit Fjordblick: Christian, Uli, Wolfgang, ich, Friederike, Melanie, Eckhart und Traudl (von links) genossen jeden Moment in der Natur.

Auf der »Hans Egede« nach Grönland: Roderich Fick, Karl Gaule, Alfred de Quervain und Hans Hoessly (von links) im April 1912.

Die Jubiläums-Expedition 100 Jahre später: Wilfried Korth, ich, Gregor Rückamp und Jan von Szada (von links).

Paddelübungen in der Arktis: Sein Kajak hat mein Opa selbst gebaut.

Vorbereitungstour in Norwegen: Die Hardangervidda bietet im Winter Bedingungen, die denen in Grönland ähneln.

Meine Pulka und ich: Wer hier eigentlich an wem zieht, muss zunächst noch ausgefochten werden.

Morgens zeigt sich, wie wichtig es ist, Ski und Stöcke am Vorabend senkrecht in den Boden zu stechen – sonst wären sie schwer wiederzufinden.

Verschnaufpause mit Hunden: Viele Tage verbrachten Opa (links), Hoessly und die anderen beiden damit, den Umgang mit den Schlitten zu lernen.

Snack im Schneesturm: Wochenlang stehen jeden Abend Tütengerichte auf dem Programm.

Aufstieg zum Inlandeis: Zum Abschied wünschte uns der Inuit-Bootskapitän viel Glück. Doch sein Blick verriet, dass er uns für verrückt hielt.

In den Randzonen des Inlandeises müssen wir ständig Gletscherspalten überqueren.

Schlittenhunde können recht launische Zeitgenossen sein. Doch ihre Wildheit sorgt auch dafür, dass sie sehr kräftig ziehen können.

Manchmal hätte ich mir auch ein paar Hunde gewünscht, die das Gepäck ziehen.

Alfred de Quervain mit Anemometer: Auf den meisten Bildern hält der Expeditionsleiter von 1912 irgendeine Gerätschaft in der Hand.

Geodät Wilfried Korth bei der Windmessung 100 Jahre später: Heute arbeite die Geräte digital, doch von der Größe her haben sie sich kaum verändert.

Die Ortsbestimmung ist heute erheblich einfacher als früher: Mit GPS-Technik kann die Position auf den Zentimeter genau ermittelt werden.

Erst die Arbeit, dann das Vergnügen: beim Baden im Eiswasser.

Viele Tagesmärsche von der Zivilisation entfernt: Fünf Wochen haben wir für die Durchquerung des Inlandeises eingeplant.

Die Strapazen sind groß, vor allem für die Füße. In jedem Schlitten befanden sich zu Beginn der Tour 120 Kilo Gewicht.

Abendessen aus dem Plastiknapf ...

Segeln früher: Schon vor 100 Jahren nutzten die vier Schweizer die Kraft des Windes.

Segeln heute: Vor der Kulisse der Schweizerland-Berge geht es gut voran.

Gruppenbild am Polarkreis: Nach zehn Tagen haben wir den westlichsten Punkt unserer Tour erreicht, jetzt müssen wir umkehren.

Auf dem Gipfel von Ficks Bjerg: Mein Opa stand selbst nie hier oben, ich dafür schon zweimal.

Ob hier der Tunnel zum Erdmittelpunkt beginnt? Manche Gletscherspalten sind echte Wunder der Natur.

Diebisches Jungtier: Dieser Blaufuchs fand großes Interesse an meinem Plastiklöffel. Deshalb muss ich am Abend das Mousse au Chocolat mit einem Zelthering essen.

Kaputte Schlitten: An meiner und Wilfrieds Pulka hatten sich schon nach wenigen Tagen Risse gebildet – bis an die Westküste wären wir damit wohl nicht gekommen.

Ein Hubschrauber bringt uns wieder zurück nach Tasiilaq.

In der Eiswüste: Für mich war ein 100 Jahre altes Tagebuch die Eintrittskarte zu einem Abenteuer, das ich nie vergessen werde.

Schweizerische
Grönlandexpedition 1912

Zeitplätze ●——●

0   100   200 km

INLANDEIS

DAVIS STR.

Upernivik
Nordostbucht
Umanak
Nugsuak Hfs.
Disko
Godhavn
Jakobshavn
Hunefiland
Egedesminde
Ägto
Holstensborg
Kangamut
Sukkertoppen
Godthaab
Fiskernaes
Frederikshaab
Julianehaab
Eisfelder
Cap Farvel

Quervain-Stolberg-
Bäbler 1909
1700
Peary 1886
2295 ?
Nordenskiöld 1883
1510
2000
(Loppen)
1950 ?
Quervain 1912
2505
Mont Forel 2760 m
Angmagsalik
1. August 1912
Nansen 1888
2700

10 Juni

Iglsuak Fjord

Ekalumiut
Puisortok
Garde 1893

Dank

Ich danke meinen Eltern (für alles), Opa (fürs Tagebuchschreiben), Wilfried Korth (für den Arktis-Crashkurs) und Patrick Schoengruber (für die beste Gruppenreise, die man sich vorstellen kann).

Nicht möglich gewesen wäre dieses Buch ohne die folgenden Menschen, denen ich ebenfalls großen Dank schulde: Gregor Rückamp, Jan von Szada, Philip Laubach-Kiani, Angelika Mette, Antje Wallasch, Bettina Feldweg, Rüdiger Ditz, Anastasiya Izhak, Antje Blinda, Julia Stanek, Denis Krick, Mathias Müller von Blumencron, Anna van Hove, Benjamin Braden, Jule Fischer, Ulrich Orth (fürs Coverfoto), Traudl Orth, Christian Orth, Eckhart Arnold, Melanie Rossi, Britta Mersch, Robert Jacobi, Ulrike Kastrup, Gillian Grün, Roxana Nagosky, Christian Hoessly, Bernhard de Quervain, Marc de Quervain, Madeleine Münchinger-de Quervain, Beatrice Shiever, Martin Meili, Inès Kramer, Paul Kramer, Martin de Quervain, Silvia Schriever, Harald Fuchs, Jürgen Hohmuth, Natascha Knecht, Katinka Kocher, Barbara Stolba, Kieser Training Hamburg-Eimsbüttel (für die Muskeln), Andreas Vieli, Markus Lanz, Arved Fuchs, Moritz Becher, Andi Lipp, Till Gottfrath, Michael Martin, Marian & Ignacio Santamarina (für die Insel-Unterkunft!), Robert Peroni, Humbi Entress, Viðo, Andris Jakobsons, Barbara Graf, Marion Wullschleger, Evelyn Boesch, Anna-Lisa Dieti, Nora Reinhardt (für die Kreativitäts-Pille), Mareike Engelken, Rivers Cuomo, Billy Corgan, Catharina Fick, Alice Andenmatten, Cornelia Ludecke, Alfred de Quervain, Hans Hoessly, Karl Gaule.

Vielen Dank an die Sponsoren und Unterstützer: Bergans, Mammut, Primus, Adidas Eyewear, Hilleberg, Trek'n Eat, Woolpower, Exped, Acapulka, Globetrotter Ausrüstung, Ritter Sport, Seitenbacher, Trimble, Brunton, Spiegel Online.

Stephan Orth, *Auf Skiern durch Grönland*, Hamburg 2012, Expeditions-Blog abrufbar unter www.spiegel.de/groenland

Robert E. Peary, *Entdeckung des Nordpols*, Stuttgart 1981.

Robert Peroni, *Der weiße Horizont – drei Männer durchqueren Grönlands unerforschte Eiswüste*, Hamburg 1984.

Robert Peroni, *Die magische Grenze – Expedition in Grönlands ewige Nacht*, Hamburg 1992.

Alfred de Quervain, Paul-Louis Mercanton, *Ergebnisse der Schweizerischen Grönlandexpedition 1912–1913*, Zürich 1920.

Alfred de Quervain, *Quer durchs Grönlandeis*, Zürich 1998.

Christoph Ransmayr, *Die Schrecken des Eises und der Finsternis*, Wien 1984.

Ingrid Reuter (Hg.), *Chronik 1912*, Dortmund 1990.

Lioba Schmitt-Imkamp, *Leben und Werk des Architekten Roderich Fick (1886–1955)*, München 2013 (zum Zeitpunkt der Drucklegung noch nicht erschienen).

Robert Falcon Scott, *Letzte Fahrt*, Stuttgart 1997.

Johannes Zeilinger, *Auf brüchigem Eis: Frederick A. Cook und die Eroberung des Südpols*, Berlin 2009.

»Opas Eisberg« auf Facebook: tinyurl.com/asm9obv

6. August 2012
Tasiilaq, Ostgrönland

Eine optimistische Grundeinstellung ist eine der wichtigsten Eigenschaften, die ein Expeditionsleiter mitbringen sollte. Und wenn es so etwas wie einen König der Optimisten gibt, dann ist es Wilfried Korth aus Berlin. Auf die meisten Probleme reagiert er mit dem Mantra »Das kriegen wir schon hin«. Heute muss er das ziemlich oft sagen. Zum Beispiel als uns Robert Peroni eröffnet, dass wir wegen des Wellengangs die Bootsfahrt zu unserem Startpunkt verschieben müssten. »Das wäre heute lebensgefährlich da draußen«, sagt er. Wilfried bringt das nicht aus der Fassung: »Für jeden Tag, den wir hier verlieren, müssen wir eben einen Tag mehr segeln. Das kriegen wir schon hin.«

Wenigstens ist unsere Ausrüstungskiste inzwischen angekommen, am frühen Nachmittag stellt sie ein Gabelstapler am Pier ab, und wir können ausladen. Doch als wir die Sperrholzwand öffnen, erwartet uns eine böse Überraschung: Wasserschaden, die ganze Ausrüstung schwimmt in dem Kasten herum. »So lange die Stoffsäcke mit dem Essen nicht nass sind, ist es nicht so schlimm«, sagt Wilfried hoffnungsvoll. Dann inspiziert er die Essenssäcke. »Die sind ein bisschen nass geworden, aber das kriegen wir wieder trocken.« Und die Schimmelflecken auf den Skischuhen? »Das kriegt man schnell ab«, sagt er. Während ich innerlich Gott und die Welt verfluche, als wir einige Liter Wasser aus unseren Pulkaschlitten kippen und zu Brei aufgeweichte Pappkartons entsorgen, bleibt er sehr entspannt. Zumindest äußerlich.

Am nächsten Tag ist immer noch stürmische See, doch Peroni ringt sich dazu durch, uns aufbrechen zu lassen. Wir verstauen unser Expeditionsgepäck auf zwei orangefarbenen Motorbooten. Um uns gebührend zu verabschieden, bietet die Tierwelt von Tasiilaq noch einmal alles auf: Hinter uns heulen und winseln die Hunde am Campingplatz, vor uns hebt sich die Rückenflosse eines Wals aus dem Wasser der Bucht.

Ich frage den Fahrer Vigo, wie er heute das Wetter einschätzt. »Noch höhere Wellen als gestern«, sagt er und lächelt. Kaum sind wir aus der Bucht heraus, wird klar, was er meinte. Die kleinen Neunsitzerboote krachen mit dem Bug ständig auf mächtige Brecher. Jan, der anfangs noch ganz vorne sitzt, hebt immer wieder ab und ist vermutlich schon nach wenigen Minuten kurz vor dem Bandscheibenvorfall.

Alles ist modern an dem Boot: der Motor, die Schwimmwesten, das GPS-Gerät am Lenkrad. Doch hinter Vigo entdecke ich in einem Gestänge am Heck zwei altmodische Harpunen aus Holz, die irgendwie nicht zu diesem Ensemble passen. Die sind für die Robbenjagd, die eine Spitze ist etwas stumpf und lang, die andere kurz und spitz.

Da sind sie wieder, die Harpunen. Die Inuitwaffen aus Opas Diele in Herrsching.

Fast auf den Tag genau vor 100 Jahren fuhr der die Strecke, die wir jetzt zurücklegen. Nur in die andere Richtung, und ohne die Hilfe von Motoren, sondern in einem Frauenboot mit Wänden aus Seehundleder.

Während ich meinen Gedanken nachhänge, wird der Nebel stärker und die Landschaft um uns immer märchenhafter. Eine ganz andere Eiswelt ist das als auf der Fahrt zum Rasmussen-Fjord, unwirklich, bedrohlich und wunderschön zugleich. Ab und zu tauchen riesige Eisberge aus dem Dunst auf. Wenn ein Sonnenstrahl zu ihnen durchdringt, sieht es so aus, als würden sie von innen leuchten. Manche sehen aus wie weiße Schlösser, andere erinnern an riesige Tiere oder scheinen Gesichter zu haben.

Plötzlich erscheint vor uns ein mächtiger Lichtbogen, wir fahren direkt darauf zu. Er wirkt wie ein Tor in eine andere Welt, wie das Portal zu unserem Abenteuer. Für einen Moment wünsche ich mir nichts sehnlicher, als dass mein Opa mich hier sehen könnte, zwischen den Eisbergen, die er so bewundert hat. Sein Leben lang hat er davon geträumt, ein zweites Mal nach Grönland zu kommen, er hat es nie wieder geschafft.

Ein massives Krachen unter mir reißt mich zurück in die Realität. Vigo macht abrupt den Motor aus, wir rattern über mehrere Eisschollen. Er sieht sich um, das zweite Boot ist noch da. Der Jäger gibt wieder Gas, in artistischen Kurven findet er trotz miserabler Sicht seinen Weg zwischen den weißen Riesen.

Nach etwa zwei Stunden Fahrt nähern wir uns einer Bucht, in der das Eis bis zum Wasser herunterreicht. Das ist unser Startpunkt Naqtivit, der etwa 50 Kilometer südlich vom Ziel der Route von 1912 liegt. Diese Abweichung erspart es uns, das Gepäck 800 Höhenmeter über Geröll und Steine zu schleppen.

Die Boote fahren an eine Landzunge mit schlammigem Untergrund, wir laden Gepäck und Pulkas aus. Ein ziemlicher Kraftakt, da wir die über zwei Meter langen Schlitten über die Frontfenster der Boote wuchten müssen. Vigo wünscht uns viel Glück, aber sein Blick sagt, dass er uns für verrückt hält. Er liebt die Fjorde, aber kein Inuit würde je freiwillig übers Inlandeis gehen, selbst wenn er nicht mehr an die Monster glaubt, die Timerseter und Erkiliker, die dort laut alten Überlieferungen hausen sollen. Weil es dort nichts zu jagen gibt. Weil dort die alten Holzharpunen nutzlos sind.

Kaum sind die Boote weg, zeigt die grönländische Natur, dass sie auch für unsere Ankunft ein besonderes Showelement vorbereitet hat: Ein riesiger Eisklumpen löst sich und stürzt mit einem Donnern ins Wasser, gerade noch kann ich meinen Pulkaschlitten vor der Flutwelle retten.

Während Bergtouren oder Wanderungen meist in leichtem Gelände anfangen, bevor es anstrengend wird, zählt bei einer Inlandeisbegehung der Anfang zu den größten Herausforderungen – weil es steil bergauf geht und die Schlitten noch extrem schwer sind. Ab heute wird das Gepäck pro Kopf jeden Tag ein Kilogramm leichter, weil wir Nahrung und Kochbenzin verbrauchen.

Im Moment ist die Gewichtsverteilung äußerst unvorteilhaft: Ich bringe 80 Kilo auf die Waage, meine Pulka 120. Wer hier eigentlich an wem zieht, das müssen wir noch ausfechten. Zunächst sind wir bei strahlendem Sonnenschein ohne Skier unterwegs, die wären selbst mit Fellen auf dem Eishang keine Hilfe. Meine Skischuhe haben hervorragende Sohlen, deshalb kann ich ohne Steigeisen gut auf dem überraschend griffigen Untergrund laufen.

Zum Zeitvertreib erfinde ich eigene Wörter für unterschiedliche Eissorten. Zunächst laufen wir über Glasscherbeneis: kaum rutschig, sehr scharfe kleine Stückchen, helles Knackgeräusch bei jedem Schritt. Später kommen wir auf Knäckebroteis, das kenne ich schon von meinem Inlandeis-Ausflug im vorherigen Jahr: etwas weicher, ein dunkles, irgendwie knuspriges Knacken.

Mein bisheriges Lieblingseis ist das hellblaue Überraschungseis. Das sieht ziemlich flüssig aus, man kann jedoch problemlos darauf gehen, ohne einzusinken – ein Gefühl, als könnte man über Wasser laufen.

Leider gibt es jedoch auch reichlich echtes Wasser – immer wieder müssen wir kleine Flüsse queren, die in Mulden quer zu unserer Route verlaufen. Die hohe Kunst dabei ist, den Schub des Herunterfahrens für die Steigung auf der anderen Seite zu nutzen und dabei nicht die Schlittenfront mit Gewalt in das gegenüberliegende Eisufer zu knallen.

Ich bin nun sehr froh über jede Stunde, die ich in den vergangenen Monaten mit Krafttraining verbracht habe. Ohne diese Vorbereitung würde ich hier wohl schon nach einem oder zwei Kilometern schlappmachen. Doch so kann ich gut mit den anderen mithalten.

Wilfried guckt immer wieder auf sein knallgelbes GPS-Gerät und berichtet, wie weit wir schon gekommen sind. »1,4 Kilometer«, »drei Kilometer«, »4,8 Kilometer«. Nach gut zehn Kilometern bauen wir unsere zwei Zelte auf, direkt an einem kleinen Eisbach. »Sonst haben wir immer nur so sechs Kilometer geschafft am ersten Tag«, sagt er fröhlich. Er ist hochzufrieden. »Ich sage es ja ungern, aber bisher stellt ihr euch alle gar nicht so schlecht an.« Zur Belohnung gibt es zum Abendessen einen Chili-con-Carne-Fertigmix (zu salzig, aber schmackhaft) und Pemmikan (zu viel Fett, aber hier draußen köstlich).

Viele Inlandeis-Durchquerer schummeln am Anfang ein wenig und lassen sich mit dem Hubschrauber auf etwa 1000 Höhenmeter fliegen. Warum sie das tun, wird uns am zweiten Marschtag klar. Wir geraten in ein Labyrinth aus Eishügeln, eine gigantische Buckelpiste aus drei bis acht Meter hohen Hindernissen. Ständig müssen wir Bäche queren, oft auch die Pulkas komplett abschnallen und zu viert über das Wasser wuchten.

Bei einer dieser Aktionen rutscht Wilfried aus und landet im Bach. »Nichts passiert, aber jetzt hab ich nasse Füße«, sagt er. Die nächsten Stunden bringen eine Zerreißprobe für Mensch und Material, die von derben Flüchen begleitet wird. Die Pulkas kippen immer wieder auf die Seite oder krachen gegen Wände.

Das machen sie nicht lange unbeschadet mit. Zuerst bricht an Jans Schlitten eine Metallummantelung. Auch bei Wilfrieds und meiner Pulka, die vor der Tour nagelneu waren, zeigen sich bald hässliche Knicke in der senfgelben Karbonhülle, beide an derselben Stelle, vorne links. Der Hersteller hatte uns zugesichert, besonders verstärktes Material zu liefern, in mir keimt nun der Verdacht, dass auf diese Verstärkung verzichtet wurde.

Wir entscheiden, ein Depot einzurichten. Jeder packt etwa 35 Kilo Ausrüstung in einen Rucksack und lässt ihn hier zurück, zuerst wollen wir die Pulkas aus der Buckelzone herausbringen und später den Rest holen. Mit weniger Gewicht ist der Materialverschleiß geringer, so unsere Hoffnung.

Nach zwei weiteren Kilometern wird das Gelände endlich flacher, und wir finden zwei Plätze, die ebenerdig genug für unsere Zelte sind. Dann müssen wir noch einmal zurück, um die Rucksäcke zu holen. Ohne GPS hätten wir sie in dem Eishügelgewirr niemals wiedergefunden. Sie sind so schwer, dass wir uns beim Aufsetzen gegenseitig helfen müssen. Der Weg zurück beschert uns zum Abschluss des Tages noch einmal eine echte Tortur. »Da weiß man erst, wie gut es ist, das Gewicht mit den Pulkas zu ziehen«, sagt ein verschwitzter Gregor, als wir endlich die Zelte erreichen. Er hat es besonders schwer mit dem Gepäck, weil er sich gleich am ersten Tag verhoben hat und jeden Meter mit Rückenschmerzen kämpft.

Wir hoffen, den schlimmsten Teil des Aufstiegs hinter uns zu haben. Doch über uns können wir schon weitere Buckel ausmachen. Und in der Nacht fängt es kräftig an zu regnen.

GAULE, KARL GRANVILLE

Geboren am 12. Januar 1888
in Zürich.

Ältester Sohn des Medizin-
professors Dr. Justus Gaule.
Einjähriger Wehrdienst im
Jahr 1906 in Karlsruhe, zusammen mit Roderich Fick,
mit dem er sich ein Zim-
mer teilte. Maschinenbau-
Studium an der Technischen
Hochschule Zürich mit Ab-
schluss im Jahr 1911. Assis-
tenztätigkeit im Wasserturbinenbau bei Professor Franz Prášil
in Zürich. Teilnehmer der Schweizerischen Grönlandexpedition von 1912, danach Spezialisierung im Bereich der Flugtech-
nik. Bis zum Ersten Weltkrieg Assistenzstelle bei Professor
Theodore von Kármán, Pionier der modernen Aerodynamik und
späterer Raketenforscher, an der Technischen Hochschule Aachen. Kämpfte im Ersten Weltkrieg in einem Schneeschuh-Ba-
taillon in den Karpaten, wurde mit dem Eisernen Kreuz geehrt.
Wegen Verwundung und Typhus-Erkrankung vorzeitige Rückkehr in die Heimat. Im Sommer 1915 Berufung zur Königlich
Preußischen Flugzeugmeisterei und zur Deutschen Versuchsanstalt für Luftfahrt in Adlershof. Tätigkeit im Flugzeugprüfwe-
sen und Entwicklung deutscher Heeresflugzeuge. 1917 Einrich-
tung und Leitung der Konstruktions- und Versuchsabteilung
der Bayerischen Flugzeug-Werke in München. Ab 1919 Assistenzstelle bei Professor Paul Rieppel an der Technischen
Hochschule Danzig, später Privatdozent mit Schwerpunkt Flug-
zeugbau. Ab Anfang 1921 Leiter der Versuchsanstalt für Wasserturbinenbau bei der Fritz-Neumayer-A.G. in München. In Zu-

sammenarbeit mit Roderich Fick 1922 Experimente zum Wasserstart von Segelflugzeugen mithilfe eines Motorbootes auf dem Ammersee in Herrsching.

---

29. Juni 1912
Grönland, Inlandeis, Tagebuch von Roderich Fick

Ein Tag mit dichtem Nebel und Schneetreiben. Hü kommt zum ersten Mal ans Peilen. Er stellt sich zuerst ganz richtig mit dem Kompass in die Richtung und läuft dann los, aber macht ohne es zu merken beinahe links um. Ich wollte ihm nachrufen, aber Q. verhinderte mich daran, weil er meinte, der Hü würde sich wieder zurechtfinden. Wir sollten mit dem Schlittenzeug vorläufig die Richtung beibehalten.

Die Folge aber war, dass Hü uns auf einmal im Nebel und Schneetreiben verschwand. Bei solchem Wind half kein Rufen, er lief, vermutend wir seien dicht hinter ihm, ohne umzusehen drauf los. Seine Spur war fast augenblicklich verweht, sodass uns nichts anderes übrig blieb, als mit Peitsche und Zuruf so schnell die Hunde können in der Richtung, in der Hü verschwand, nachzufahren. Es war eine Erleichterung, als er einige Minuten später als unbestimmter Punkt vor uns sichtbar wurde. Da er scheinbar immer noch draufloslief (echte Hü'sche Unvorsicht!), jagten wir ihm nach, bis wir ihn endlich mit der Stimme erreicht hatten und ihn zum Stehen brachten. Ebensoleicht hätten wir ihn ganz verlieren können.

Etwa 100 km hinter dem Jakobshavner Eisstrom kamen wir in ein Gebiet riesengrosser Spalten. Sie ziehen sich in Abständen von vielleicht 100 m wie grosse Strassen schräg über unseren Kurs. Meist sind sie noch durch grosse Schneebrücken, die etwa ¹/₂ bis 1 m tief in die Spalte hineingerutscht sind, überdeckt.

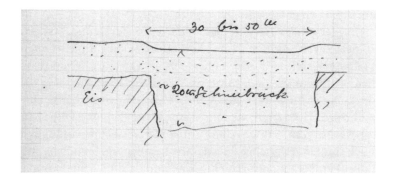

An manchen Stellen sind sie schaurig offen und werden unten immer dunkelblauer bis schwarz und grundlos. In dieser Spaltengegend mussten wir eine sehr schmale, nur wenige m breite Schneebrücke über eine grosse Spalte gehen. Q. war mit Ski voraus, um die Schneebrücke zu untersuchen, und fand sie brauchbar. Wir waren etwa 100 m weiter zurück in der Nähe dieser Spalte. Ich fuhr eben mit meinem Schlitten ab, um die Schneebrücke zu erreichen, als auf einmal Hoesslis Gespann ohne Hoessli drauf durchgieng, hart am Rande der Spalte lang und mir nach.

Es sah kritisch aus, wie der Schlitten so dicht neben der Spalte hin und her schleuderte. Es war ja auch fast der wichtigste Schlitten mit den ganzen Instrumenten. Von meinem Schlitten durfte ich an dieser Stelle auch nicht weg, um einzugreifen. Schliesslich gieng aber alles mal wieder gnädig ab, das Gespann blieb bei meinem selber stehen, und der Schlitten kam dabei wieder genügend weit von der Spalte ab. Dann kamen wir alle ohne Unfälle über die Schneebrücke.

Einen anderen Tag waren wir wieder etwas in Gefahr, ohne dass wir es eigentlich merkten. Es war auf einem Zeltplatz noch

im Spaltengebiet, als ich eines Morgens, um auf den Locus –
irgend eine Stelle etwa 50 m vom Zelt entfernt – zu gehen,
unmittelbar neben dem Zelt bis an den Bauch versank und mich
rückwärts wieder rausarbeitete. Wir hatten da unser Zelt hart
am Rande einer verschneiten Spalte aufgestellt.

Übrigens hatte es mit dem Scheissen der Hunde wegen
seine Schwierigkeiten. Die los herumlaufenden Hunde – einige
brachten es immer fertig, sich aus ihrem Geschirr herauszuar-
beiten – giengen einem sofort nach, und sie warteten gierig bis
der Gax erschien, um sofort darüber herzufallen und alles auf-
zufressen. Wir haben uns immer mit Skistöcken und Peitschen
die Biester vom Leib gehalten; sonst hätten sie uns womöglich
noch hinten reingebissen. Wahrscheinlich verbrauchen wir
unser Pemikanquantum nicht ganz, und da finden sie in unserem Mist noch allerhand nahrhaftes.

Wenn auf der Reise bei einem vorderen Gespann ein Hund
was fallen lässt und die hinteren Gespanne die dunkle Stelle
im Schnee sehen, rasen sie drauflos, weil sie es für einen ess-
baren Gax halten; so wie sie aber näher kommen, merken sie
am Geruch, dass es ein Hundegax ist und machen dann ganz
unnötigerweise einen grossen Bogen drum herum. Wir müssen
jedesmal wieder darüber lachen.

Ein merkwürdiges Verhältnis haben die Hunde auch zu
Hoessli. Er ist ja der eigentliche Hundemann und hat durchs
Geschirreflicken und als Hundearzt am meisten mit ihnen zu
tun. Das haben die Hunde auch bald gemerkt. Wenn sie nachts
brünneln müssen, gehen sie immer ans Zelt und verrichten ihr
Geschäft an die Stelle, wo Hoessli liegt. Er flucht dann gewöhnlich etwas und rückt von der Zeltwand ab.

Morgens muss gewöhnlich Hoessli zuerst einmal raus, wie
er sagt, weil er eine etwas kleine Blase habe. Kaum erscheint
Hoessli draussen und besorgt sein Geschäft, sofort erheben alle
Hunde sich, heben ein Bein hoch und machen's nach. Wir hören dann im Zelt sein Lachen draussen.

9. August 2012
Grönland, Inlandeis

Das Prasseln auf dem Zeltdach kurz nach Mitternacht verheißt nichts Gutes. »Mist, das ganze Essen ist noch draußen«, sagt Gregor, der neben mir liegt. Wir haben die Säcke mit den Nahrungsmitteln zum Trocknen auf Plastikplanen gelegt, sie waren immer noch feucht von dem Wasserschaden, den unsere Seekiste auf dem Frachtschiff erlitten hat.

Jetzt sind sie wieder nass, weil es anfängt zu regnen, und wir müssen sie schnell in den Pulkas verstauen. Zum Glück betrifft das nur die Transportbeutel. Unsere Nahrungsvorräte sind in kleinen wasserdichten Folienverpackungen untergebracht. Sonst hätten wir da draußen jetzt einen riesigen matschigen See aus Pasta mit Lachspesto, Rühreipulver und Beef Stroganoff.

Der Regen wird am Morgen immer stärker, wir beschließen, noch etwas zu warten mit dem Aufbruch. Doch es wird einfach nicht besser, also bauen wir ab und laufen los. Zunächst ist das Gelände angenehm einfach, nur die Wassermassen von oben setzen uns etwas zu. Aber Jacke, Hose und Schuhe halten dicht. Und es ist wärmer als gewöhnlich, vier Grad, da braucht man nicht mal Handschuhe, so sehr hält das Laufen warm.

Schräg rechts vor uns erheben sich drei massige schwarze Nunataks aus dem Boden, Wilfried ist verblüfft über so viel Fels: »Bei unserer ersten Durchquerung haben wir dort nur einen Nunatak gesehen, 2006 waren es zwei, jetzt drei.« So schnell geht hier der Eismantel zurück, so offensichtlich sind die Folgen des Klimawandels. Eine schneereiche Saison, wie sie Robert Peroni beschrieben hat, ändert daran nicht das Geringste.

Das Gelände wirkt mit jedem Kilometer gruseliger. Schneekuppen und Bachquerungen und kein Ende in Sicht. Wir beschließen, die Pulkas nun zu zweit zu ziehen. Der Zweite hilft mit einer zusätzlichen Repschnur und viel Muskeleinsatz beim Bergauf-gehen, Lenken und Bremsen. Dann müssen wir zwar zweimal gehen, aber das Material wird auf diese Weise geschont. Tiefe Spalten versperren uns den Weg und Gletschermühlen, kräftige kleine Wasserfälle, die in bodenlose Löcher stürzen.

Natürlich war ich mir vor unserem Aufbruch der klimatischen Veränderungen an den Polen bewusst gewesen. Doch ihre Aus-wirkungen hatte ich unterschätzt. Ich hatte mir ausgemalt, in eine der wenigen Erdregionen zu gelangen, die sich in 100 Jahren kaum verändert haben und sich erst in der Zukunft spürbar wan-deln würden. Dass ich dieses Eis weitestgehend so erleben würde wie mein Opa damals. Doch weit gefehlt: Im Jahr 1912 konnte man ziemlich sicher sein, hier im Juli und August ein gut befahr-bares Schneepolster vorzufinden.

Wilfried war vor sechs Jahren zur gleichen Jahreszeit hier, die Route ist kaum wiederzuerkennen: »So heftig habe ich diesen Aufstieg noch nie erlebt«, sagt er. »Mit Hundeschlitten würde um diese Jahreszeit niemand mehr durch dieses Geraffel kom-men.«

Überall stoßen wir auf kleine Hügel aus Glassplittereis, das Hunden die Pfoten blutig reißen würde. Außerdem ist es so un-eben, dass die Schlitten wegen des stürmischen Temperaments der Tiere dauernd umstürzen würden – so wie das unsere leider auch immer wieder tun.

Als am Nachmittag die Sonne herauskommt, erleben wir einen Ausblick, der enttäuschend und spektakulär zugleich ist. Enttäu-schend, weil das Meer mit seinen Eisbergen hinter uns noch sehr nah zu sein scheint, obwohl wir schon mehr als 30 Kilometer gelaufen sind. Und spektakulär, weil der Kontrast von karger Eiswüste und zackiger Uferlandschaft einmalig ist. Unter dem grauen Himmel sorgt ein wolkenfreies helles Band am Horizont dafür, dass die Berge des Sermilik-Fjords im Nordosten in aller Pracht zu sehen sind.

Was für eine verrückte Idee es doch ist, in diese unwirtlichen Eisregionen zu gehen! Stattdessen könnten wir doch auch fünf

Wochen lang an der Küste durch diese wunderschöne Bergwelt über den Eisbergen und Fjorden spazieren.

Dort müsste man sich jedenfalls nicht mit Gletscherspalten auseinandersetzen, die nun so haarsträubend in allen Richtungen aufklaffen, dass wir sogar zu dritt einen Pulka halten müssen, während der Vierte vorausgeht, um nach einer befahrbaren Route zu suchen. Dann mit leeren Händen zurück und noch dreimal die gleiche Tour.

»Diesmal meine ich es ernst: Das mache ich nie wieder«, brummt Wilfried. Aus dem Knick in der Ummantelung seines Pulkas ist inzwischen ein feiner Riss geworden. Er stapft voraus mit einem seiner Skistöcke, an dem eine Grönlandfahne flattert. Der Chef dirigiert, die anderen schuften – so ähnlich muss das unter de Quervain oft ausgesehen haben. Schon bei der nächsten Runde packt Wilfried selbst mit an und überlässt Gregor die Routensuche.

In Gedanken nehme ich den historischen Vergleich rasch wieder zurück.

30. Juni 1912
Grönland, Inlandeis, Tagebuch von Roderich Fick

Der Zeltbetrieb ist jetzt sehr geregelt und gemütlich. Auch die Tage verlaufen recht gleichmässig, denn wir sind jetzt im Gebiet des ewigen Pulverschnees, und die Spalten sind verschwunden. Wenn die Reise für einen Tag zu Ende ist, stellen Hoessli und ich das Zelt genau in der Windrichtung auf und verspannen es gut an den Ski, die wir bis zu den Bindungen in den Schnee treiben.

Q. begibt sich sofort hinein und schreit nach seinen Sachen. Zuerst will er seine Kamiken haben, dann die Instrumentenkiste, dann die Schlafsäcke u. s. w., um alles genau einzurichten. Dann gehen die andern 2 auch ins Zelt und schnüren den Eingang gut zu. Ich bleibe draussen und pass mit der Peitsche in der Hand auf, dass die Hunde ruhig bleiben. Man hört draussen, wie im Zelt die Pemikanbüchsen knacken, die Hunde haben den Ton längst erkannt und wissen, dass da für sie der Pemikan zurecht gemacht wird. Sie werden schon ganz gierig und aufgeregt, lecken sich die Mäuler und gucken alle nach dem Zelteingang.

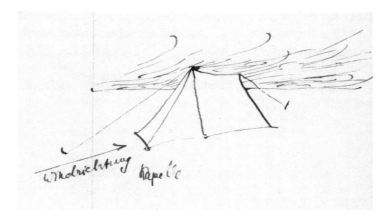

Oft wollen sie, trotzdem sie dann quer an die schweren Schlitten gebunden sind, mit den Schlitten auf das Zelt los, und ich muss sie durch »Ei!« und mit der Peitsche an ihrem Platz halten. Wenn dann die Zelttür aufgeht und der Pemikan erscheint, nützt alles nichts mehr. Sie stürzen dann wie Wölfe auf das Zelt los, und wir müssen so schnell wie möglich die Pemikanklötze möglichst verteilt vom Zelt wegwerfen. Es gelingt aber nicht immer gut, und es entstand einmal ein undefinierbares Knäuel von Hunden, Expeditionern, Schlitten, Zeltstangen, Zelttuch, Pemikanklötzen.

Der Pemikan verschwindet in Bruchteilen einer Minute (höchstens 20 sec) spurlos, und es folgt eine blutige Rauferei von den Hunden. Das Ende ist dann gewöhnlich, dass 2 oder alle 3 Gespanne mit ihren Zugriemen so verfitzt sind, dass einzelne Hunde am Bauch stranguliert mit den Beinen irgendwie nach oben in den Riemen hängen. Manchmal wird einem selbst ein oder beide Beine mit eingeflochten, und man hat eine langwierige Knotenauflöserei mit kalten Fingern. Dann folgt das Schnauzenzubinden.

Die andern haben darauf drin schon den Primus in Betrieb gesetzt, und ich hab den grossen Nansentopf und das Ringgefäss mit Schnee gefüllt. Den geeigneten möglichst dichten Schnee finde ich etwa in $^1/_2$ m Tiefe.

Wenn dann die Hunde alle wieder ordnungsmässig an ihren Schlitten festgebunden sind, geh' ich dann auch ins Zelt, wo es schon gemütlich und angenehm dunkel ist und die Pemikansuppe schon kocht. Ich wärme mir dann die Finger am Kochapparat. Es entsteht gewöhnlich ein Mordsdampf, der oft so dicht wird, dass wir uns gegenseitig gar nicht mehr sehen können.

Eines Tags glaubte Hoessli, etwas rechts von unserem Kurs hohe Berge zu sehen, die sich aber als Wolken erwiesen. An diesem Tage giengs in langen Terrassen aufwärts, und es waren schöne Kumuluswolken, nach denen man sich beim Vorangehen gut richten konnte. Später wurde es wieder etwas neblig, und ich wusste gar nicht mehr beim Vorlaufen, ob es bergauf gieng; die Ski liefen so leicht, dass die Hundegespanne hinter mir in flottem Trab bleiben konnten, und ich glaubte eher, dass es abwärts gienge; am nächsten Zeltplatz stellte es sich aber heraus, dass wir doch wieder 80 m höher gekommen waren.

In diesem ansteigenden Terrassengebiet konnte ich eines Tags mit meinem schweren Schlitten den andern kaum folgen. Der Abstand wurde immer grösser. Ich musste die Hunde immer antreiben und konnte an dem Tag auch nicht aufsitzen. Das Ingangreissen der Schlitten durch Hin- und Herrutschen des Vorderbügels wollte nicht recht gehen, und bei jeder Schneewehe blieben die Hunde stehen. Es war ein sehr mühsames Weiterkommen, da ich viel mithelfen musste.

Ich entdeckte dann die Ursache, als ich mir mal die Schlittenspuren genauer ansah. Ich fand dann an der rechten Kufe einen Riss in der Neusilberschiene, der sich zum Teil umgeklappt hatte und immer wieder Eis ansetzte. Ich versuchte während der Fahrt durch Überfahrenlassen des Peitschenstiels die Eisknollen zu entfernen, was aber nur kurze Zeit half.

Ich wollte daher die andern bewegen, Zeltplatz zu machen, da meine Hunde und ich wirklich genug hatten. Die andern waren aber so weit voraus, dass es nicht gelang, und als sie endlich selber Zeltplatz beschlossen hatten, kam ich ziemlich erschöpft an. Am folgenden Tag flickte ich die verletzte Kufe, indem ich das Blech wieder glatt hämmerte, die Enden etwas ins Holz hineinbog und mit einigen Nägeln festmachte. Von da ab ging's wieder besser.

11. August 2012
Grönland, Inlandeis

Wir geben uns alle Mühe, die angeschlagenen Schlitten so wenig wie möglich zu belasten, aber es reicht nicht. Nach vier Tagen Schufterei bergauf und bergab hat sich der Riss in Wilfrieds Hightechpulka so stark erweitert, dass er bis zu den Kufen durchgeht. An meinem baugleichen Modell bildet sich dort, wo das Zuggestänge befestigt ist, ebenfalls ein Riss.

Bei jeder Kurve, die wir nun fahren, wird er erneut belastet. Irgendwann wird wohl der ganze Schlitten durchbrechen. Wir beschließen, sofort die Zelte aufzubauen – ein hübscher Platz zwischen zwei gewaltigen Gletscherspalten – und die Lage zu besprechen.

»Damit kommen wir niemals an die Westküste«, sagt Wilfried. Zwar erwarten wir spätestens in zwei Tagen erheblich bessere Bedingungen und Schnee statt Eis als Untergrund. Doch am Ende der Tour, etwa 100 Kilometer vor dem Zielpunkt, müssen wir noch einmal durch richtig schweres Gelände. Das würden die Schlitten nicht mitmachen.

Die Erkenntnis ist bitter: Unsere Expedition ist gescheitert – und das schon in der ersten Woche. Ausgerechnet die beiden nagelneuen handgefertigten Pulkas aus Karbon und Kevlar, die als die Besten auf dem Markt gelten und auf den härtesten Süd- und Nordpoltouren verwendet werden, haben die strapaziösen Tage des Aufstiegs nicht überstanden. Die schon zehn Jahre alten Schlitten von Gregor und Jan dagegen sind weitgehend unversehrt. Sie stammen von einem anderen Hersteller und sind aus glasfaserverstärktem Kunststoff gebaut. Deutlich preisgünstiger und etwas schwerer, aber offensichtlich auch erheblich stabiler.

»Wir haben für alles Ersatz, nur für die Pulkas nicht«, sagt Wilfried. »Wie willst du das auch mitnehmen?« Hätte es ein Zelt erwischt oder zwei Skier, einen der Laptops oder ein Satellitentelefon – kein Problem, alles doppelt vorhanden. Wir haben dicke Isomatten als Ersatz für die Luftmatratzen und Notfallschlafsäcke, einen Ersatzkocher und jeder circa fünf Paar Handschuhe – da darf ruhig mal eins wegfliegen. Nur die Pulkas, die haben wir nur einmal.

Wie einfach war das doch damals, als mein Opa die Metallkufen seines Hundeschlittens mit Hammer und Nägeln flickte. Ultraleichte Karbonfasern waren noch längst nicht erfunden.

Wir haben noch Verpflegung für 35 Tage und können jederzeit per Satellitentelefon einen Hubschrauber alarmieren, der uns innerhalb weniger Tage hier herausholt. Man redet bei Abenteuerreisen oft davon, dass man die Annehmlichkeiten des 21. Jahrhunderts hinter sich lässt, aber das ist Unsinn, weil das 21. Jahrhundert in einem Notfall erheblich größere Chancen auf Rettung bietet als frühere Epochen.

Hätte dagegen bei den Expeditionsteilnehmern von 1912 das Material komplett versagt, hätte dies tatsächlich ihr Ende bedeutet. Dennoch mussten sie mit erheblich einfacherer Ausrüstung auskommen. Mit dem Kompass bestimmten sie die Richtung, mithilfe von einem Messrad und von Ein-Meter-Markierungen auf de Quervains Skiern die Distanz. Er musste sich Mühe geben, immer genau einen Meter pro Schritt zurückzulegen, auf einem Schrittzähler konnte er dann die Strecke ablesen. Ortsbestimmung und Orientierung waren damals noch Handwerk und Rechenkunst. Wir dagegen haben GPS-Empfänger am Handgelenk und wissen bei jedem Schritt auf zwei Meter genau, wo wir sind. Wilfried tauft die Koordinate des Camps auf den Namen »Pulkatod«. »Es ist einfach nur bitter, wenn das an so was scheitert«, sagt Gregor.

Was sind nun unsere Optionen? Wir stehen vor den Schlitten und gehen die Möglichkeiten durch. Sachlich und ruhig, niemand wird laut. Vielleicht können wir es selber noch nicht glauben, vielleicht hat uns der Schock sediert.

»Wir könnten Peroni per Satellitentelefon fragen, ob er uns zwei Ersatzpulkas per Helikopter schickt«, sagt Wilfried. Geschätzter Kostenpunkt 5000 Euro. Ich finde den Gedanken verlockend, aber Gregor hält wenig davon: »Selbst wenn er zwei brauchbare hat – das würde zu lange dauern, bis die hier sind, und dann reicht die Zeit nicht mehr, um rechtzeitig für den Rückflug an der Westküste zu sein«, sagt er. »Ich möchte mal was ganz Abwegiges vorschlagen, nur, damit wir auch diese Option durchdacht haben«, sagt Jan. Es sei doch möglich, dass zwei von uns die ganze Route machen, der Expeditionsleiter und der Ahnenforscher, und die anderen beiden sich ausfliegen lassen. Drei Gegenstimmen, abgelehnt.

Schließlich einigen wir uns darauf, Lebensmittel für zwei Wochen wegzuschmeißen und mit weniger Gewicht zu versuchen, wenigstens noch einige Tagesetappen auf dem Eis zu schaffen.

Bis Camp 9 oder Camp 10 wollen wir kommen. Von dort aus werden wir auf meinen Wunsch einen anderen Rückweg wählen: in Richtung Hundefjord, genau auf den letzten Etappen der Route von 1912. Historisch gesehen könnte das erheblich interessanter werden als unsere ursprünglich geplante Querung nach Westen – weil zwischen Ficks Bjerg, Hoessly Bjerg und Gaule Bjerg möglicherweise noch mehr Spuren von der Expedition vor 100 Jahren zu entdecken sind.

Einen Großteil ihrer Ausrüstung haben die Expeditionsteilnehmer damals am Hundefjord zurückgelassen, steht in Opas Tagebuch, inklusive einer ziemlich detaillierten Ortsbeschreibung. Wir werden uns mal auf die Suche machen – wer weiß, vielleicht finden wir ja einen brauchbaren Schlitten.

8. Juli 1912
Grönland, Inlandeis

Am Morgen nach dem Sturm sind die Hunde weg. Den ganzen Sonntag haben die vier Männer im Schlafsack verbracht, während draußen die Naturgewalten wüteten. Mit 72 km/h blies es den Schnee waagerecht durch die Luft, das Zelt ächzte und knatterte bei Windstärke acht aus Südost. Drinnen muss es trotzdem vergleichsweise bequem gewesen sein, die Abenteurer gönnten sich einen freien Tag und lasen Schopenhauer, Kant und Hume. Dabei vergaßen sie offenbar ihre Tiere. »Bei Schopenhauer erquickte uns der rabiate Stil seiner Polemik, und wer gerade dran war, konnte sich nicht versagen, gewisse Kraftstellen laut zum besten zu geben, und der grimmige Sturm heulte dazu eine passende Begleitung«, schreibt de Quervain.

147

Am Morgen nach dem Lesetag ist es draußen ruhig. Zu ruhig. Ist da nicht doch ein Winseln zu hören? Vor dem Zelteingang hat sich eine meterhohe Wächte gebildet, von den Schlitten ist nichts zu sehen. Die Neuschneemassen sind schon so fest gefroren, dass Roderich selbst mit seinen genagelten Schuhen keine sichtbaren Spuren treten kann. Doch in den Wächten sind ein paar seltsame Öffnungen: Schnauflöcher der Hunde! Wenigstens ein paar müssen noch am Leben sein, wenn sie durch diese kleinen Tunnel atmen können.

Mit Eispickeln beginnen die Schweizer, den Schnee zu entfernen. Sie müssen dabei extrem vorsichtig sein, um die Tiere in einem halben Meter Tiefe nicht zu verletzen. Was für ein törichter Fehler, die Hunde bei dem Sturm angebunden zu lassen! So wurde der immer höher aufgestaute Schnee zu einer Falle, aus der es kein Entkommen gab.

Jetzt kommt einer nach dem anderen zum Vorschein. Parpu mit dem zottigen schwarzen Fell und den leuchtenden Augen. Mons, der stärkste von allen, ein Leithund, der sich bei Menschen und Tieren großer Popularität erfreut. Cognac und Whisky, die beiden Brüder, die morgens besonders viel Motivation brauchen, bis sie endlich loslaufen. Der kleine Schwarze, der treu seinen Dienst leistet, aber dabei immer so seltsam traurig wirkt. Kutlipiluk und Kakortok, Jack und Jason, Ersilik und Silke. Aus einem wilden Knäuel aus Beinen, Fell und Zugriemen lassen sich langsam die Tiere erlösen, lange hätten sie es wohl nicht mehr ausgehalten.

Die Riemen allerdings müssen die Männer durchschneiden, um die Rettungsaktion zu beschleunigen. Auf dem Bauch liegend und mit frierenden Fingern arbeiten sie weiter. 15 Hunde. 20 Hunde. Für einen kommt die Hilfe zu spät: Das »Schwein«, schon vorher das schwächste Tier von allen, ist so fest in den Lederriemen verheddert, dass der Bauch dick aufgequollen ist. »Er scheint schon gefühllos zu sein«, schreibt Roderich. »Wir haben ihn daher nicht mehr erschossen, sondern liegen lassen, und da war er im Wind in kurzer Zeit totgefroren. Einen grausameren Tod hätte er nicht haben können!« Ein verrückter Anblick bietet sich ums Zelt: Auf der einen Seite schütteln sich die Hunde und strecken ihre steifen Knochen, laufen aber bald schon wieder recht fidel herum. Daneben liegen ihre Abdrücke aus festen Schneebrocken, die Hundenegative, wie lebensgroße Hohlformen für einen Bildhauer.

Roderich und Gaule graben nun noch die drei Schlitten aus, an einem bricht dabei ein Bügel hinten, der repariert werden muss. Dabei stellt sich Roderich nach Meinung des Expeditionsleiters nicht besonders geschickt an. »Von Fick schlecht genug repariert«, schreibt er in seinem Tagebuch. »Ich werde alles nachsehen müssen, was er macht, & worauf es wirklich ankommt.« Hoessly versucht derweil, die Hundegeschirre zu reparieren – schon vor der Hälfte der Tour ist sein ganzer Vorrat an Ersatzmaterial aufgebraucht.

Zwei Tage später überschattet der nächste Todesfall die Expedition. Roderich schreibt: »Nach der Abreise von Zeltplatz 18 mussten wir Jack schlachten. Sein Bein ist ganz unbrauchbar, er hinkt immer unangespannt nach und nützt uns nichts mehr. Hoessli hat ihn mit seiner Parabellum-Pistole erschossen, nachdem wir schon eine Strecke gereist waren. Wir wollten Jack erst eine Strecke weit von der Schlittenkolonne weglocken, was aber nicht recht gelang. Wir fürchteten, dass die anderen Hunde, wenn die Tötung in ihrer Nähe vor sich geht, dadurch beunruhigt werden könnten. Das war aber doch nicht der Fall; sie haben nicht viel davon gemerkt, und Jack sicher gar nichts, er fiel wie vom Blitz getroffen. Dann hab' ich ihn an den Hinterbeinen etwa 100 m von der Schlittenkolonne weggeschleift, und Hoessli und ich haben das Schlachten begonnen. Das war aber bei der Kälte und dem Wind recht schwierig. Mit Handschuhen war nichts auszurichten, und die blossen Finger waren bald steif gefroren.

Beim Herausnehmen der Eingeweide haben wir uns dann die Hände in der noch warmen Bauchhöhle wärmen können. Sobald die Eingeweide draussen im Schnee lagen, gefroren sie in wenigen Minuten steinhart. Ebenso ging's nach kurzer Zeit mit dem ausgenommenen und abgezogenen Hund. Zuletzt mussten wir das hartgefrorene Fleisch mit dem Beil in Stücke hauen. Dann wurden ein paar leere Pemikanbüchsen mit dem ›Gefrierfleisch‹ vollgepackt und alles wieder auf die Schlitten geladen. In einer Viertelstunde war die ganze Operation erledigt.

Es war ein fetter, vollgefressener Kerl, der aber nie mitgezogen hat. Die Schlachterei bleibt aber doch gleich unangenehm.

Wir fürchteten zuerst, die Hunde würden Hundefleisch nicht fressen. Sie haben es aber ohne Scheu gierig aufgefressen. ... Wir haben in der Suppe eine Probe Hundefleisch vom Jack gekocht. Zuerst fanden noch längere Verhandlungen statt, ob wir nicht Beefsteak draus machen sollten. Wir entschieden uns dann für Siedfleisch, und es hat gar nicht schlecht geschmeckt, jedenfalls viel besser wie Seehund.«

13. August 2012
Grönland, Inlandeis

Ich habe wieder Opas Tagebuch im Gepäck, es ist nun zum dritten Mal in Grönland, zum zweiten Mal auf dem Inlandeis – allerdings nur als Abschrift. Den Text habe ich in Din-A 5-Größe ausgedruckt, hier würde ich ganz bestimmt nicht mit dem Original herumlaufen.

Es ist ohnehin schon genug herumgekommen. Denn nur den Anfang seiner Aufzeichnungen hat Opa tatsächlich in Grönland geschrieben, später auf dem Eis hatte er so viel mit den wissenschaftlichen Messungen (und manchmal auch mit dem Ausnehmen von toten Hunden) zu tun, dass er nur wenige Notizen machen konnte.

Den Eintrag über die Vorfälle mit den Hunden hat er im Herbst 1913 in einem Italienurlaub aufgeschrieben, die Passagen danach in Duala, Jaunde und in Feldlagern in Kamerun, wo er zunächst in der Kolonialverwaltung arbeitete und dann als Offizier im Ersten Weltkrieg gegen französische und belgische Truppen kämpfen musste. Vom Schlachtfeld zur Tagebuchklausur – wahrscheinlich tat es ganz gut, sich mitten im Krieg ins eisige Grönland zurückzudenken.

Ein wenig Abwechslung würde uns im Moment ebenfalls guttun, denn wir sind gerade etwas überspannt. Anders ist es wohl kaum zu erklären, dass Wilfried, der Erfahrenste von uns allen, am Ende der Tagestour seinen Ski in eine Gletscherspalte schleudert.

Wir sind direkt vor unserem Camp, nur noch eine letzte Spalte, etwa zwei Meter breit, trennt uns von den Zelten. Er schnallt seine Skier ab. Der erste Ski fliegt in hohem Bogen hinüber, doch der zweite prallt an den gegenüberliegenden Hang, federt unglücklich zurück, überschlägt sich – und rattert mit dem Geräusch von zerberstendem Glas in den eisigen Abgrund.

Welcher Teufel ihn da geritten hat, ist wohl kaum zu erklären, am wenigsten für ihn selbst. Vielleicht war es der angestaute Frust, die Erschöpfung, ein kurzer Anfall von Wahnsinn – oder eine Kombination aus alldem.

Gerade kommen wir von einem Ausflug zurück, bei dem wir vier Rucksäcke mit je etwa 30 Kilo Gepäck auf dem Weg zu Camp 5 deponiert haben. Wir wollten sie eigentlich viel weiter bringen, doch ein ganzes Kanalnetz aus Furcht einflößenden Spalten machte ein Weiterkommen unmöglich. »Wenn du da reinfällst, bist du weg«, sagte Gregor.

Wir sollten längst auf gut mit Skiern befahrbarem Schnee sein, so wie das bei Wilfrieds vorherigen drei Expeditionen der Fall war. Doch das schwierige Gelände scheint kein Ende nehmen zu wollen. Neun Kilometer wollten wir mit den Rucksäcken zurücklegen – nach gerade mal zweieinhalb mussten wir sie stehen lassen. Wollten. Sollten. Nach Plan läuft hier derzeit wenig.

Nach so einem Tag kann es dann wohl schon mal vorkommen, dass man die letzte Energie dazu nutzt, seine Skier ins Camp zu werfen. An einem mit Eisschrauben gesicherten Seil steigt Wilfried ein paar Meter in die Spalte hinab, doch zwischen den ganzen Querverstrebungen aus Eis kann er nichts entdecken. Er hat noch ein Ersatzpaar, darum ist das Ganze nur teuer und ärgerlich, aber kein größeres Problem. Der Preis für den Kommentar des Tages geht jedenfalls an Gregor: »Dann haben wir jetzt *einen* sehr guten Ersatzski.«

Unser viel größeres Problem sind weiterhin die beiden kaputten Pulkas, wegen derer wir so viel Gewicht im Rucksack voraustragen müssen. Mechaniker Jan und Hobby-Handwerker Wilfried beweisen große Geschicklichkeit, als sie ein paar Bohrlöcher anbringen und die Lecks mit Repschnüren vernähen. So sauber, dass jeder Chirurg neidisch werden müsste. Vorläufig ist damit die Gefahr gebannt, dass die Schlitten komplett auseinanderbrechen.

Das Camp 5 hat inzwischen eine fast mystische Bedeutung, dauernd reden wir davon. Denn Camp 5 ist der erste Messpunkt – dort könnte Wilfried mit der wissenschaftlichen Arbeit beginnen. Wir hoffen, anschließend noch weitere Punkte anzusteuern, an denen er bei seinen vorherigen Expeditionen die Eishöhe vermessen hat. Sein Forschungsprojekt besteht darin, die Veränderungen der Höhe festzuhalten. Für die Messungen haben wir 20 Kilogramm Hightech-Geräte dabei. Kernstück ist eine Messplatte, die wie ein Ufo aussieht und auf einem Stativ montiert wird.

Außerdem hat Wilfried versprochen, dass ab Camp 5 der Untergrund garantiert aus Schnee statt Eis besteht. Ab dort müssten die Bedingungen so gut sein, dass wir problemlos auf Skiern die Pulkas ziehen können. Der meditative Teil der Tour, bei dem es anders als bisher mehr um Ausdauer geht als um die Wegsuche und die volle Konzentration auf jedes Geländedetail.

Der Weg zu Camp 5 wird zu einem echten Gewaltmarsch um die Spaltenkanäle, die schlimmsten von ihnen umgehen wir in riesigen Bögen. Insgesamt legen wir dabei laut GPS-Gerät 19,5 Kilometer zurück. Die Luftlinie beträgt lediglich neun Kilometer. Oben ist tatsächlich Schnee. Wir können endlich die Schlitten auf Skiern ziehen, so, wie das für den größten Teil unserer Tour geplant war.

Die letzten Kilometer sind reines Genusswandern im Vergleich zu den vorherigen Strapazen. Die einzigen Hindernisse sind sehr lang gezogene Querspalten, an denen sich meist schnell ein guter Übergang finden lässt. Wilfried staunt nicht schlecht, so sah es hier noch nie aus: »Vorher hätte ich gesagt, wenn so weit oben noch Spalten sind, lasse ich mir beide Hände abhacken«, sagt er.

Endlich ein lang ersehntes Erfolgserlebnis, und die geflickten Pulkas halten. »Schon gut, so zwei Ossis dabeizuhaben, die alles reparieren können, was?«, fragt Wilfried, der schon wieder grinsen kann. Er stammt ursprünglich aus Magdeburg, und Jan gibt sich mit jedem »ick« als Potsdamer zu erkennen.

Plötzlich entdecken wir Skispuren vor uns. Wir wollen es erst nicht glauben, doch es ist eindeutig: Die müssen von zwei Norwegern stammen, die zwei Tage vor uns vom »Roten Haus« aufgebrochen sind, um das Inlandeis zu durchqueren. Ein unglaublicher Zufall, dass wir nun genau auf ihrer Route sind, schließlich gibt es hier einige Kilometer Spielraum zu beiden Seiten. Die Spur verläuft dann um ein paar Grad mehr nach links als unser Weg – die beiden sind nach Kangerlussuaq unterwegs, das ist die am häufigsten begangene Route, etwa 100 Kilometer kürzer als unser ursprünglich geplanter Weg.

Der Tag hinterlässt trotz oder gerade wegen des Erfolgs, endlich Camp 5 erreicht zu haben, 65′ 51,9″ Nord, 38′ 55,6″ West, 1190 Meter über dem Meer, ein zwiespältiges Gefühl. Haben wir etwa zu früh aufgegeben? Hätten wir die Nahrungsvorräte nicht zurücklassen sollen? Hätten wir es doch bis zur Westküste schaffen können mit den angeschlagenen Schlitten? Ich rüttle ein wenig an dem zugenähten Leck an meiner Pulka, es ist mehr als 20 Zentimeter lang und sieht haarsträubend aus. Wie ein Gebiss kann man es unter den Fäden auf und zu bewegen. Die Entscheidung war wohl doch richtig.

Zweiter!

Zweiter auf dem Mount Everest: Ernst Schmied und Jürg Marmet
Zweiter Mensch im Weltall: Alan Shepard
Zweite Mondlandung: Charles Conrad, Alan Bean
Zweite Weltumseglung: Andrés de Urdaneta
Zweite Durchquerung der Nordwestpassage: Henry Larsen
Zweiter auf dem K2: Ichiro Yoshizawa
Zweite Everest-Besteigung ohne Flaschensauerstoff: Hans Engl

Psychologen haben bei Befragungen von Sportlern festgestellt, dass Silber weniger glücklich macht als Bronze. Wer bei den Olympischen Spielen Zweiter wird, hat Gold verpasst. Wer Bronze holt, ist wenigstens nicht Vierter, wenigstens noch auf dem Treppchen.

Vielleicht gilt das Gleiche auch für Abenteurer und Entdecker: Wer eine schwierige Route als Zweiter schafft, kann nur auf einen Bruchteil des Ruhmes hoffen, den der Pionier einsackte. Denn der hat bewiesen, dass es möglich ist; der Zweite beweist lediglich, dass es ihm auch möglich ist. Er hat es leichter, weil er sich bereits auf Daten und Berichte stützen und von Fehlern und Entscheidungen eines anderen lernen kann.

Die Anstrengungen und Gefahren sind jedoch kaum geringer, manchmal sogar größer. Obwohl der Zweite genauso jeden Meter aus eigener Kraft gehen muss, ist er nur eine Fußnote im Geschichtsbuch.

Es sei denn, er heißt Robert F. Scott. Sein Fall lag anders als bei Expeditionen, die erst aufbrachen, nachdem schon jemand ihr

Ziel erreicht hatte. Der Brite lieferte sich mit dem Norweger Roald Amundsen einen Wettlauf zum Südpol, bei dem keiner von den Erkenntnissen des anderen profitieren konnte, da sie zeitgleich unterwegs waren. Der Norweger versuchte es mit Schlittenhunden, der Brite mit Ponys und Motorschlitten. Die Ponys starben, die Motorschlitten gingen kaputt, und Scott erreichte den Südpol 35 Tage nach Amundsen. Am einsamsten Punkt der Erde stand schon ein Zelt, als er dort ankam. Darin lag ein Zettel mit ein paar Namen: »Roald Amundsen – Olav Olavson Bjaaland – Hilmer Hanssen – Sverre H. Haffel – Oscar Wisting. 16. Dezember 1911«.

In seinem Tagebuch berichtete Scott von der Enttäuschung: »Sonst ist hier nichts zu sehen – nichts, was sich von der schauerlichen Eintönigkeit der letzten Tage unterschiede. Großer Gott! Und an diesen entsetzlichen Ort haben wir uns mühsam hergeschleppt und erhalten als Lohn nicht einmal das Bewusstsein, die Ersten gewesen zu sein! ... Mir graut vor dem Rückweg.«

Noch einmal 1500 Kilometer hatten er und seine Begleiter vor sich. Im März 1912, als weit weg in Zürich gerade vier Schweizer die letzten Sachen für ihre Grönlandreise packten, geriet er mit seinen Begleitern in einen fürchterlichen Orkan. Die Männer erlitten schwere Erfrierungen, Nahrung und Brennstoff gingen zur Neige. Nur 20 Kilometer vom rettenden Depot entfernt schrieb der Brite seine letzten Worte: »Es ist ein Jammer, aber ich glaube nicht, dass ich weiter schreiben kann. ... Um Gottes willen, sorgt für unsere Hinterbliebenen!«

Scott wurde der berühmteste Zweite der Geschichte, für ihn wurden Denkmäler errichtet – doch dafür zahlte er mit seinem Leben.

FICK, RODERICH

Geboren am 16. November 1886 in Würzburg.

Sohn des Augenarztes Adolf Eugen Gaston Fick, sechs Geschwister. 1906 Maturität an der Industrieschule Zürich, freiwilliger Militärdienst in Karlsruhe zusammen mit Karl Gaule. Architekturstudium in München, Zürich und Dresden (ohne Abschluss), ab 1910 freischaffender Architekt in Zürich. Daneben Versuche als Geigenbauer und chemische Experimente, 1911 Entwicklung einer »selbsttätig messenden Druck- und Saugpumpe«, die auf der Internationalen Hygieneausstellung in Dresden vorgestellt wurde. 1912 Teilnahme an der schweizerischen Grönland-Expedition. 1914 Kolonialdienst in Afrika als Leiter des Dezernates für Hoch- und Tiefbau beim deutschen Gouvernement für Kamerun in Duala. Ab Kriegsbeginn Offizier in der Schutztruppe für Kamerun. Von 1916 bis 1919 interniert in Spanisch Muni (Afrika) und in Pamplona in Nordspanien. Im Dezember 1919 Heirat mit Marie Günther. 1920 Umzug nach Herrsching am Ammersee, Tätigkeit als freiberuflicher Architekt. 1927 Assistenzstelle für Freihandzeichnen an der Technischen Universität München. Erste größere Bauaufträge, unter anderem Hans-Sachs-Bad in Schweinfurt und Ärztehaus in München. Ab 1936 Lehrstuhl für Gestalten an der Technischen Universität München. Bautätigkeit für die Nationalsozialisten: Rudolf-Heß-Siedlung in Pullach, Kehlsteinhaus und Platterhof auf dem Obersalzberg. Ernennung zum Reichsbaurat für die »Führerstadt Linz«. 1938 Tod der ersten Frau, 1945 Dienstenthebung aus dem Hochschuldienst, später Einstufung als »Mitläufer« durch die Spruchkammer Starnberg. Zweite Heirat mit Catharina Büscher 1948, eine Tochter. Wiederaufnahme der Bautätigkeit, u.a. Verlagsgebäude C.H. Beck in München, Donaukraftwerk Jochenstein.

Juli 1912

Grönland, Inlandeis

Am Morgen ist Gaule meistens der Erste, der die luxuriöse Wärme seines fünf Kilo schweren Schlafsacks aus Rentierpelz verlässt. Er schmeißt den Nansen-Kocher an und bringt Schnee zum Schmelzen, um Kaffee und Tee zu machen. Über Nacht hat sich an der Zeltdecke eine weiße Raureifschicht gebildet, wenn der Kocher läuft, tropft das Kondenswasser herunter.

Zu einem normalen Frühstück gehören Kondensmilch, Zwieback oder trockenes Schiffsbrot mit Butter, als Aufstrich Honig, Konfitüre, Gänseklein oder Käse. Hoessly, der zugleich als Proviantmeister und Expeditionsarzt fungiert, achtet penibel darauf, dass niemand mehr als die vorher ausgerechnete Tagesmenge zu sich nimmt. 40 Gramm gesalzene dänische Butter, 30 Gramm Käse, 125 Gramm Dosenmilch.

Zuletzt füllt Gaule die Thermoskannen mit heißem Wasser. Schokolade, Apfelschnitze und Zwetschgen werden als Wegzehrung verteilt. Danach ist manchmal noch eine Stunde Zeit, um sich ein wenig auszuruhen oder etwas zu lesen. Die Expeditionsbibliothek ist reichhaltig bestückt, mit Werken von Schopenhauer, Kant und Hume, mit Sophokles, Euripides, Molière, Ibsen und Lessing, Goethes »Faust« und Nietzsches »Also sprach Zarathustra« sowie einem Neuen Testament im Urtext. Viele Dramen, reichlich Philosophisches, kein Roman. Heimlich hat de Quervain dazu noch Ernst Machs »Theoretische Physik« eingepackt, einen dicken Wälzer, dessen Gewicht jede vernünftige Gepäckkalkulation sprengt. Das meiste Interesse zieht aber eine Komödie an. Laut dem Expeditionsleiter ist, »nach den Fettflecken zu schließen, Minna von Barnhelm am gelesensten«.

Vor dem Aufbruch müssen noch einige Messungen gemacht werden. Roderich misst das Gefälle in allen Richtungen per Theodolit, einem Winkelinstrument mit eingebautem Fernrohr. Das Gerät muss er zuerst lotrecht auf seinem Eschenholzstativ montieren, dann visiert er mithilfe eines aufgezeichneten Fadenkreuzes die Umgebung an. Bis er alle Höhenänderungen in der Umgebung vermessen hat, braucht er oft Stunden. Immer wieder führt diese Arbeit zu kalten Händen, da sich das Gerät nicht mit Handschuhen bedienen lässt. Manchmal frieren die Finger an den Schrauben fest, schmerzhafte Hautabschürfungen sind die Folge. Der Horizont ist oft kaum zu erkennen, zu allem Überfluss beschlägt auch das Fernrohr immer wieder.

Einfacher ist dagegen das Messen der Schneetiefe mit einer dreieinhalb Meter langen Sondierstange aus Bambus mit Metallspitze: Wie viele Zentimeter sind Pulverschnee, wie viel harter Firn, in welcher Tiefe stößt er auf undurchdringliches Eis? Jeden Tag zeichnet er ein neues Profil der von oben unsichtbaren Unterschiede im Boden.

Hoessly ist derweil hauptsächlich mit den Hunden beschäftigt. Über Nacht haben immer ein paar ihre Zugriemen zerbissen, es ist die pure Sisyphosarbeit, ständig ihre Geschirre zu flicken. Ähnlich eintönig sind seine Pflichten als Arzt: Immer wieder muss er Nasen und Lippen seiner Mitstreiter versorgen. Weder die Gletschersalben Glacialin und Zeozon noch die inzwischen wild sprießenden Bärte können gänzlich verhindern, dass Sonne und Kälte der Haut stark zusetzen.

Gaules Aufgabe besteht darin, die Abweichung der Kompass-
nadel auszurechnen – weil der magnetische Nordpol nicht
dem geografischen Nordpol entspricht, ist die Richtungsan-
gabe nicht zuverlässig. Außerdem ermittelt er per Sextant die
astronomische Position, oft zusammen mit de Quervain. Nur so
kann die Gruppe die genaue Richtung für die nächste Etappe
festlegen. Auf einer Karte trägt der Expeditionsleiter dann die
Längen- und Breitengrade des Lagers ein. »Wie viel hundert
Kompasspeilungen, wie viel tausend saure Schritte gehörten
dazu, um uns auf der Karte nur ein kleines Schrittchen in der
Richtung nach Südosten vorrücken zu lassen. Aber die kleinen
Schritte fügten sich mehr und mehr zu einer zielbewusst fort-
schreitenden Linie!«, schreibt de Quervain.

Sicher denkt er manchmal an die andere Karte, die von der
Ostküste. Kurz vor der Abreise hat er in Kopenhagen noch den
Dänen Gustav Frederik Holm getroffen, der zwischen 1883 und
1885 auf seiner »Frauenboot-Expedition« Teile der grönländischen Ostküste kartografiert hatte. Der gab zu, dass er die
Region, wo nun das Depot sein sollte, damals gar nicht besucht
habe. Die Karte sei nur aus großer Ferne und nach Angaben von
Inuit angefertigt worden. Leider war sie dennoch die einzige,
die von diesen Fjorden existierte. Zwei Inseln namens Kekertatsuatsiak und Umitajarajuit dienen als Hauptorientierungs-
punkte, de Quervain fragte, ob die denn wenigstens auf jeden
Fall existierten. »Vielleicht, aber möglicherweise auch nicht«,
war Holms Antwort. Zum Abschied sagte er noch einmal: »Verlassen Sie sich ja nicht auf die Karte! Bauen Sie nicht auf die
Karte!«

Kurz vor Mittag wird normalerweise das graugrüne Zelt abge-
baut. Die Materialkisten kommen auf die Schlitten, die Pemmi-
kan-Tagesration für die Hunde verstauen die Männer ebenfalls
griffbereit. Die Zeltstangen aus Bambus haben eine Doppel-
funktion, sie werden nun als Skistöcke benutzt.

De Quervain läuft auf Skiern voran, die drei anderen folgen
mit ihren Hundegespannen, 108 Pfoten drücken auf jedem

Meter ihren Abdruck in den Schnee. Die Männer tragen unterwegs zwei oder drei Wollschichten, die obere aus feinem Bündner Loden, darüber eine Weste, einen dicken Sweater und eine Inuit-Tuchjacke mit Eiderdaunenfüllung. Die Hose ist ebenfalls aus Tuch, die grönländischen Fellhosen sind für unterwegs zu warm. Handschuhe aus Wolle und darüber Fäustlinge aus Fell oder Leder schützen die Finger vor Erfrierungen, an den Füßen tragen die Männer normalerweise genagelte Lauparschuhe aus Norwegen, darin mehrere Sockenschichten und eine Isolierlage aus Stroh oder Seegras. In den Pausen greifen sie auf die Kamiker der Einheimischen zurück, kniehohe doppelte Pelzstiefel, außen Seehund, innen Hundefell.

Sie tragen Sonnenbrillen mit fast schwarzen oder mit gelben Gläsern, die die Umgebung kaum abdunkeln, aber trotzdem für Schutz vor ultravioletten Strahlen sorgen. Roderich und Gaule verstauen manchmal Schmelzgefäße aus Kupfer unter ihren Jacken, die sie mit Schnee füllen, der durch die Körperwärme unterwegs auftaut. Gratistrinkwasser sozusagen, kein Kocherbenzin muss dafür verbraucht werden.

Zwischen fünf und sieben Stunden dauern normalerweise die Etappen, die de Quervain mit dem Kommando »Zeltplatz« beendet. Noch bevor die Hunde abgespannt werden, werden sie gefüttert. Die Kunst dabei ist, allen drei Gespannen exakt gleichzeitig ihre Pemmikan-Ration hinzuschmeißen, weil sonst blutiger Streit ums Essen und verheddarte Zugleinen garantiert sind. Wenn alle Schlittenführer bereit sind, gibt de Quervain wie der Dirigent eines Hundechors mit einem Skistock das Zeichen zum Abwurf.

Vorherige Versuche, erst nach dem Lageraufbau die Rationen für die Hunde zurechtzumachen, haben zu tumultartigen Szenen geführt: Die hungrigen Tiere versuchten, sich loszureißen und das Zelt zu stürmen, sobald sie das metallische Geräusch hörten, das beim Öffnen der Dosen entsteht.

Roderich und Hoessly stellen normalerweise zu zweit das Zelt auf, mit dem schlauchförmigen Eingang genau gegen die Windrichtung. Inzwischen dauert das selbst bei Sturm nur noch ein paar Minuten. Vier stabile Bambusstangen halten den First. Als Heringe dienen die Skier, die bis zur Bindung in den Boden gerammt werden. Reißverschlüsse gibt es nicht, stattdessen wird der Eingang zugebunden. Gaule macht derweil die Hunde an der Breitseite der Schlitten fest, de Quervain liest den Kilometerstand des Messrades ab, das an die Felge eines Fahrrades erinnert.

Im Zelt herrscht striktes Schuhverbot, nur die Fell-Kamiker sind erlaubt. Der Expeditionsleiter lässt sich nun die Kiste mit Messinstrumenten und Büchern hereinreichen, die er wegen des wertvollen Inhalts »Bundeslade« nennt, dann Kochkiste und Schlafsäcke. Alles hat seinen festen Platz auf den fünf Quadratmetern der Vierer-WG. De Quervain resümiert später, dass er in seinem »ganzen Leben früher nie auch nur entfernt ein so ordentlicher Mensch war wie damals auf dem Inlandeis«.

Beim Abendessen bietet die Speisekarte wenig Abwechslung: Mit viel zu viel Maggipulver wird eine dickflüssige Suppe angerührt, deren Hauptbestandteil 200 Gramm Pemmikan sind. Statt einem Nachtisch gibt es noch einmal Tee oder Milch.

De Quervain erhitzt gleichzeitig etwas Wasser in einem seiner beiden Hypsometer, Apparaturen, die auf ein dreihundertstel Grad genau den Siedepunkt ermitteln können, Fabrikat R. Fuess, No. 460, Baujahr 1897, und No. 1267, Baujahr 1908. Damit kann er die Genauigkeit der Höhenermittlung per Dosenbarometer noch deutlich verbessern. Zuletzt misst er noch die Dichte des Schnees.

Er fühlt sich wohl im Kreis seiner Geräte. Für de Quervain hat »ein zuverlässiges Instrument unter Umständen geradezu etwas Tröstendes, Aufrichtiges. Da ist man an einem Punkt befreit davon, auf Unredlichkeit und Enttäuschung gefasst sein zu müssen, man hat ein kleinstes Gebiet, innerhalb dessen eine Art sittlicher Weltordnung wirklich realisiert ist«.

Gaule stellt draußen den luftelektrischen Apparat auf, um die Strahlungsintensität zu messen. Jeden Tag erheben sie Daten, wo noch kein Mensch vorher gemessen hat. Alles, was die Einöde hergibt. Ein Arktistag in Zahlen:

Meteorologisches   Schneetemperaturen

		0,5 cm	3 cm	18 cm
Gemessen im Schatten eines Stabs, unterwegs	3^h p:	$-3,9°$	$-5,2°$	$-7,0°$
	6^h:	$-7,5$	$-7,8$	$-8,2$ (12 cm)
Am Zeltplatz 18	7^h30:	$-9,5$	$-9,2$	$-8,5$ (10 cm)
	9^h:	$-12,0$	$-11,6$	$-9,0$

Sondierung: Fest gewehter Pulverschnee 0–4,5 cm, dann verharschte Schicht 15 cm, dann dichter Pulverschnee bis ca. 4–68 cm unter Oberfläche; dann kommt harte Schicht, die nicht durchstossen wird. Dichte der untern Pulverschneeschicht: 0,44.

	Korrig. Chronometer-stände am Mittag		Positionen		Magnet	
	Ditis-heim 1 36,173	Nardin 3 13,703	Nörd-liche Breite	Länge w.v.G.	Dekli-nation	Inkli-nation
Zelt-platz 17	–	–	68° 15'0"	–	54° 2'	80° 18'
Zwi-schen Z.17 u. Z.18	+0 m36s2	−1 m38s6	68 04 32	–	–	–
Zelt-platz 18	–	–	67 54 1	43° 15' 2"	52 7	80 13

9. Juli 1912

Stunde	Zeltplatz	Entfernung vom Eisrand W und letzten Zeltplatz	Höhen ü. Meer Meter	Luftdruck mm	Lufttemperatur °C	Relat. Feucht. %
8.00a	17	–	2318	563,4	–11.4	70
10.31	17	–	–	–	–6,6	64
11.15	17	0	2318	–	–	–
12.25	-	4,0	2336	562,1	–4,6	78
2.00	-	8,0	2341	561,7	–	79
3.00	-	12,5	2354	560,8	–4,1	–
3.45	–	16,0	–	–	–4,9	–
5.00	–	21,7	2374	559,3	–5,7	–
6.00	–	24,0	2385	558,5	–6,9	–
7.00	18	31,5	2399	557,5	–8,7	86
7.30	18	338,0	2399	–	–	–
9.00	18	–	2399	557,8	–11,8	91
11.45	18	–	–	–	–13,0	–

Dampfspannung	Windrichtung aus	Windgeschwind. Meter per Sek.	Windgeschwind. Zwischenwerte	Bewölkung 0–10	Wolkenform	Extremtemperaturen und Himmelsanblick, Niederschlag etc.
1,4−	ESEzE	4,8	5,3	o	−	∞^2
1,9	−	4,9	5,5	−	−	10[b] a Aktinom.: 48
−	−	−	−	−	−	−
2,5	SE	5,7	−	−	−	−
−	−	6,0	−	o	−	−
−	−	7,1	−	−	−	Schnee s. nebenan
−	−	−	−	−	−	−
−	−	−	−	−	−	−
−	E	−	−	−	−	−
2,1	−	2,9	−	−	−	−
−	−	−	an	−	−	−
1,7	E	2,9	3,1	1	Ci-Str A-Cu o	Schneeoberfl. − 13,0 ∞^2
−	−	−	−	−		−

August 2012
Grönland, Inlandeis

Jemand muss über Nacht meine Skischuhe aus der Zelt-Apside genommen und gegen ein zwei Nummern kleineres Paar vertauscht haben. Warum passen Fuß, Socke, Dampfsperrensocke, Lammwollsocke und Baumwoll-Übersocke da heute nicht rein? Ich zerre an der fast knielangen Gamasche, rüttle an der Schlaufe und an der Ferse. Dann endlich: Fuß drin. Autsch, Kratzer an den Fingern dafür wieder offen. Die Wunden von Stürzen im Eis heilen schlecht.

Draußen scheint die Sonne, im Zelt Nieselregen. Was wir nachts ausgeatmet haben, tropft jetzt vom Kunststoffdach.

Warum ist die Zahnbürste nicht im Kulturbeutel? Habe ich die im letzten Camp verloren? Der nächste Supermarkt liegt sieben Tagesmärsche entfernt, unpraktisch. Das gibt Karies, aber so was von, bei dem ganzen Süßkram, den wir immer essen.

Ach so, die Zahnbürste ist in der Daunenjackentasche, weil es gestern Abend kalt war beim Zähneputzen. Gar nicht so einfach, sein Zeug hier zusammenzuhalten, bei den ganzen Jackentaschen und wasserdichten Beuteln und Ziplock-Plastiktüten.

Ein ganz normaler Morgen in der Arktis. Akkus raus aus dem Schlafsack, Akkus rein in die Kamera. Die vertragen keine Kälte. »Minus fünf Grad im Zelt heute Nacht«, vermeldet Gregor. Die rote Zeltwand flattert im Wind. »40 km/h«, sagt Wilfried nach einem Blick auf das Display seines Windmessers.

Das aggressive Fauchen des Benzinkochers kündigt eine Mahlzeit an. Jan schaufelt Schnee in die beiden Töpfe. Er und Gregor sind meistens die Ersten, die wach sind. Erstaunlich, wie wenig Wasser so viel Schnee ergibt.

Frühstück. Müsli mit Peronin. Wie gestern. Und vorgestern. Zu viele Rosinen drin. Einzige Abwechslung: Peronin Vanille oder Peronin Kakao. Astronauten-Pulvernahrung. Egal, Hunger hat man immer, hier draußen schmeckt alles. Sogar die Fettpampe Pemmikan mit zwei Jahre zurückliegendem Verfallsdatum, die optisch nur entfernt an ein Nahrungsmittel erinnert. Im Schnitt essen wir zwei Tüten pro Tag, das sind 100 Gramm für jeden.

Vergleichbar mit einem Mittelklassehotel ist dagegen die Getränkeauswahl: Kaffee, Cappuccino, Vitaminbrause, schwarzer Tee, Pfefferminztee, Kamillentee, Früchtetee, Hagebuttentee. Nur Milch gibt's keine, nicht mal als Pulver. Der zweite Tee wird immer im Plastiknapf serviert. Weil sich Teebeutel perfekt als Spülbürste eignen. Wilfried erklärt Jan, wie man klemmende Ziplock-Verschlüsse geschickter öffnet. Wilfried hat ständig Tipps, wie man noch was optimieren kann, auch schon morgens um Viertel nach sieben.

Ein neuer Expeditionstag kann beginnen. Die Abläufe sind zur Routine geworden, die Gruppe ist ein eingespieltes Team. Gregor kippt Wasser in die Thermoskannen, deren Verschlüsse metallisch quietschen, und füllt Plastikflaschen mit Blaubeersuppenpulver. Diese zähflüssige Instantsuppe ist ein absoluter Geheimtipp für Arktistouren, genau wie Marzipan als Wegzehrung: Energie pur, der Körper will ständig mehr davon. Und er will Schokolade. Normalerweise esse ich die kaum, hier kann ich problemlos zwei Tafeln pro Tag verdrücken. Es gab schon Expeditionen, die zu Pulver geraspelte Kartoffelchips als wesentlichen Teil ihrer Ernährung mitnahmen. Viel Fett, relativ wenig Gewicht, ein perfekter Eiswüstensnack.

Weniger perfekt ist die Energiebilanz des Apfels, den ich seit unserem Aufbruch heimlich mit mir herumschleppe. Die anderen dürfen von der Schmuggelware nichts erfahren, sonst werden sie mich lynchen vor Neid. Ein Apfel auf dem Inlandeis, das ist das Äquivalent zu 500 Gramm feinstem Kobe-Rindfleisch zu Hause. Mit jedem Tag ohne frisches Obst wird die verbotene Frucht kostbarer. Solche Extras sind in unserem Gepäck nicht vorgesehen, zu viel Gewicht für zu wenig Nährwert. Ich werde ihn noch weiter verstecken bis zu einem Moment, in dem ich ganz besonders dringend Energie brauche. Schon länger habe ich das

Gefühl, dass mein Nahrungsbedarf von uns allen am höchsten ist.

Gerade wenn's richtig gemütlich ist, wenn im Lager alles an seinem Platz ist, heißt es Zelte abbauen. Bei dem Wind? Klar, bei dem Wind. Wenn man in Richtung Westen bergauf geht, kommt der leider immer von vorne.

Dann den Pulkaschlitten packen. Wer glaubt, dass man dies nach einigen Tagen Expedition so hinbekommt, dass man später alles direkt wiederfindet, liegt falsch. Pulkaschlitten scheinen über geheime Zauberkräfte zu verfügen, die dafür sorgen, dass unterwegs die Ladung neu verteilt wird. Vor allem die Thermoskanne wandert mit Vorliebe in die Ecken, die ich unterwegs nur nach einiger Wühlerei erreiche. Anders als de Quervain erlebe ich nicht die ordentlichste Phase meines Lebens, seit ich auf dem Inlandeis bin.

Wir sind zurückgeworfen in den Zustand von Neugeborenen. Hauptsache essen, schlafen, gesund sein, nicht frieren und keine Komplikationen bei der Verdauung. Weitere Bedürfnisse sind nicht mehr so wichtig. Für die letzteren beiden habe ich meinen lustigsten Ausrüstungsgegenstand dabei. Der hört auf den Namen Uribag und ist in zusammengefaltetem Zustand so groß wie eine Filmdose. Das tragbare Urinal dient dazu, dass man in eiskalten Nächten keinesfalls den Schlafsack verlassen muss, bislang habe ich es aber noch nicht gebraucht (beim Kauf bildete ich mir ein, dass die Apothekerin mich ein wenig komisch ansah. »Ist für meinen Opa«, habe ich gesagt).

Wir laufen nun immer etwa 15 bis 18 Kilometer am Tag, einer hinter dem anderen. Bei jeder Pause wird an der Spitze gewechselt. Wer vorangeht, kriegt das GPS-Gerät auf den Unterarm gebunden und muss darauf achten, dass der Pfeil darauf immer genau geradeaus zeigt.

Wir sind komplett von flachem Eis umgeben, kein Baum oder Strauch hilft bei der Orientierung. Nur vereinzelt zeichnen sich Schattenlinien im Boden ab, die man fixiert, um nicht alle fünf

Meter auf den Unterarm gucken zu müssen. Die Linien sind verwirrend, ähneln sich fatal, welche war doch gleich die richtige? Nach einer halben Stunde im Schattenkabinett beginne ich, mir eine Linie auf dem Boden einzubilden, die genau geradeaus führt, manchmal ist sie schwarz, manchmal gelb, spätestens nach einer Stunde flimmert es vor den Augen. Geradeaus zu gehen ist gar nicht so leicht, ich scheine einen natürlichen Linksdrall zu haben. Das geht übrigens den meisten Menschen so, weil sie laut wissenschaftlichen Erkenntnissen ein wenig stärker mit dem rechten Fuß ausschreiten. Deshalb sind Drehtüren und Leichtathletikstadien so angelegt, dass man eine Linkskurve läuft.

Unser Ziel ist unsichtbar, eine Koordinate auf dem Display, eine Null bei der Kilometerangabe. Nur der Vorausgehende weiß dank GPS, wie weit wir gekommen sind und wie weit es noch ist. Zur Motivation haben wir eingeführt, dass er volle Kilometerzahlen mit dem Skistock neben die Spur schreibt, damit auch die Nachkommenden Bescheid wissen. Noch zwölf. Elf. Sechs. Zwei. Camp.

Schön wäre es jetzt, einfach in einen warmen Schlafsack zu kriechen und einzuschlafen. Pustekuchen, erst müssen wir eine Schneemauer bauen, um die Zelte vor dem Wind zu schützen. Das dauert meist eine Stunde. Mit Säge und Schaufeln trotzen wir dem Boden einen Eisquader nach dem anderen ab.

Jeden Abend entsteht so ein architektonisches Kunstwerk, etwa acht Meter breit und einen Meter hoch. Weniger Mühe geben wir uns mit der Klomauer. Hauptsache, sie hält. Sie dient nicht der Privatsphäre, sondern allein als Sturmschutzwall. »Sich den Arsch abfrieren« klingt lustiger, als es ist.

Ich mache von jedem ein Porträtfoto, auch ein tägliches Ritual, später wollen wir damit im Zeitraffer dokumentieren, wie uns der Aufenthalt in der Arktis verändert. Wilfried baut seine Messinstrumente auf. Für seine Eishöhenmessung stellt er seinen GPS-Empfänger auf ein Stativ, der dann die ganze Nacht über Satelliten anpeilt und so von Stunde zu Stunde ein präziseres Messergebnis liefern kann. Am Morgen hat er einen zentimetergenauen Wert. »Im Vergleich zu einer Theodolitmessung ist das pillepalle, was ich hier mache«, sagt er einmal.

Wir bauen die zwei Schlafzelte und das Kochzelt auf. Vier Leute, drei Zelte, echter Campingluxus.

Als Amuse-Gueule wird eine Vitamintablette gereicht, danach pulvrige Tomatensuppe mit Croutons. Ein Highlight sind die Salami-Enden dazu, weil sie besser schmecken als jede Mahlzeit, die aus einer silbernen Tüte kommt und durch Zugabe von warmem Wasser entsteht. Davon haben wir zehn Geschmacksrichtungen dabei, heute gibt es Beef-Stroganoff-Imitat. Zum krönenden Abschluss Mousse au Chocolat als Nachtisch. Dann als Absacker einen Kamillentee mit einem Schuss »Sonstiges«: Strohrum mit Honig, Mischverhältnis halb und halb. 4500 Kalorien pro Tag sollten es schon sein, mehr als das Doppelte der üblichen Ration.

Die Gespräche beim Essen sind meistens sehr sachlich, so schmucklos und vorhersehbar wie die Landschaft draußen. Vier müde Arktiswanderer beim Nachtisch im Zelt, die Hörspiel-Version davon wäre das langweiligste Tondokument der Welt. Zum Beweis ein Inlandeis-Abend im O-Ton:

Geräusche: Flattern der Zeltplane, Fauchen des Kochers, gelegentlich metallisches Quietschen der Thermosflaschendeckel und ein »Klonk«, wenn der Deckel auf den Kochtopf schlägt.
Wilfried: »Wärmer oder so?«
Jan: »So ist gut.«
Pause
Jan: »Kannst mal halten?«
Wilfried: »Reinkippen?«
Jan: »Mh hm.«
Wilfried: »Das waren doch niemals 400 Milliliter Wasser.«
Gregor: »Ganz schön dünn geworden, ne?«
Wilfried: »Das wird noch fest, wenn man's stehen lässt.«
Pause
Wilfried: »Das war zu wenig. Aber das wird schon.«

Letzter gemeinsamer Tagesordnungspunkt ist die Planung des nächsten Tages. »17,6 Kilometer bis Camp 8«, sagt Wilfried nach einem Blick auf sein GPS-Display. Ich packe den Laptop aus, per Satellitentelefon schicke ich einen Text und fünf Fotos an die Redaktion in Hamburg, ein paar Stunden später werden sie veröffentlicht. Ein Foto in winziger Auflösung dauert 15 Minuten, so schlecht ist die Datenverbindung. Schlecht ist allerdings relativ: De Quervain brauchte vier Monate, bis sein erster Text in der »Neuen Zürcher Zeitung« erschien.

Dann, endlich: ins Zelt. Schlafbrille auf, arktische Nächte sind hell. Ohrstöpsel rein, arktische Stürme sind laut. Selbst Zelte, die so viel kosten wie ein Moped, flattern bei Windstärke sechs mit einem Höllenlärm. Abschalten, Beine warm rubbeln, schlafen. Schlafen, so lange es geht: bis der Kondenswasser-Nieselregen auf die Stirn tropft.

13. Juli 1912
Grönland, Inlandeis, Tagebuch Alfred de Quervain

Der Mann, der voraus geht, sieht nach vorn nichts als etwa seine schwarzen Skispitzen; nach rückwärts aber im Schneetreiben verschwindend undeutliche schwarze Knäuel: die drei Schlitten. Obschon sie sich ganz nahe halten, sind meist nur die Köpfe der Führer zu sehen, und manchmal verschwindet alles auf 20–40 Meter Entfernung. Alle haben lange Eiszapfen am Kinn; ich konnte gestern meine Kapuze erst nach einer halben Stunde im Zelt lösen; Bart, Kinn, Kapuze, alles ein Eisstück. Wir fütterten die Hunde gestern zum erstenmal nach der neuen Methode, noch in Marschordnung; es ging sonst nicht mehr;

sie haben uns und das Zelt gestern fast umgebracht. Wir haben sie diese Nacht freigelassen und die Geschirre mit ins Zelt genommen. Das ging gut. Nur dass sie dem Zelt gelegentlich kleine, liebe Besuche machen, worauf dann der benachbarte Zeltbewohner etwas wie »Sauhund« brummt und hastig von der Wand abrückt.

Heute morgen klärt es ein wenig auf. Da das Barometer während des letzten Tagesmarsches mehr stieg als plausibel, sind wir gespannt auf die Horizontalaufnahme. Fick ist gerade daran.

Eben ruft er ins Zelt: Nach vorn Sinken, um acht Bogenminuten! Ich muss hinaus –

Später. – Ja wahrhaftig. Es stimmte! Wir haben endlich den höchsten Punkt dieser Riesenwölbung überschritten.

Daraufhin nehme ich zum erstenmal seit Mercantons und Josts Abschied die seidene Schweizerfahne und die Bernerfahne hervor, und wir hissen sie an der grossen Sondierstange. Dieser Platz soll »Abwärts« heissen. So war also die grösste Höhe des Inlandeises hier so weit nach Osten gerückt, dass wir sie erst nach zwei Dritteln des Weges erreichten. Das hatte man nicht erwartet!

17. August 2012
Grönland, Inlandeis

Plötzlich besteht der Horizont in allen vier Himmelsrichtungen nur noch aus einer Eislinie. Kein Meer und keine Bergspitzen sind zu sehen, nur noch hellblauer Himmel und weißes Eis.

Es ist ein Anblick, der die menschlichen Sinne gleichzeitig über- und unterfordert. Ich wünsche mir sechs Augen, um die komplette hellblaue Himmelshalbkugel erfassen zu können. Immer wieder wende ich beim Gehen den Kopf nach links und rechts. Das hier ist das Gegenteil eines Berggipfels, das ultimative Tal. Eine gigantische weiße Platte, an deren Horizont man deutlich die Erdkrümmung erkennen kann. Wenn ein Flugzeug auf dem Weg von Europa nach Nordamerika seinen Kondensstreifen in den Himmel malt, kommt dabei keine Linie, sondern ein Halbkreis heraus. Seeleute kennen das Gefühl, exakt der Mittelpunkt eines riesigen Horizontkreises zu sein, von windstillen Tagen auf dem Meer. Doch mit festem Boden unter den Füßen gibt es so etwas nur in der Eiswüste.

Vertikale Linien fehlen komplett, hinten ist wie vorne, kein Anhaltspunkt hilft dabei, Distanzen einzuschätzen: Der weiteste sichtbare Punkt könnte fünf oder 50 Kilometer entfernt sein. Jeder Schritt führt vorwärts, ohne dass die Augen ein Vorwärts wahrnehmen können, wie auf einem Laufband im Fitnessstudio. Mit jedem Meter, den wir gehen, weicht die Horizontlinie einen Meter zurück. Das stört uns momentan aber nicht, denn endlich geht es voran, endlich müssen wir nicht mehr im Zickzack laufen und ständig Hindernissen ausweichen. Das GPS-Gerät am Unterarm zeigt, wie schnell wir sind: Mit vier bis fünf Stundenkilometer geht es in Richtung Westen, in Richtung nächstes Camp.

Wir laufen jetzt in einer engen Viererreihe, wie ein gut trainiertes Rennradteam. Wie ein Pulkawurm mit vier Köpfen, der über das Eis zieht. Jeder hat einen etwas anderen Laufstil. Wilfried ausladend und kraftvoll, Gregor athletisch mit schmalerem Stockeinsatz, Jan mit nach vorne gebeugtem Kopf und kleinen, schnellen Schritten. Das Gehtempo macht mir keine Schwierigkeiten.

Ich stelle mir vor, wie wir aus der Vogelperspektive aussehen, mit dem Fernglas aus dem Fenster eines der Interkontinentalflugzeuge: viermal Punkt und Strich auf einem gigantischen Blatt Papier, vier ganz kleine Ausrufezeichen.

»Nach zehn Tagen auf dem Inlandeis bist du entweder verrückt oder süchtig«, hat Robert Peroni vor unserem Aufbruch in Tasiilaq gesagt. Wir sind jetzt seit zehn Tagen unterwegs. Ich blicke in meinen Schatten schräg rechts vor mir, meine Schirmmütze zeichnet sich deutlich ab. Mein Opa hatte auf vielen Grönlandfotos eine ganz ähnliche Schirmmütze an. Ich stelle mir seinen Kopf in meinem Schatten vor. Er guckt zu mir hoch und fragt, ob es mir gefällt. Tatsache, ich werde wahnsinnig. Und ja, es gefällt mir, extrem sogar. Ich kann mich nicht satt sehen an der ödesten Landschaft der Erde. Ich bin verrückt *und* süchtig geworden.

Ganz ohne Halt fürs Auge ist die Umgebung bei genauerem Hinsehen nicht. Ich vertreibe mir wieder die Zeit damit, mir Namen für die verschiedenen Arten des Untergrundes zu überlegen: Da gibt es Terrassenfelder-Schnee, der wurde vom Wind so geschichtet wie asiatische Reisfelder, und Crème-brûlée-Schnee – die gefrorene Oberfläche knackt bei Skikontakt, darunter ist weicher Sulz. Und Trockenzeit-Schnee, der hat so Risse zwischen flachen Inseln, wie man sie von Fotos aus afrikanischen Dürreregionen kennt, in denen es seit Monaten nicht geregnet hat.

Wenn äußere Eindrücke fehlen, gehen die Gedanken nach innen. Erinnerungen steigen hoch. An Freunde, längst vergangene Episoden, Familienurlaube in der Kindheit. Und an Gerüche, zum Beispiel von ganz konkreten Speisen wie dem Zürcher Geschnetzelten aus der Betriebskantine.

Ich denke darüber nach, dass die beste Frage, die man einem

älteren Menschen stellen kann, doch eigentlich folgende ist: »Was hast du gemacht, als du so alt warst wie ich?«

Es ist auch möglich, an gar nichts zu denken. Ein dumpfer Nebel im Kopf, ein mentaler Whiteout, der dazu führt, dass nur noch die eigene Bewegung existiert, keine Reflexion darüber hinaus. Ich habe vor meiner Abreise mit Arved Fuchs gesprochen, dem bekanntesten deutschen Polarreisenden, und seine wichtigste Empfehlung war: »Nehmen Sie sich ein paar gute Gedanken mit!« Er selbst hat auf einer Antarktis-Expedition mal den kompletten Umbau seines Schiffes geplant, der »Dagmar Aaen«, mit der er nun durch kalte Meere segelt. Ich verstehe jetzt, was er meinte: Die Dumpfheit im Kopf ist eine Falle, erst verlockend und befreiend, aber auf Dauer sorgt sie nur dafür, dass jeder Tag dem vorigen gleicht und das Gehen nur noch ein Abstottern von Stunden und Kilometern ist.

Wir sind jetzt genau auf der Route von 1912. Ich stelle mir vor, wie uns drei Hundeschlitten entgegenkommen, auf einem hockt mein Opa und treibt die Tiere mit seiner Peitsche an. 70 oder 80 Meter unter uns sind vermutlich noch irgendwo Tatzenspuren im Eis, festgefroren im nächsten Winter. Und Hundekot. Und menschliche Exkremente. Die DNA von meinem Großvater, irgendwo direkt unter uns. Würde man mit einem Metalldetektor herkommen, könnte man rostige leere Konservendosen finden.

Die einzigen Geräusche sind der Wind, das helle Kratzen der Skier und das etwas dumpfere Schleifen des Pulkas. Ich komme zu dem Schluss, dass der Pulkaton genau eine Oktave unter dem Skiton liegt, der Wind eine kleine Terz über dem Grundton. Der Sound der Arktis, ein sauberer Mollakkord.

Nach ein paar Stunden habe ich genug gelauscht, deshalb tue ich etwas, was ich sonst nie in der Natur mache: Musik hören. In dieser Kargheit der Reize wirkt sie viel intensiver als in der zivilisierten Welt, wo sie nur einer von Tausenden verschiedenen akustischen Eindrücken eines Tages ist.

Übrigens passt nicht jeder Song. Der perfekte Arktis-Eiswanderhit ist rockig, treibend, aber auch melodisch. Außerdem muss er ein gutes Tempo zum Laufen haben. Meine Favoriten: »Today« von den Smashing Pumpkins und »Undone – the Sweater Song« von Weezer. Wenn die verzerrten Gitarren einsetzen, laufen die Skier wie von selbst, trotz Schmerzen in Füßen und Armen und trotz Erschöpfung.

Wir gehen vier oder fünf Etappen pro Tag, und jede davon ist anders. Wer einwendet, die Bewegung sei doch immer die gleiche, hat noch nie erlebt, wie stark die menschliche Wahrnehmung sich an Nuancen klammert, wenn sie auf Diät gesetzt wurde. Vier Etappen sind wie vier verschiedene Sportarten. Bei der ersten brauche ich immer ein paar Minuten, bis die Beine ihren Dauerlaufrhythmus gefunden haben, dann ist sie purer Genuss: Der Schnee ist morgens am besten, ich bin froh, dass das nervige Packen ein Ende hat. Die Gedanken schweifen in die Ferne, durch echte und erfundene Welten, der Geist ist völlig klar.

Nach fünf Kilometern kommen gewöhnlich fünf Minuten Rast mit einem ersten Energieriegel namens Fruchtriese oder Genussbombe, beides ist übertrieben. Wilfried ist immer für die Statistik zuständig, gelaufene Kilometer und Durchschnittstempo. Fünf Stundenkilometer ist gut, vier durchschnittlich, drei schlapp, zumindest auf spaltenfreiem Untergrund.

Etwas passiert in dieser ersten Pause, danach bin ich ein anderer Mensch, verwandelt in einen Faulpelz, der die nächste Pause herbeisehnt, träge in Beinen und Kopf. Zum Glück kommt danach die dritte, die Musikhör-Etappe. Der MP3-Player ist ein Himmelsgeschenk, schon morgens weiß ich, dass die dritte Etappe gut wird. Kopf abschalten und nur noch lauschen, die Klänge aus den Kopfhörern, die unter der Sturmhaube versteckt sind, bedeuten die einzige Wahrnehmung, die ich ganz für mich allein habe und mit niemandem teilen muss. Ein Konzert nur für mich, Rückzug zu mir selbst, Alleingang statt Mannschaftssport. Fast spüre ich nicht, dass der Schnee ab dem Mittag sulziger wird, dass die Skier mühsamer laufen und bei jedem Schritt tiefer einsinken. Manchmal ertappe ich mich dabei, wie ich mit den Stöcken den Schlagzeugrhythmus in den Eisboden hämmere.

Die vierte Etappe beginnt noch mit etwas Restschwung, weil irgendein Song hängen bleibt im Kopf, doch schon bald beginnt der Kampf. Ich spüre meine Kräfte nachlassen, wie da nichts mehr ist, was sich noch mobilisieren ließe. Wie viele Schritte sind ein Kilometer? 1000? 1500? Warum sind zwei Kilometer beim Joggen ein Klacks und hier draußen eine Ewigkeit? Vielleicht liegt der Grund darin, dass der Mensch auf dem Inlandeis kleiner ist als anderswo. Je näher man dem Tagesziel kommt, desto mehr sehnt man es herbei.

Einen wesentlichen Unterschied macht noch aus, ob ich vorne laufe oder nicht. Wir wechseln uns weiterhin ab, jeder führt täglich mindestens einmal. Das ist etwas anstrengender, weil man spuren muss und sich darauf konzentriert, keine zu großen Kurven zu fabrizieren. Und gleichzeitig viel leichter, als den anderen zu folgen, weil es eine herrliche Gewissheit ist, der erste Mensch zu sein, der an exakt dieser Stelle eine Spur hinterlässt.

Plötzlich sind rechts von uns Berge zu sehen: Eine Kette von Schneegipfeln und imposanten Zacken. Sie wirkt ganz nah, ist aber mehr als 100 Kilometer entfernt.

Die ersten Menschen, die diese Aussicht genossen, hießen Alfred de Quervain, Hans Hoessly, Karl Gaule und Roderich Fick. Die vier Männer gaben dem Gebirgszug den Namen, der bis heute auf jeder Karte so verzeichnet ist: Schweizerland. Warum »Land«, warum nicht »Berge«? Sie müssen sich sehr nach festem Boden gesehnt haben, als sie hier ankamen.

Ansonsten passt der Name, soweit wir das von hier beurteilen können, ziemlich gut: Gleich zwei Bergpyramiden erinnern auffallend an das Matterhorn. Einer der höchsten Gipfel Grönlands steht dort, der Mont Forel, 3383 Meter hoch, ein wunderschöner, wenig bekannter Berg. Links, im Nordosten, geht das Gebirge über in eine hohe Eiswand, verschmilzt mit dem Inlandeis, das dort über 2000 Meter hoch ist. Ein Gebirge, das quasi aus dem Eis kommt, ein einmaliger Anblick. Auch dann, wenn man nicht der Erste ist, der in seinen Genuss kommt.

Wir nähern uns dem höchsten Punkt unserer Reise: In nächster Nähe des Polarkreises werden wir noch einmal Zelte und Messinstrumente aufbauen, nach rund 160 Kilometern auf dem Eis.

»Ein bisschen wie Astronauten sind wir schon, so weit weg von allem«, sagt Wilfried. Ich gebe ihm recht, doch gleichzeitig bin ich überrascht, wie wenig einsam sich echte Einsamkeit anfühlt: In keinem Moment bin ich weiter als 50 bis 100 Meter entfernt von einem anderen Menschen. Selbst wenn man die Energie hätte, würde es keinen Sinn ergeben, abends vom Camp noch mal einen Spaziergang zu machen, einen oder zwei Kilometer weg, weil sowieso alles gleich aussieht. Die Menschheit ist weit weg, aber allein ist man in der Eiswüste nie.

Grönland, Inlandeis. Information für Touristen

Den Klängen des Windes lauschen, die Weite der Landschaft genießen, sauberste Luft atmen: Die völlige Kargheit von Grönlands Eiswelten bietet fernab vom Massentourismus beste Möglichkeiten zum Abschalten vom Alltagsstress.

Trotzdem steht in keinem Reiseführer das idyllische Zeltcamp »Zum Polarkreis«, das sich an historisch interessanter Stätte befindet. Oder besser: befand. Denn leider existierte diese Unterkunft nur für eine Nacht – als Zwischenstopp auf einer Expedition. Die Schönheiten dieses Ortes möchten wir Ihnen trotzdem nicht vorenthalten.

Geschichte: Erstmals wird eine hier angesiedelte Unterkunft im Jahr 1912 von Alfred de Quervain in seinem Buch »Quer durchs Inlandeis« erwähnt. Dort heißt sie »Zeltplatz 26« oder kurz »Z26«. Vor allem die Aussicht auf eine Bergkette im Nordosten wird vom Verfasser sehr gelobt. Prompt taufte er sie wegen ihrer Schönheit nach seiner eigenen Heimat »Schweizerland«.

Lage: Ostgrönland, 66° 29,9' Nord, 39° 43,2' West, 1850 Meter über dem Meer.

Verpflegung: Eine riesige Auswahl an Energieriegeln, Schokoladensorten und Tütengerichten steht bereit. Besonders empfehlenswert sind Chili con Carne (»Schmeckt super, macht aber furchtbare Blähungen«, Wilfried K., Geodät), der Rindfleisch-Gourmettopf und die Gorgonzola-Spinatsuppe. Als Dessert wird Mousse au Chocolat gereicht, dessen Konsistenz und Qualität allerdings stark von der Tagesform des Kochs abhängt. Zubereitet wird alles mit viel Liebe im saubersten Wasser, das man sich vorstellen kann – direkt aus dem Inlandeis geschmolzen. Zu jeder Mahlzeit wird als Sättigungsbeilage Pemmikan in den Geschmacksrichtungen Röstzwiebel, Chili oder Schinken serviert.

Zimmer: Zur Auswahl stehen die Räume Red und Yellow, die jeweils Platz für zwei Personen bieten und mit neun Zentimeter dicken Luxus-Daunenluftmatratzen ausgestattet sind. Red ist ein Tunnelzelt und etwas geräumiger, Yellow ein kuscheliges Kuppelzelt (ideal für Paare), das bei Wind etwas weniger Lärm macht. Bettwäsche kann nicht vor Ort entliehen werden. Dringend empfohlen wird ein Schlafsack mit einem Komfortbereich in den zweistelligen Minusgraden, besonders geeignet sind Modelle, die abenteuerliche Namen wie Everes, Denali oder Ice Peak tragen.

Sanitäre Einrichtungen: Hier müssen Abstriche im Vergleich zu üblichen Hotelstandards einkalkuliert werden. Dusche und

Waschbecken fehlen komplett, als Ersatz werden auf Wunsch Feuchtigkeitstücher auf Ölbasis gereicht. Die Toilette ist unbeheizt und hat drei Wände weniger als üblich und keine Decke.

Sport und Freizeit: Hervorragende Möglichkeiten für Kiteskiing und Langlauf (Loipen nicht präpariert). Für Kraftsportler ist das Bergaufziehen eines 100 Kilogramm schweren Pulkaschlittens ein empfehlenswerter Workout, der viele Muskelgruppen beansprucht. Golffans können ein Loch in den Schnee bohren und sich abends kleine Schneebälle zurechtlegen. Am nächsten Morgen sind die steinhart gefroren und bestens für Abschläge mit dem Ski-Schläger geeignet.

Wellness: Auf Wunsch kann das geräumige Küchenzelt mit zwei Benzinkochern auf etwa zehn Grad Celsius beheizt werden. Für eine unvergessliche Sauna-Erfahrung wälzt man sich anschließend nackt im Schnee. Mit Inlandeiswasser zubereitete Tees sollen eine besonders wohltuende Wirkung haben.

Einkaufen: Etwaige Pläne, hier Outlets bekannter Mode- und Uhrenfirmen unterzubringen, sind derzeit noch weit von einer Realisierung entfernt. Der nächste Supermarkt ist zehn Tagesreisen entfernt. Vor Ort hat sich deshalb ein reger Tauschhandel entwickelt (»Dein Hühnchencurry hatte mehr Fleisch als meins, kriege ich dafür deine Salami-Ration?« »Wer tauscht Pfefferminz-Schokolade gegen eine Sorte, die schmeckt?«).

Sehenswürdigkeiten: Die in zweistündiger Handarbeit per Säge und Schaufel entstandene Schneemauer gehört zu den schönsten, die dieses Jahr in Grönland gebaut wurden. Für Erinnerungsfotos bietet sich der exakt 90 Meter entfernte Polarkreis an. Überhöhte Erwartungen an die Szenerie könnten allerdings enttäuscht werden: Das Eis sieht dort nicht anders aus als 50 Kilometer weiter in beliebiger Richtung.

Kultur: Niemand wird Sie daran hindern, eine Bach-Kantate anzustimmen, Schopenhauer vorzulesen oder ein Gedicht aufzusagen. Oder greifen Sie zum Stift: Schon de Quervain verbrachte seinen kurzen Aufenthalt damit, das 100 Kilometer entfernte Gebirgspanorama zu zeichnen.

Fauna und Flora: Mit beidem kann leider erst in etwa 500 bis 1000 Jahren gerechnet werden, wenn der Eispanzer im Süden Grönlands aller Voraussicht nach komplett abgeschmolzen ist.

Klima: Im Sommer kalt, im Winter sehr kalt.

Wichtige Vokabeln: Tupeq – Zelt
Qaqqaq – Berg
Tupinnaqaaq! – Erstaunlich!

Anreise: Pulka-Express, zehn Tage ab Tasiilaq in Ostgrönland. Keine öffentlichen Verkehrsmittel.

---

17. Juli 1912
Grönland, Inlandeis, Tagebuch von Roderich Fick

Ich suche immer wieder den Horizont ab und sehe auf einmal in NO links von unserem Kurs weit weg noch im blauen Dunst Berge! Neues Land! Ich rufe dem Hoessli, er solle halten und winke den Hü heran, der noch weiter zurück ist und rufe: Land! Land! Die Worte wollten mir im Hals ersticken!!

Q. war im Vorausgehen und hörte nicht gleich. Von blossem Aug konnten die anderen, besonders Q., sich nicht von der Tatsache überzeugen, aber durch den Zeiss gelang es, auch Q. die Berge zu zeigen. Ich habe an dem Tag starke Freude empfunden und glaubte, dass wir jetzt die Hauptsache hinter uns hätten. Aber noch können Spalten, Sümpfe und Schmelzbäche uns den Weg an die Ostküste versperren!

Die Schlitten laufen herrlich. Wir reisen jetzt wieder des Nachts, da schon vor einigen Tagen einmal Tauwetter war und die Oberfläche des Eises nachts fester ist. Die Sonne gieng schon für kurze Zeit im Norden unter den Horizont – gross purpurrot und in Pilzform oder eckig durch die Refraktion verzeichnet. Diese Reisenächte sind so farbig und unbeschreiblich schön.

Auf der weitern Fahrt tauchen immer mehr Berge auf. Es handelt sich um ein neues ausgedehntes Gebirgsland von den fantastischsten wildesten Formen etwa 100 km von uns entfernt. Es ist doch ein wunderbares fast andächtiges Gefühl, wenn man dran denkt, dass noch kein Mensch dieses Land gesehen hat; wir sind die ersten nachdem dieses Land seit seiner Entstehung vor Millionen von Jahren ungesehen war.

Man sieht wie das Inlandeis von diesem Gebirgsland dort in seinem Abfluss an die Ostküste gehindert über den ganzen grönländischen Kontinent nach Westen abfließt. Deshalb haben wir also die grösste Höhe so weit im Osten gefunden. Nach 42 Kilometern wurde das Zelt aufgeschlagen und mein Geburtstag gefeiert, der an dem Tag sein sollte, an dem wir zum ersten Mal Land sehen würden. Die Feier bestand in einem besonders guten Essen und einer Rede, die Q. auf mich hielt. Der Hauptgipfel der Gebirgskette wurde von Q. Mont Forel getauft.

Jetzt hab ich wieder viel Arbeit mit der Aufmessung der Hauptpunkte der Gebirgskette in die Horizontaufnahme. Es ist wieder kaltes Wetter und kein Spass, am Theodolit 4–6 Stunden lang zu arbeiten. Das Fernrohr beschlägt sich auch oft so, dass garnichts mehr zu sehen ist. Immer muss es wieder abgewischt werden.

In der folgenden Nacht war wohl die schönste Reise auf dem Inlandeis. Die Schneeoberfläche war hart gefrohren, es gieng merklich bergab. Es gieng in scharfem Trab oft auch im Galopp. Wir kommen dem Gebirge immer näher auch vor uns tauchen Gipfel auf, die schon zur Angmagsalikinsel gehören müssen. Wir wundern uns, dass wir immer noch so hoch sind und keine Schneesümpfe und Spalten kommen.

Später wie ich ans Peilen komm bemerk ich, dass das Geräusch, das die Schneeschuhe auf dem Harsch machen, oft hell und dann wieder ganz hohl klingt, wie wenn man über eine Trommel führe. Es sind also sicher Spalten drunter, die aber noch gut gedeckt sind. Bald tauchen auch links und rechts von unserem Kurs Gletscherstromschnellen mit unübergehbarem Spaltengewirr auf. Es sind wahrscheinlich die oberen Gebiete von Eisen, die in den Sermilikfjord abfliessen. Wir sind sehr gespannt, wie wir da runter kommen sollen. In unserem Kurs scheint es vorläufig noch zu gehen. –

Ich kann jetzt auch weit weit da vor uns in der Tiefe den Fjord angefüllt mit Eisbergen und weit draussen in SSO das offene Meer mit seinem Treibeisgürtel erkennen. Die Sonne ist wieder für kurze Zeit untergegangen und lässt einen roten Schein am nördlichen Horizont. Das Gebirge ist ganz merkwürdig schön und wild. Eine schwache dünne silberne Mondsichel am Südhimmel.

Zuletzt kommt Hü dran mit dem Vorauslaufen. Es wird immer steiler; wir müssen schon manchmal mit den Pickeln bremsen. Die ganze vor uns liegende Landschaft stimmt garnicht mit der Karte überein!

Es ist zu merkwürdig, warum das
Inlandeis hier im Osten Grönlands
so hoch ist?!

Am 17. Juli kam die Erklärung.
Es gieng an dem Tag merklich
bergab in Terassen manchmal
direkte Abhänge auf denen die
Schlitten fast von selber laufen. Wir
sehen heute schon nach Land aus.
Ich suche immer wieder den Horizont
ab und sehe auf einmal in NO
links von unserem Kurs weit weg
noch in blauem Dunst Berge!
Neues Land! Ich rufe den
Hösli, er solle halten und winke
dem Hü heran, der noch weiter
zurück ist und rufe: Land! Land!
Die Worte wollten mir im Hals ersticken!
Q. war im Vorausgehen und er
hörte nicht gleich. Von blosem
Aug konnten die andern besonders
Q. sich nicht von der Tatsache überzeugen, aber durch den Eisglanz
es auch Q. die Berge zu zeigen.
Ich habe an dem Tag starke Freude

empfunden und glaubte, dass wir
jetzt die Hauptsache hinter uns
hätten. Aber noch können Spalten
Sümpfe und Schmelzbäche uns
den Weg an die Ostküste versperren!

Die Schlitten laufen herrlich. Wir
reisen jetzt wieder des Nachts, da
schon vor einigen Tagen einmal
Tauwetter war und die Oberfläche
des Eises Nachts fester ist. Die
Sonne gieng schon für kurze Zeit
im Norden unter den Horizont, groß
purpurrot und in Pilzform
oder eckig durch die Repraktion
verzeichnet. Diese Reisenächte
sind so farbig und unbeschreiblich
schön. Auf der weitern Fahrt,
tauchen immer mehr Berge
auf. Es handelt sich um ein
neues ausgedehntes Gebirgsland
von den fantastischsten wildesten
Formen etwa 100 km von uns entfernt. Es ist doch ein wunderbares
fast andächtiges Gefühl, wenn man

19. August 2012
Grönland, Inlandeis

26 ziemlich dünne Schnüre in den Farben Gelb, Rot und Blau, ein Lenkstab und ein 16 Quadratmeter großes Kunststoffsegel: Dieses Konstrukt namens Kite soll die Fortbewegung auf dem Eis erheblich vereinfachen. Eigentlich.

Stab hochziehen, Segel kommt hoch. Dann auf Skiern einfach ziehen lassen und viel bremsen mit Schneepflug. Klingt nicht allzu kompliziert. Klappt auch für ein paar Meter gut, bis das Segel plötzlich unerwartet zur Seite ausbricht. Vollbremsung. Voll über die Schnüre, die scharfen Skikanten sägen dabei drei gelbe durch. Stehen bleiben, Fäden raussuchen, mit Knoten flicken.

Nach 20 Minuten ein neuer Versuch. Die Schnüre rächen sich für die schlechte Behandlung, indem sie sich wie wild verdrehen und verheddern. Plötzlich rotiert das Segel vor mir nur noch, dreht sich immer weiter. Und schon ist der Segelausflug für mich vorbei. Unentwirrbarer Schnursalat.

Ich packe das Segel zusammen und laufe fluchend auf Skiern hinter den anderen her, die schon am Horizont verschwunden sind. Mit Windkraft schaffen sie problemlos um die 15 km/h, zu Fuß schaffe ich maximal sechs. Eine schweißtreibende Stunde dauert es, bis ich sie eingeholt habe.

Wir beschließen, das Segel erst im nächsten Camp zu flicken, um jetzt noch den guten Fahrtwind zu nutzen. »Bei einer anderen Expedition hat das Entwirren schon mal drei Stunden gedauert«, sagt Wilfried. Ich nehme auf Gregors Pulka Platz als Passagier, Wilfried hängt meinen Zugschlitten hinter seinen. Drei Leute segeln, einer sitzt.

Und der ist schlecht gelaunt, eigentlich schon seit dem Aufstehen. Denn heute ist der Tag, an dem wir umkehren. Vorher konnte ich noch für manche Stunde verdrängen, dass wir kläglich gescheitert sind. Jetzt kann ich das nicht mehr, weil wir zurück nach Osten reisen.

Für meinen Opa waren die Etappen hier die schönsten auf der ganzen Tour. Erstmals seit Wochen, in denen er rundum nur Eis gesehen hatte, konnte er Berge am Horizont ausmachen. Er war nun voller Hoffnung, tatsächlich das Ziel zu erreichen, tatsächlich zu überleben.

Ich erlebe an gleicher Stelle den schlimmsten Tag meiner Inlandeis-Reise. Wir wären mit dieser leistungsstarken Vierergruppe weit gekommen auf dem Eis, davon bin ich überzeugt. Die nächsten drei Wochen hätten durch monotones, aber nicht extrem schweres Gelände geführt – eher eine mentale als eine körperliche Prüfung. Erst die Schlusstage der Tour wären wieder zum physischen Härtetest geworden. Doch nun werden wir nur knapp 300 Kilometer auf dem Eis gehen statt wie geplant 700.

Es muss ein sensationelles Gefühl sein, nach einer langen Reise durch die Kälte auf der anderen Seite der größten Insel der Welt herauszukommen. Doch statt darauf hoffen zu können, sitze ich jetzt rittlings auf einem Schlitten wie ein Kleinkind auf einem Bobby Car und lasse mich durchs Eis kutschieren. Weil ich zu blöd bin, um ein Lenksegel zu bedienen. Zumindest fehlt mir die Übung – vor ein paar Monaten in Zell am See habe ich mit einem moderneren Kitemodell meine Achten geflogen, das ganz andere Flugeigenschaften hat.

Die Reparatur am Abend ist eine echte Geduldsprobe. Wir lösen alle 26 Schnüre einzeln aus dem Knäuel heraus und hängen sie neu sortiert wieder in die vorgesehenen Karabiner. Gerade ist die Sonne untergegangen, es herrschen Minusgrade, die Hände werden so kalt, dass sie kaum noch zu bewegen sind. Sicher sind die anderen nicht glücklich darüber, dass sie wegen mir frieren müssen, aber keiner lässt sich etwas anmerken.

Mehr als eine Stunde sind wir zu viert beschäftigt, dann können wir das Ding endlich testen. Wilfried zieht die Steuerstange hoch. Alles am richtigen Platz! Mit Jubelschreien springt er an dem Lenkdrachen über das Eis.

Ich übe noch ein paarmal ohne Pulka und Ski die Steuerung des Segels. Dann esse ich heimlich meinen Apfel, es war ein anstrengender Tag. Der Geschmack ist himmlisch, nur den Stiel lasse ich übrig.

Am nächsten Morgen habe ich das Segel perfekt im Griff, es gehorcht auf jedes Kommando. Allerdings nur für etwa 500 Meter. Denn der Wind, bislang ein zuverlässiger und häufig nerviger Begleiter unserer Reise, will plötzlich nicht mehr blasen. 10 km/h. 5 km/h. Dann Flaute. Die totale Stille ist so ungewohnt, dass sie fast gespenstisch wirkt.

Wir legen fluchend die Segel zusammen. Auf den nächsten Tagesetappen können wir sie nicht nutzen, weil dann wieder Gletscherspalten zu überwinden sind. Für den Rest der Tour werden wir die Segel nicht mehr auspacken.

Ein langer Fußmarsch oder besser Skimarsch steht nun auf dem Programm, 30 Kilometer haben wir uns für heute vorgenommen. Wir gehen längere Etappen als sonst zwischen den Pausen und schwitzen wie noch nie in Grönland. Auf unseren Wolloberteilen sind bald weiße Punkte zu sehen, weil der Schweiß nach außen transportiert wird und dort gefriert.

Für einen Moment rede ich mir ein, dass es die Expeditionsteilnehmer von 1912 einfacher hatten als wir: Sie hatten Hunde, die das Gepäck zogen. Wir dagegen sind selbst die Hunde. (Ich habe mir schon angewöhnt, bei großer Anstrengung die Zunge für ein paar Sekunden heraushängen zu lassen, das kühlt wunderbar.)

Doch schon im nächsten Moment weiß ich, der Gedanke ist Quatsch. Wer über vollkommen unbekanntes Terrain läuft mit dem Wissen, dass ein Misserfolg den Tod bedeutet, hat hier erheblich größere Sorgen als heutige Luxusabenteurer mit Satellitentelefonen. Aber eines gilt noch immer: Man muss jeden Meter aus eigener Kraft schaffen. Daran hat sich nichts geändert.

Wir bewegen uns nun exakt auf der historischen Route. Zumindest so exakt, wie es möglich ist. »Bis zu 100 Meter Ungenauigkeit muss man bei den damals errechneten Koordinaten einkalkulieren«, sagt Wilfried, der Vermessungsexperte. Er stellt sein Höhenbestimmungs-Ufo für eine Dreiviertelstunde am historischen Zeltplatz 28 auf und erlebt eine Überraschung: 130 Meter tiefer liegt der Punkt als noch vor 100 Jahren, das wäre eine dramatische Veränderung, denn selbst bei Einrechnung aller denkbaren Ungenauigkeiten sind es definitiv mehr als 100 Meter. Zwei Camps vorher, auf 1850 Metern Höhe, waren die Messdaten noch fast identisch mit denen vor 100 Jahren, am nächsten Punkt lagen sie schon 30 Meter darunter. »Der größte Teil davon muss sich in den letzten zwei, drei Jahrzehnten abgespielt haben«, erklärt er, das sei aus anderen Forschungen bekannt. »Wenn man das mal weiterdenkt, könnten in den nächsten 100 Jahren 300 bis 600 Meter Höhe verloren gehen, das wäre wie ein Totalkollaps des Eiskörpers«, sagt Wilfried. Auch die weiteren Ergebnisse seiner GPS-Forschungen sind ein Schock: Das Eis hat an den Messpunkten der Ostseite zwischen 2010 und 2012 drei bis vier Meter verloren, zwischen 2006 und 2010 war es noch ein halber Meter pro Jahr. Die Abnahme beschleunigt sich enorm. »Das wird dafür sorgen, dass der Meeresspiegel jährlich um einige Millimeter, vielleicht eines Tages sogar Zentimeter anwächst«, sagt Wilfried. Momentan sind es 0,3 bis 0,8 Millimeter pro Jahr, die das Meer allein durch das Abschmelzen Grönlands dazugewinnt. Ich verstehe nun, warum Forscher das Inlandeis auch als »Ground Zero des Klimawandels« bezeichnen. Vermutlich kann schon in ein paar Jahrzehnten niemand mehr die de-Quervain-Route nachlaufen. Sie wird sich bald zu einem großen Teil in Wasser verwandeln und ins Meer abfließen.

20. Juli 1912
Grönland, Inlandeis

Nun ist es für alle offensichtlich, dass der Küstenverlauf ein anderer ist als angenommen. De Quervains Männer können sich nicht erklären, warum er nicht mit ihrer Karte übereinstimmt. Haben sie sich bei den Breitengraden vertan, vielleicht, weil ihre Uhren nicht genau genug gingen? Warum zeigen die Höhenberechnungen immer noch 1300 Meter, obwohl es nur noch ein paar Dutzend Kilometer zum Ufer sind? Und warum tauchen plötzlich rechts vom Kurs runde Bergkuppen auf, die nirgendwo verzeichnet sind? Hoessly, der anders als der Rest der Gruppe zwar mit einem Skalpell, aber nicht mit Vermessungsinstrumenten umgehen kann, sieht sich in seiner Skepsis bestätigt. Schon lange vorher hatte er befürchtet, dass sie an einer völlig falschen Stelle herauskommen könnten: »Ja wüsset ihr jetzt, dass mer am rächte Punkt usse chömet? Nit dass mer uf eimol am Skoresbysund sind.« Der Skoresbysund liegt etwa 800 Kilometer nördlich des anvisierten Zielpunktes.

Berggipfel sind nun auch nach vorne zu sehen und endlich wieder das Wasser des Atlantiks: Rechts erstreckt sich das offene Meer bis zum Horizont, geradeaus geht es zu einem verzweigten Fjordsystem.

Doch der Weg dorthin ist von einem Spaltensystem aus Straßen und Querstraßen zerfurcht, außerdem wissen die Männer nicht, wo an diesen Ufern sie nun genau das überlebenswichtige Depot vermuten sollen. Laut ihren Messungen sind sie jedoch auf dem richtigen Weg.

De Quervain läuft auf Skiern voraus, sucht nach einer Route durch die Hindernisse, die drei Schlitten folgen. Viele der Spalten verdeckt Schnee, nur durch seine etwas hellere Farbe sind die Fallen zu erkennen. Die Hunde müssen immer wieder gebremst werden, damit sie nicht darüber hinwegrennen und einbrechen. Es wird steiler, mit Eispickeln krallen sich die Männer in den Untergrund, um nicht die Kontrolle über die schweren Schlitten zu verlieren. Oft müssen sie zu zweit ihre Fahrzeuge über Spalten wuchten. Immer wieder hacken sie ihre Eispickel in den Boden, um zu testen, wie stabil der Grund ist. Einmal spürt Hoessly, dass der Boden nicht hält. Für eine Schrecksekunde verliert er das Gleichgewicht, es geht abwärts. Zum Glück sinkt er nur bis zum Bauch ein und kann sich wieder herausarbeiten.

De Quervain läuft über eine Eiswelle und ist plötzlich nicht mehr zu sehen. Den drei anderen sieht es dort zu steil und gefährlich aus, also versuchen sie ein Stück weiter links eine Umgehung. Der Expeditionsleiter ist schon außer Rufweite, sie hoffen, dass er sie schon wiederfinden wird, sobald ihm klar wird, dass es nicht weitergeht. Doch als er merkt, dass ihm niemand mehr folgt, gerät er in Panik.

Es ist kurz nach Mitternacht, die Gruppe läuft nun wieder nachts. Ende Juli ist es nicht mehr 24 Stunden hell, schon hat die Dämmerung eingesetzt. De Quervain läuft zurück auf die nächste Anhöhe. Kein Schlitten zu sehen. Sind sie alle in eine Spalte gestürzt? Hat eine Unachtsamkeit die Expedition so kurz vor dem Ziel ins Verderben geführt? Er weiß genau, wie schwer die Gespanne zu kontrollieren sind, wenn ein paar Hunde plötzlich auf die Idee kommen loszurennen. Alles rennt dann hinterher, in dieser abschüssigen Gegend wären sie kaum aufzuhalten.

Der Firn ist jetzt ziemlich fest, de Quervain kann seine eigenen Spuren nicht mehr erkennen. Er ist allein. Allein in diesem Eislabyrinth, das zugleich beeindruckt und beängstigt. Aus den Spalten holt dich keiner mehr raus, wenn du abstürzt. Vielleicht macht gerade das die Faszination aus, doch einmal länger hinunterzublicken. Manchmal winden sich atemberaubende Traversen durch die Spalten, schmale Stege, die aus dem schwarzen Nichts entspringen, Überhänge, die eine sichere Passage nur vorgaukeln. Die langsame, aber unaufhaltsame Bewegung des gigantischen Eispanzers schafft Kunstwerke aus Kanälen und Canyons, die vergänglich sind wie der Mensch, der herunterblickt und den tiefsten Punkt nur vermuten kann.

De Quervain irrt zwischen den Eisbuchten herum, brüllt und sucht nach seinen Mitstreitern. Ein paar Dutzend Meter entfernt macht er ein paar schwarze Punkte aus. Hoessly? Gaule? Nein, die dunklen Stellen entpuppen sie sich als düstere Wände von Eisstürzen. Er sieht noch den Fjord vor sich, also weiß er grob, aus welcher Richtung sie gekommen sind. Aber unendlich erscheinen die Optionen, sich über die Hochplateaus zwischen Spaltenfeldern vorzuarbeiten. Er läuft zurück, den Hang wieder hoch statt bergab. Ob er an seine Parole »Der Tod oder die Ostküste« denkt, als er nun im Dämmerlicht nach Westen stolpert? Bergauf ist er langsam auf seinen Holzbrettern, er hat weniger Übung auf Skiern als die anderen drei.

Nach fast einer Stunde entdeckt er endlich zwei vertraute Linien im Weiß, etwa 50 Zentimeter auseinander: Schlittenspuren! De Quervain atmet auf. Er folgt den Spuren. Doch niemand ist zu sehen. Wenn die Linien plötzlich an einem Abgrund enden, ist alles vorbei. Solange sie weiterlaufen, ist alles gut.

Endlich, eine weitere Stunde später: Die Punkte da vorne gehören nicht zur Landschaft! Je näher er kommt, desto größer ist die Gewissheit, dass er die Männer und Hunde gefunden hat. Die erwarten eine Schimpftirade, doch de Quervain bringt kaum ein Wort heraus, so erleichtert ist er.

Kurz darauf erreicht die Gruppe das Felsgeröll der Randmoräne, die die Grenze vom Inlandeis zu den Gebirgshängen der Ostküste markiert. Sie haben das Eismonster überwunden. »Sie waren gute Begleiter«, sagt de Quervain, als er jedem reihum die Hand schüttelt.

21. August 2012
Grönland, Inlandeis

Bis ins 18. Jahrhundert reiste man in abgelegene Regionen der Erde, um neues Land für seinen Herrscher zu entdecken und Gold oder Gewürze zu finden. Danach ging es darum, die Karten der Erde zu verfeinern und Küstenlinien zu vermessen. Im 20. Jahrhundert beflügelten Expeditionen zu den Polen und auf die höchsten Berge die Phantasie der Menschen, Pioniere eroberten die letzten Regionen der Erde, die noch niemand betreten hatte.

Im 21. Jahrhundert ist das Abenteuer ein käufliches Gut geworden, das mehr Menschen als je zuvor offensteht. Extrembergsteigen auf den Everest, Paddeln in der Arktis, Segeltörns über den Pazifik, Grönland-Durchquerungen auf Skiern – für jeden Reisetraum gibt es einen Veranstalter, der ihn gegen entsprechende Bezahlung möglich macht.

Um trotz dieser Allgegenwärtigkeit des Abenteuers noch Aufsehen zu erregen, gibt es zwei Möglichkeiten: Entweder sucht man sich eine besonders abwegige Pioniertat heraus, auf die noch niemand gekommen ist, und wird dann der Erste, der die sieben zweithöchsten Kontinentgipfel erklettert hat oder der erste 13-Jährige auf dem Mount Everest. Oder man versucht, unterwegs einen möglichst spektakulären Film zu drehen. Skiabfahrten in der Einsamkeit, Helikopteraufnahmen von Klettertouren, hustende und röchelnde Achttausender-Besteiger hautnah – in HD gefilmt und mit lauten E-Gitarren unterlegt, wird die Wildnis zur Bühne für immer spektakulärere Selbstdarstellungen. Der Kampf um die größte alpinistische Leistung ist einem Kampf um die besten Bilder gewichen, eine logische Konsequenz aus der Tatsache, dass die ersten und zweiten Plätze längst vergeben sind. Man kann nicht mehr der Erstbesteiger eines Achttausenders werden, aber man kann versuchen, den besten Film von der Tour mitzubringen.

Glaubenskämpfe werden ausgefochten zwischen traditionellen Alpinisten, die nur die Leistung honorieren wollen, und einer jungen Generation, die es völlig normal findet, beim Snowboarden, Klettern oder Wingsuit-Fliegen zu erproben, was aus der Helmkamera-Perspektive am wildesten aussieht.

Was wir hier gerade machen, sieht nicht besonders wild aus. Vier Langläufer wuchten ihre Zugschlitten mit gleichmäßigen Schritten durch die eintönigste Landschaft der Welt. Jedes Filmteam würde verzweifeln.

Dafür sind wir mit hoher Wahrscheinlichkeit gerade die Ersten seit 1912, die die Etappen der historischen Zeltplätze 26 bis 29 nachlaufen. Denn wer auf Skiern aus dem Westen kommt, steuert weiter nach Süden, weil man dort leichter vom Eis herunterkommt.

Als ich mir dank dieser Gedanken gerade so richtig pioniermäßig vorkomme, sehe ich plötzlich ein paar kleine schwarze Punkte auf dem Eis vor uns. Menschen! Spielt jetzt meine Phantasie völlig verrückt? Sie sind etwa drei Kilometer weg, wir laufen hin.

Aus den schwarzen Punkten werden die Gestalten von sechs Männern und drei Frauen mit leicht beladenen Plastik-Pulkaschlitten. »Das passiert nicht so oft, dass man hier jemanden trifft«, sagt Andris Jakobsons mit einem breiten Grinsen. Wir kennen den sympathischen Letten aus Tasiilaq, er ist Mitarbeiter in Robert Peronis »Rotem Haus«. Seine Aussage ist eine massive Untertreibung: Nur ein paar Dutzend Menschen gehen pro Jahr so weit auf den grönländischen Eispanzer.

Er ist unterwegs mit einer Gruppe aus seinem Heimatland, die für ein paar Tage mit Steigeisen auf dem Eis herumwandert. Sie hält respektvoll Abstand, vermutlich riechen wir nach vielen Tagen ohne Dusche ein wenig streng.

Einige Filmkameras sind auf uns gerichtet, als wir uns mit Andris unterhalten. Er kann sich gut in unsere Situation hineinversetzen, weil er selbst zwei Inlandeis-Durchquerungen versucht hat und beide abbrechen musste. »Einmal war ich mit meiner damaligen Freundin unterwegs, das klappte gar nicht. Und beim zweiten Mal hatte ich nur Peronin als Nahrung dabei und habe das mit zu wenig Wasser gemischt. Das habe ich nicht vertragen.« Beim nächsten Mal klappt's bestimmt, sagt er zum Abschied. Ich weiß nicht, ob er sich meint oder uns. Acht weitere Letten wünschen uns »Good luck!« und ziehen weiter nach Süden, um dort einen Zeltplatz zu suchen.

Mit jedem gelaufenen Kilometer wächst die Zahl der Bergkuppen, die sich vor uns im Osten abzeichnen. Erst nur ein paar pyramidenartige Gipfel, zwei hohe, dazwischen ein niedrigerer, weiter rechts noch ein kleinerer. Dann immer mehr, bis eine komplette Gebirgskette vor uns liegt. Mit Gipfeln in der Form gigantischer Zähne und sägeblattartig gezackten Graten, zuletzt ist darunter auch das Meerwasser im Sermilik-Fjord mit seinen Eisbergen zu sehen. Was für ein versöhnliches Finale!

Land, Land, hat Opa gerufen, wie ein Seemann, obwohl er sich auf festem Grund befand. Einem festen Grund allerdings, der weniger Leben beherbergt als die meisten Gewässer. Im Meer leben Millionen Tiere, dort kann man angeln, im Eis nicht. Jeder Brösel Nahrung muss selbst transportiert werden. Entsprechend groß ist die Erleichterung, wenn endlich Felsinseln am Horizont erscheinen.

Die Expeditionsteilnehmer von 1912 hatten hier Angst vor Spalten und Schneesümpfen. Uns ergeht es ähnlich, denn über das Terrain vor uns haben wir keine Informationen. Sie merkten, dass sich der Untergrund hohl anhörte. Wir dagegen stoßen nun auf offene Spalten, die immer gewaltiger werden. Die ersten von ihnen lassen sich noch umgehen, doch bald führen nur teils haarsträubend aussehende Schneebrücken darüber hinweg.

Nachmittags ist der Schnee schon zu matschig und weich, um die halbwegs sicher passieren zu können. Deshalb schlagen wir nach einem Rekord von 29,7 gelaufenen Kilometern unsere Zelte auf.

Ich hatte vor der Abreise befürchtet, dass ich abends zu erschöpft sein würde, um noch zu schreiben. Doch ein ganz anderer Effekt tritt ein: Zwar sind die Beine schwer, heute ganz besonders, aber ich bin so fokussiert wie sonst nie, weil ich 24 Stunden am Tag im Jetzt lebe, ohne Ablenkung. Es gibt keine anderen Texte, die bearbeitet werden müssen, keine Hobbys, kein Feierabendbier mit Freunden, kein Kino. Ich bin frei von Facebook, Smartphone und E-Mail-Posteingang und froh, wenn die Satellitenverbindung lange genug hält, um ein paar Fotos zu versenden.

Der Solar-Akku erlaubt 120 Minuten Laptop-Betrieb pro Abend, gerade genug, um alle zwei Tage einen Text zu versenden. Im Alltag bin ich oft ein ruheloser Mensch, der von einer Aufgabe zur nächsten hetzt, mache immer drei Sachen gleichzeitig. Hier ist das anders, die Kargheit der Umgebung führt auch im Inneren zu einer tiefen Ruhe.

Der alte de Quervain wusste es schon vor 100 Jahren. »Für uns war Grönland eine Offenbarung«, schreibt er. »Und zu dem, was uns, oder wenigstens mir da offenbar wurde, gehört die klare Erkenntnis, dass wir, die wir uns als Kulturträger für weise halten, mit unserem Prinzip des ›Immer schneller‹ und ›Immer mehr‹ zu Narren geworden sind! Dadurch, dass es zehnmal geschwinder geht, dass wir an einem Tag zehnmal soviel hören, sehen und treiben können, meinen wir wohl den Lebensinhalt zu verzehnfachen? Wenn nun aber der Eindruck im gleichen Masse dürftig wird, als er flüchtiger ist? Was ist da gewonnen? ... Wenn die Eindrücke, die auf uns eindringen, zehnmal schneller daherstürmen, so wird dafür ihre Wirkung um das zehnmalzehnfache geringer. Und das Ergebnis ist dies, dass wir, je hastiger wir leben, um so ärmer werden!«

Am nächsten Morgen stehen wir schon um fünf auf, weil die Brücken morgens durch den Nachtfrost stabiler sind. Im Zickzackkurs mühen wir uns Kilometer für Kilometer, Stunde um Stunde voran und geraten schließlich in eine Sackgasse beängstigend großer Spalten. Nach meinem Segelfiasko, das uns einige

Zeit gekostet hat, habe ich noch etwas gutzumachen. Jetzt ist der Moment gekommen. Ich schlage eine Umgehung nach links über ein Schneefeld im Norden vor und gehe eine Route voraus, die uns fast drei Kilometer weiter in Richtung Ziel und weit weg von den Spalten bringt. »Ist doch gut, jemanden dabeizuhaben, der die richtigen Gene für so was hat«, sagt Wilfried.

Bevor wir aber festen Grund erreichen, müssen wir noch eine brutale Buckeletappe überstehen. Sechs Kilometer können verdammt viel sein, wenn sie durch einen Irrgarten aus Gletscherbächen und Hügeln aus Eis führen. Wir packen mal wieder so viel Gewicht, wie wir tragen können, in unsere Rucksäcke und laufen eine Dreiviertelstunde vor. Dann den gleichen Weg zurück, noch mal Rucksäcke füllen, noch mal gehen. Für den letzten Durchgang schnallen wir zwei Schlitten übereinander, weil wir befürchten, dass die beiden beschädigten Exemplare sonst durchbrechen würden. Einer zieht, einer hält hinten. Mit Repschnur und Haltegriff versuche ich, Gregors Pulka mit meiner im Huckepack vor dem Umkippen zu bewahren, bergab bremse ich ihn, bergauf sorge ich für mehr Zug. In orthopädisch fragwürdiger Haltung leicht nach vorne gebeugt, gebe ich mir alle Mühe, das Doppeldeckermonstrum aus Glasfaser und Karbon unter Kontrolle zu halten. Wie ein Blitzschlag trifft mich ein plötzlicher Schmerz im Kreuz. »Können wir kurz Pause machen?« Eine Minute Stopp, ein bisschen Gymnastik, dann weiter. Nach einer gefühlten Ewigkeit sind wir durch. »Das kann man nicht im Fitnessstudio trainieren, was?«, sagt Wilfried. Ein Studio, das solche Übungen anbietet, wäre schnell insolvent.

Die letzten Kilometer legen wir auf extrem scharfkantigem Untergrund zurück, ich taufe ihn Totes-Korallenriff-Eis, wie Schleifpapier kratzt es am Schlittenboden. Gar nicht so leicht, hier einen Platz zum Übernachten zu finden, wo man keine Angst haben muss, dass die Zeltböden reißen. Schließlich finden wir eine kleine Schneefläche unterhalb eines schwarzen Berges mit flachem Gipfelplateau. Ein auf seine ganz eigene Art idyllischer

Platz zwischen zwei Eisbächen, der nach Osten von einer Moräne begrenzt wird. Ich laufe die Geröllpiste hoch: Von oben müsste man einen guten Blick in Richtung Hundefjord haben.

21. Juli 1912
Ostgrönland, Tagebuch Roderich Fick

Wir waren alle sehr gespannt auf die Aussicht oben von der Moräne. Q. wollte keinen an dem grossen Augenblick ausschliessen, und so blieb niemand bei den Hunden und Schlitten zurück. Wir liessen die Hunde frei laufen und erstiegen dann alle zusammen den riesigen Moränenwall. Das Gefühl, wieder auf festem Steinboden zu gehen, war so merkwürdig schön! Und es waren so farbige schöne geaderte Blöcke und so rein!

Oben auf der Moräne hatten wir dann eine grossartige Aussicht auf den grossen Sermilikfjord und eine wilde felsige Vorlandschaft. Aber nichts stimmte mit der Karte! Mit dem Zeiss suchten wir das ganze sichtbare Ufer ab, um die rote dänische Fahne des Depots zu entdecken.

Wir suchten nach der Insel Umitujarajuit, aber da war keine Fahne und eine Menge kleiner Inseln und Halbinseln. Vor uns lag tief und steil unter uns ein weit ins Land zu uns hereinreichender Fjordarm, den ich gleich als solchen erkannte. Aber Q. behauptete steif und fest, es sei ein See in viel grösserer Höhe, das täusche so. Ich konnte aber genau die enge Verbindung mit dem Hauptfjord erkennen, die wir dann später auf unserem abenteuerlichen Fahrzeug durchfuhren. –

Unterdessen griffen die Hunde aber unsere Proviantsäcke an und Hoessli und ich mussten zurück zu den Schlitten und unsere Sachen retten und unsere gewohnte Arbeit tun und das Zelt aufrichten und alles zum Essen kochen rüsten. Unterdessen studierten Hü und Q. oben auf der Moräne an der rätselhaften Gegend herum.

Dann kamen sie auch runter zum Essen und Schlafen. Ursprünglich wollte Q. mit Hoessli die Depotsuche allein unternehmen und Hü und ich sollten am Inlandeis zurückbleiben. Wir haben uns schon auf die Zeit wo wir allein da oben sein würden gefreut, aber jetzt hatte Q. eingesehen, dass ihm Hü auf der Suche nach dem Depot doch wertvoller wäre und entschied, dass Hoessli und ich am Inlandeis bleiben sollten.

Q. hätte Hü und mir den Gefallen gern getan, aber es war so richtiger! Natürlich wäre jeder von uns gern mitgegangen. Und wir Zurückbleibenden krichten keine schöne Arbeit. Also wurde alles vorbereitet für die 2, Rucksäcke mit Lebensmitteln für 6 Tage, Instrumente, Waffe u. s. w. Dann legten wir uns alle schlafen – an der Ostküste!

Am nächsten Tag zogen Q. und Hü los auf Schneeschuhen auf dem Gletscher, der gegen Gauleberg und in die Petersenbucht abfliesst. Hü kam nochmal zurück, um noch irgend was Vergessenes zu holen, ich weiss nimmer was; und so waren Hoessli und ich dann mit den Hunden allein.

In diesen Tagen lernen wir, Hoessli und ich, uns eigentlich erst besser kennen und schätzen. Hoessli glaubt immer noch nicht so recht, dass wir am richtigen Platz an der Ostküste herausgekommen sind, er ist offenbar etwas gedrückter Stimmung wegen der ungewissen Lage! Ich versuch ihn zu beruhigen und weise ihn auf seinen Wunsch in die geographische Ortsbestimmung ein. Da es hier eigentlich nur noch auf die geographische Breite ankommt, so genügte es, dass wir die Breitenbestimmung durchnahmen. –

Aber auch wenn wir am richtigen Platz sind, so ist es ja unter den Umständen wegen der unrichtigen Karten doch fraglich, ob die anderen das Depot finden. Und dann wird uns noch eine schlimme Zeit bevorstehen.

Ich bin damit beschäftigt, den Plan für ein Boot zu machen, das aus unserem Schlitten und Zeltmaterial im Notfall gebaut werden soll. Holz wäre wohl gerade genug da, wenn wir alles verwenden, aber schlimm steht es mit dem Segeltuch! Wir haben an wirklich wasserdichtem Segeltuch nur das Segel und die grünen Schlittensäcke, die aber auch schon beschädigt sind.

Da die Stücke aber klein sind, müssten sie oft genäht werden, und das würde sehr lang dauern und mit Nähzeug steht es etwas knapp, besonders Garn! Und wir haben nichts Brauchbares da, um die Nähte zu dichten. Es kann sich noch furchtbar strafen, dass wir das grosse Segeltuchstück, was ich noch zuletzt an der Westküste in de Q.havn holen wollte, nicht mithaben. –

In dem Zelt selber hatten wir ein genügend grosses Stück Stoff, aber der Zeltstoff ist nur Baumwolle und wird nicht dicht sein. Zur Probe haben wir ein Stück Schlittensack aus demselben Stoff über das grosse Nansengefäss gehängt und Wasser drauf geleert. Aber sehr bald war das Wasser durch gelaufen. Also ist es nichts damit, denn wir haben nichts zum Dich-

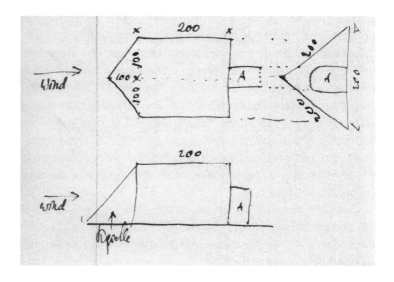

ten. Das Einzige wäre der Pemikan, aber den dürfen wir nicht dazu verwenden und zudem wäre auch der Erfolg recht fraglich.

Ich bin nach allem Versuchen überzeugt, dass wir kein wasserdichtes Boot fertig kriechen. Es bleiben uns also im Notfall nur noch 2 Möglichkeiten. Entweder:

Wir bauen ein undichtes Boot und versuchen darin zu fahren, während einer immer Wasser ausschöpft.

Wenn mehr Wasser reinkommt, wie wir schöpfen können, müssen wir halt versuchen, an Eisbergen und Grosseisschollen zu landen, dort immer das Boot zu entleeren und so schnell wie möglich die nächste Landungsmöglichkeit an einem andern Eisberg zu erreichen. Da der Fjord sehr viel Eisberge hat, so wäre die Ausführung dieses etwas gefährlichen Plans möglich.

Wir würden ja auch Eisberge finden, und Schollen auf denen man Zeltplätze bez. Lagerplätze machen könnte (das Zelt wird dann ja zum Bootbau verwendet sein). An Storisschollen findet man immer Landungsmöglichkeiten und Lagerplätze, an den Eisbergen allerdings viel seltener. Und Storis ist viel weniger da.

Aber wir haben Steigeisen und Pickel, und würden auch schwierigere Stellen überwinden können, und nur wenn keine ebenen Stellen oben vorhanden wären, könnten wir uns welche mit dem Pickel aushauen. Gemütlich wäre ein Nachtlager auf einem schwimmenden Eisberg aber nicht, denn er kann jeden Augenblick kalben, und wer weiss, ob er uns nicht von unserem Ziel wieder weiter abbringt. Also wenn irgend möglich, sollten wir dann die Querung des Fjords an einem Tag erzwingen und müssten uns zu dem Zweck erst die schmalste Überfahrtsstelle ermitteln. Wenn wir viel Treibeis hätten, wäre es schon eine andere Sache!

Oder: Wir warten an der Fjordküste, bis der Fjord zufriert, und gehen dann mit den Schlitten weiter. Das würde aber bis November oder Dezember dauern. Pemikan und Petroleum wäre noch für 2 Monate da. Dann müssten wir mit den 27 Hunden auskommen und vielleicht schiessen wir auch Bären und dann kanns nicht fehlen. Das Sattessen und die Abwechslung hört dann allerdings für lange auf, und dann kann auch Skorbut kommen und die Wartezeit wird einem sehr lang werden und dann kommen wir dies Jahr nicht mehr heim und man wird zu Hause uns für verloren halten. ...

Beide Möglichkeiten überlegen wir hin und her in allen Einzelheiten, und wir sind der Ansicht, dass es besser wäre, den gefährlichen Bootsplan auszuführen. – Entschliessen für das eine oder andere können wir uns ja erst gegebenenfalls, wenn der Bootsbau gemacht und der Erfolg damit ausprobiert ist.

Wir haben aber auch noch andere Arbeit wie Bootspläne. Es müssen Hunde geschlachtet werden. Wir wollen täglich etwa 3 bis 4 Hunde machen.

24. August 2012
Ostgrönland

Bis zum Zeltplatz 29, dem Ort, wo sich de Quervain und Gaule von den anderen beiden verabschiedeten, um das Depot zu suchen, sind es von unserem Lager aus etwa zwei Kilometer. Am Eisrand entlang folgen wir den Kurven und Windungen der Randmoräne nach Norden. Direkt über das Eis wäre die Strecke kürzer, doch dann müssten wir ständig über Bäche klettern. Die Halbschuhe fühlen sich leicht an, das lose Geröll unter den Füßen ungewohnt hart.

Viele Tage sind wir nur über gefrorenes Wasser gestapft. Ab heute sind wir keine Expedition mehr, sondern eine Trekking-gruppe mit Schatzsucherambitionen.

Die Koordinaten haben die Schweizer damals in ihrem wissenschaftlichen Bericht notiert: 66° 01′ 46″ Nord, 38° 12′ 7″ Ost, 822 Meter über dem Meer. Der Pfeil auf dem gelben GPS-Gerät zeigt die Richtung an, wir überqueren die Moräne und ein Schneefeld. Danach sind es noch 60 Meter auf steinigem Untergrund. Der Zeltplatz lag damals auf Eis, das noch viel weiter ins Tal reichte als heute. Wilfried staunt nicht schlecht, als sein GPS-Gerät eine Höhe des Punktes angibt, die 70 Meter unter der Messung von 1912 liegt. Ist es möglich, das selbst hier, so nah an der Moräne, eine solche Eismenge verloren gegangen ist in 100 Jahren?

Camp 29 war damals der Schauplatz eines furchtbaren Massakers: Schlittenhunde von der Westküste durften nicht an die Ostküste, um die Artenreinheit zu gewährleisten. Darum musste mein Opa hier einige Tiere erschießen, nachdem sie wochenlang so treu gedient hatten.

Ich laufe nun also durch ein karges Geröllfeld irgendwo in Ostgrönland und suche nach alten Hundeschädeln. Ein bisschen verrückt ist das schon, aber eigentlich dürfte hier nichts wegkommen.

Nach etwa einer halben Stunde finde ich in einer Vertiefung zwischen Felsbrocken tatsächlich Reste von einem Tierkopf: ein verwittertes Rentiergeweih. Rentiere hatten die vier damals allerdings nicht im Zuggeschirr ihrer Schlitten, also suche ich weiter.

Kurz danach entdecke ich erneut etwas Weißes, das nicht wie ein Stein aussieht: ein Knochen! Er ist etwa 20 Zentimeter lang und sieht nach einem Schienbein aus, ein Teil des Wadenknochens ist noch daran. Die Größe würde zu einem ausgewachsenen Schlittenhund passen. Ob ein Anatomieexperte erkennen könnte, zu welcher Tierart der gehört? Schon möglich, dass ich ein Stück von Parpu, Erselik oder Cognac in der Hand halte.

Zurück im Zelt gibt es für zwei Stunden nichts zu tun, und ich lese ein bisschen. Neben Opas Grönland-Erinnerungen habe ich auch Passagen aus weiteren Tagebüchern ausgedruckt. Zum ersten Mal habe ich Zeit, darin zu blättern.

Während die Grönland-Berichte größtenteils sehr sachlich gehalten sind, lässt er später tiefer in sein Inneres blicken. »Ich gehöre nun einmal zu den Verschlossenen, ich kann nicht anders, als meine Gefühle unterdrücken«, notiert er 1916 in der spanischen Kriegsgefangenschaft, in der er lange Briefe an die Familie und ausführlich Tagebuch schreibt. Am meisten notiert er, als er zwischen 25 und 35 ist. Leider sind kaum Texte erhalten aus der Zeit, als er 50 war. Seine Erinnerungen an den Nationalsozialismus, seine Karriere unter Hitler, das wäre hochinteressant, denn dem Papier vertraut er mehr an als seinen Mitmenschen. »Fick, der Schweigsame«, nennt ihn de Quervain einmal.

Warum er ein Eigenbrötler ist, beschreibt er selbst in einem Tagebucheintrag aus dem Ersten Weltkrieg: »Warum ich mich scheue, immer neue Menschen kennen zu lernen?

1) Ist es mir nicht möglich mit jemandem vom Wetter zu reden mit dem Hintergedanken, dass mir die Bekanntschaft einmal etwas nützen wird. Dann müsste ich schon gleich sagen: ›Kann ich etwas an Ihnen verdienen, ich bin Architekt.‹ Das bring ich aber auch nicht.

2) Ich scheue mich davor, mit Menschen ›intimer‹ zu werden, weil ich mich dabei eines Treubruchgefühls gegen meine alten Freunde nicht ganz erwehren kann. Ich habe zwar die Fähigkeit, viele Menschen wirklich gern zu haben. Da aber das Denken eine Gedankenkette ist, die *gleichzeitig* nur *einen* Gedanken zulässt, so kann ich auch nicht gleichzeitig mit der selben Innigkeit an mehrere Menschen denken und für sie fühlen. Es kommt da einer nach dem andern und je mehr Freunde, desto kürzer kommt der einzelne in meinem Denken.

So *muss* insbesondere durch eine neue Freundschaft, je inniger sie ist, die Treue in demselben Maass für die alten Freunde mindestens zeitweise abnehmen. Also meine Gefühle für die alten Freunde sind es, die mich gegen die Menschen verschlossen machen.«

Im Ersten Weltkrieg dient er als Offizier in Kamerun, die Aufgabe liegt ihm nicht, aber er lernt viel über sich selbst und seine Fähigkeiten im Umgang mit anderen. Der Krieg habe ihm gezeigt, »dass ich kein ›Krieger‹ bin«, gesteht er in einem Brief an seine Mutter, und er weiß, dass er damit den militärbegeisterten Vater schwer enttäuscht. »Die berauschende Kampfeslust, die es geben soll, kenne ich nicht. ... Ich bin zu gutmütig und zu schwach und denke bei meinen Befehlen immer dran, dass ich den Betreffenden nicht zu sehr in Gefahr und Anstrengungen bringe und wenn ich einen eben mal auf eine scharfe Patrouille schicken muss, so leide ich da drunter und denke: ›Den schicke ich in Gefahr, und bleibe selber zurück.‹ ... Ich wundere mich, mit welcher Selbstverständlichkeit die andern Offiziere die Untergebenen als Menschen 2ter Klasse behandeln und ansehen, und wie sie nach oben ›gehorsamst‹ sind. – Beides ›bring‹ ich nicht! ... Die Untergebenen haben natürlich schnell meine schwachen Punkte raus und nützen meine Schwäche häufig aus.« Die Situation eskaliert so weit, dass die afrikanischen Soldaten in seiner Kompanie (die Schutztruppe bestand aus ein paar Dutzend Deutschen und Hunderten Kamerunern) schließlich den Gehorsam verweigern, eine Meuterei anzetteln und sich aus dem Staub machen. Die Deutschen folgen ihnen, können sie aber nicht einholen. »Wir erreichten noch einen Platz, wo die Meuterer gehalten haben mussten. Da lagen erbrochene Tropenkoffer, und ich erkannte auch meinen darunter«, schreibt Roderich. »Er war offen und leer. Drum herum lagen überall zerstreut meine Briefschaften. Ich sammelte davon, was ganz war; denn vieles war sorgfältig in kleine Fetzen zerrissen, so auch das 2te Grönlandtagebuch. Auch einige Lichtbilder waren zerrissen, andere fehlten. Das vom Vater in Uniform von 1914 war auch weg. Geld, Uniformen und Wäsche waren spurlos verschwunden! Das erste Grönlandtagebuch fand ich unversehrt wieder. Mein Bargeld war natürlich auch weg.«

Ich muss innehalten beim Lesen: Um ein Haar wäre das Tagebuch für immer verloren gewesen. Dieser Schatz aus Papier und

Tusche, meine Eintrittskarte ins Abenteuer und in den Kopf meines Opas, hat nur durch Zufall den Krieg in Kamerun überstanden, lag stundenlang im Dschungel von Kamerun herum. Und ich habe mir Sorgen gemacht, als meine Mutter das »scheissende Rabenbüchli« letztes Jahr in der Plastiktüte mit zum Trekking nach Grönland nahm.

Am Nachmittag steigen wir noch auf die schwarze Bergkuppe direkt vor unserem Zeltplatz. Opas Steinmann steht noch. Ich hinterlasse in einer leeren Vitamintabletten-Plastikhülse eine Nachricht zwischen den Felsbrocken. Gute Arbeit, sehr stabil, der Erbauer war ja Architekt und kannte sich mit Statik aus.

Der Blick auf den Sermilik-Fjord phänomenal. Ich stehe neben Opas Leuchtturm und blicke auf Opas Berg, Ficks Bjerg, im Abendlicht. Und plötzlich sehe ich es de Quervain nach, dass er diesen Berg ausgewählt hat und keinen der spektakulären Gipfel auf der anderen Fjordseite. Er mag nach außen hin keine Schönheit sein, doch dieser Berg bedeutete den Männern etwas. An seiner Flanke entlang führte der Weg zurück ins Leben: ein langer zerklüfteter Finger, ein ewiger Wegweiser, der nach Südosten deutet. Vom Eis weg aufs offene Meer.

22. Juli 1912
Ostgrönland, Tagebuch Roderich Fick

Anfangs waren wir insofern vorsichtig und rücksichtsvoll gegen die Hunde, indem wir den zum Schlachten bestimmten erst eine ganze Strecke weit von den anderen weg hinter einem Moränenklotz angebunden erschossen. Hoessli wollte nicht schiessen und so musste ich das machen. Zuerst kannte ich die

Anatomie des Hunds nicht und schoss zu tief durch den Schädel, dass grausame Szenen vorgekommen sind.

Ein so schlecht getroffener Hund schrie und wälzte sich rasend am Boden rum, dass der 2te Schuss garnicht so leicht anzubringen war. Beim Schlachten kamen aber schon die andern Hunde an und waren schwer abzuhalten über den toten herzufallen und sich satt zu fressen oder lieber noch zu überfressen. Am meisten waren sie auf den Kopf aus.

Den Kopf schnitten wir gewöhnlich ab und überliessen ihn den Hunden, die sich darum zankten. Ich habe vergeblich versucht, eine Aufnahme zu machen, wie Mons mit dem von den anderen Hunden eroberten Kopf im Maul abzog!

Bei solch roher Fressgier waren wir dann nicht mehr so rücksichtsvoll, und ich schoss den ausgesuchten Hund zwischen den andern drin aus der Entfernung. Dann hatten wir Mühe, die andern abzuhalten, dass sie drüber herfielen, und gewöhnlich fingen sie immer am Kopf des Toten an abzufressen. Wir nahmen die Felle ab und machten uns damit unser Zeltlager weicher.

Die ausgeweideten Hunde wurden in Steingräbern aus Moränenblöcken aufbewahrt. Die Eingeweide kriechten die Hunde zu fressen.

Diese scheusslichen Scenen und widerlichen Arbeiten wiederholten sich täglich und wurden durch einen immer stärker werdenden Föhnsturm vom Eis her erschwert. Wir flüchteten mit unserem Schlachtplatz über die Moräne in den Windschatten. Dort stellten wir auch den Theodolit auf und ich machte eine Aufnahme der Petersenbucht mit Depressionswinkeln und die Horizontaufnahme des ganzen Panoramas.

Der Sturm wird so stark, dass wir mit dem Zeltlager alles auf einen Schlitten gepackt um die Moräne im Bogen herum auf die Südseite fahren und dort, wo einigermassen Windschatten ist, schlagen wir auf einer schön geaderten Granitplatte unser Zelt wieder auf mit der Unterlage aus den Fellen der geschlachteten Hunde. Das Zelt wird mit schweren Steinen verspannt.

Aber das Zelt knattert im Sturm wie eine Fahne und die Zeltstangen springen immer wieder auf den harten Felsboden. Nachts wird es so arg, dass wir doch für das Zelt fürchten und wir dran denken müssen, es bis der Sturm vorbei ist umzulegen, denn reissen darf es nicht wegen dem bevorstehenden Bootsbau. Wir liegen oft wach im Schlafsack im Zelt und beobachten, ob es noch hält, und es hat gehalten.

Die beiden andern Schlitten stehen noch oben auf dem Eis hinter der Moräne. Ich musste mehrmals hin, um noch die meteorolog. Instrumente zu holen.

Dabei hab ich den stärksten Sturm erlebt. Er war so, dass ich nur kriechend über die Moräne hinüberkommen konnte. Das Atmen war nur mit Vorhalten der Hand oder von der Seite möglich. Ich versuchte einmal zu stehen, was oben auf der Moräne ganz unmöglich war! Die Fahnenbambusstange war schon trotz guter Verspannung ganz schief geblasen und die Fahne dran vollkommen zerfetzt und fast nicht mehr vorhanden. Ich versuchte sie wieder besser zu stellen, es gieng aber nicht.

Die schwedischen Laufski von Hü waren in den Schnee gesteckt und waren trotz ihrer geringen Angriffsfläche umgeknickt. Das war auch insofern bedenklich, als sie doch schon auf dem Bootsplan enthalten waren. Ich legte einen Zettel in die erste Schlittenkiste des Inhalts, dass wir südlich der Moräne auf den Fels umgezogen seien zum Schutz vor dem Sturm, der jedenfalls viel über 20 m/sec gewesen ist. Ich habe ihn nicht gemessen, weil ich fürchtete, das Anemometer dabei zu zerstören. Dann kroch ich über die Moräne zurück und fürchtete für meine Knochen.

Nachdem der Sturm ausgetobt hat, giengen wir beide hinauf über die Moräne, um zu sehen, was bei den Schlitten los wäre. Es waren immer einige Hunde droben bei den Schlitten geblieben. Aber welche unangenehme Überraschung, als wir auf der Moräne oben ankamen! Die Schlitten waren nicht vom Sturm, sondern von den Hunden völlig abgepackt, und die zerbissenen Schlittensäcke und Proviantbüchsen lagen zerstreut umher.

Die Lage konnte kritisch sein, wenn die Hunde die Büchsen wirklich aufgebissen haben. Also schnell hinunter und nachsehen. Der grösste Teil unseres Proviants war noch zu retten, aber was an Lederzeug und zerstörbarem Zeug da war, war zerbissen und gefressen. Hoessli hielt das kleine Weibli von meinem Gespann für den Hauptübeltäter, und ich hatte mein Gewehr bei mir und schoss vom Schlitten aus und habe den Schuss so schwer bereut. Es gieng unmittelbar hinter den Kopf, durch den Hals ganz oben und ich begriff nicht, dass der Schuss nicht tödlich war und das Rückenmark unverletzt geblieben war. Das kleine Weibli lief heulend und blutend die Moräne hinauf, begleitet von einem Teil der andern Hunde, und liess eine starke Blutspur hinter sich. Ich liess es laufen, ich war nicht fähig zu handeln und blieb auf dem Schlitten eine Zeit lang sitzen. Noch war nicht alles untersucht, was die Hunde verübelt hatten. Es mussten aber noch einige Hunde ohnehin dran glauben, und wir beschlossen, den grauen grossen Hund von Hüs Gespann zu töten, ich schoss ihn auch vom Schlitten aus mit aller Zielsorgfalt und er fiel um wie ein Stein und gab keinen Laut von sich.

Aber wieder hab ich einen Schuss getan, der mich heut noch reut, das zeigte sich gleich. Auch unter den wilden gierigen Hunden gab es doch echte Freundschaften. Der kleine Schwarze von Hü war immer mit dem zusammen. Sie waren immer nebeneinander im Gespann gelaufen und auch sonst immer beieinander. Der kleine Schwarze blieb bei dem Toten liegen und verstand offenbar nicht recht, was los war. Er war sehr bekümmert, dass sein Freund nicht mit ihm spielen wollte und so liegen blieb; er legte sich neben ihn und blieb da liegen.

In der Nacht hörten wir ihn wimmern, er merkte jetzt vielleicht erst, dass sein Freund tot war. Am nächsten Morgen kamen wir hinauf zu ihm über die Moräne, um die Schlitten wieder so gut wie möglich in Ordnung zu bringen. Der kleine Schwarze lag so traurig neben seinem Freund, nahm keine Notiz von uns und verweigerte das Fressen. Er war nicht mehr wegzubringen, auch als wir von der Moräne abreisten, blieb er liegen und ist dann jedenfalls dort verhungert. Wir haben ihn beim Weggehen nicht erschossen, weil wir dachten, er würde schliesslich doch unserer Spur folgen. Er ist aber nicht nachgekommen.

25. August 2012
Grönland, Ostküste

Ich sitze nach dem Frühstück im Küchenzelt, lese diese Passagen und habe das Gefühl, mich auf der Spur eines schießwütigen Killers zu befinden. Wie sachlich und detailliert er das Töten beschreibt! Wie schön wäre es, stattdessen einen friedfertigen Schaukelstuhlopa zu haben und nicht diesen jungen Cowboy mit seinem rauchenden Gewehr!

Sozialpsychologen haben herausgefunden, dass eines der wertvollsten Merkmale einer gesunden Opa-Enkel-Beziehung die bedingungslose Wertschätzung ist. War ich damit zu voreilig? Oder ist das eigentlich Grausame doch vielmehr die Idee, mit 29 Hunden durch die Eiswüste zu laufen, deren Tod von Anfang an beschlossene Sache ist? Auch Amundsen hat bei seiner Eroberung des Südpols die Zugtiere als Proviant mit eingerechnet. Was würden Tierschützer dazu sagen, wenn das heute jemand wagte?

Ich denke an die anderen Bilder, die ich von Roderich Fick in meinem Kopf mit mir herumtrage, Bilder von später, aus den Dreißiger- und Vierzigerjahren. Aus der Zeit, in der seine Expeditionskollegen schon längst tot waren, sie starben jung, keiner von ihnen hat sein 50. Lebensjahr erreicht.

Denn das ist die andere Wahrheit über meine Grönlandreise, die ich mir erst jetzt eingestehe: Ich wollte unbedingt, dass Opa mir wenigstens als 25-Jähriger gefällt, weil ich es schwierig finde, ihn als 50-Jährigen zu mögen. Das Eis war die weiße Leinwand, auf der mein Wunschbild entstehen sollte. Das Wunschbild von meinem neuen besten Freund, zum Leben erwacht aus dem Tagebuch.

Deshalb bin ich erleichtert, als ich ein paar Seiten später eine Passage entdecke, die mir sehr menschlich vorkommt: »Das Erschiessen der Hunde geht mir sehr nah«, steht dort. »Ich muss immer wieder dran denken, wie anhänglich die raue Gesellschaft geworden ist; besonders tut mir der grosse Jakobshavner leid, der mir selber immer die Schnauze zum Zubinden hingehalten hat und mir überallhin gefolgt ist. Manchmal, wenn ich allein bin, kann ich in dem Gedanken an seinen Tod die Tränen nicht zurückhalten. Ich hab's sogar jetzt nach 2 Jahren in Kamerun noch nicht überwunden, und ich möchte noch alle Peitschenhiebe, die ich auf der Reise den Hunden gegeben hab wieder zurücknehmen.«

Wilfrieds Schimpftiraden am Laptop nebenan reißen mich aus der Lektüre. Sein Optimismus hat auf unserer Expedition spürbar gelitten. Er hat versucht, per E-Mail unsere Flüge umzubuchen, als Antwort kam eine Mail mit 500-Kilobyte-Anhang. Per Satellitentelefon dauert es mehr als eine halbe Stunde, so eine Datenmenge zu laden. Mir fällt auf, dass Wilfried zu den Menschen zählt, die in ganzen Sätzen fluchen können. Das ist gar nicht so einfach, die hohe Kunst besteht darin, alle Worte in gleichbleibend wütendem Tonfall ohne hörbare Interpunktion zu intonieren (probieren Sie es mal mit dem Fluch »JetzthabendieBlödmänner vonAirGreenlandihreganzenScheißAGBsmitgeschicktdiebraucht dochkeinMenschhierverdammteScheiße!«).

Nach einer gefühlten Ewigkeit sind alle Paragrafen und Unterparagrafen geladen, und wir können endlich aufbrechen. Wir wollen noch für ein paar Tage unten am Hundefjord zelten. Mit 25-Kilo-Rucksäcken beginnen wir den Abstieg in Halbschuhen, keiner hat vernünftige Wanderstiefel dabei. Das Küchenzelt und die Pulkas lassen wir stehen. Der Weg erfordert volle Konzentration, weil wir alle nicht das richtige Schuhwerk für eine Bergtour mit schwerem Gepäck dabeihaben. Eine ganz schöne Plackerei. »Die Ostküste oder der Tod«, sage ich in einer Pause. Keiner lacht.

Es ist ein Wunder, dass wir nach Stunden mit acht intakten Sprunggelenken im Tal ankommen. Viel Grün, Wollgras und Wurzelranken im Boden, es riecht nach feuchtem Moos. Schwarze Mückenknäuel summen um unsere Köpfe, am Ufer kreisen zwei Möwen und mehrere Sperlinge. Wie konnte ich nur diese bunte Pracht vor einem Jahr als Kargheit empfinden? Mitten im pulsierenden Leben bauen wir unsere Zelte auf.

Schriftliche Anordnung von Expeditionsleiter Alfred de Quervain, doppelt ausgefertigt:

21. Juli. Zeltplatz 29. Quervain geht mit Gaule für zwei bis drei, unter Umständen vier bis fünf Tage, nach der Südsüdosthalbinsel (»Gauleberg«) zur Orientierung und Auffindung des Depots; dieses vermute ich auf der Fjordküste der Halbinsel Gauleberg in circa 18 Kilometer Distanz. An Halteplätzen hinterlassen wir Notizen über weitere Richtung. Hoessli und Fick bleiben bei Zeltplatz 29; werden mit vorhandenem Material Bootsplan im Detail ausarbeiten; eine Anzahl Hunde schlachten und Fleisch sicher begraben, Horizontaufnahmen, meteorologische Beobachtungen und Chronometer besorgen. Bleiben wir länger als sechs Tage aus, so sollen sie in angegebener Richtung nachsehen; dann aber alles tun, um selbst Angmagssalik zu erreichen und Resultate zu bergen, bei Zeltplatz 29 Notiz und Notproviant hinterlassen; Ausgangspunkt der Bootsfahrt auf jeden Fall in vermuteter Depotgegend. Quervain.

Rechts steht Opa mit einer Art Trachtenhut, links daneben Adolf Hitler mit Militär-Schirmmütze. Beim Blättern in einem Buch über Architektur im » Dritten Reich « habe ich das Foto vor ein paar Jahren in Herrsching entdeckt. Zwei auf so verschiedene Art vertraute Gesichter, vereint auf einem Dokument. Neben Hitler stehen außerdem noch die NS-Architekten Hermann Giesler und Albert Speer, teure Parkas, sauber gescheitelte Haare. Mir wurde ein bisschen schwindelig, ich musste das Buch kurz weglegen, so fremd, so falsch kam mir dieses Zusammentreffen von Privat- und Weltgeschichte vor, der Schwarz-Weiß-Beweis für Opas Pakt mit dem Diktator.

Natürlich wusste ich, dass er im » Dritten Reich « ein erfolgreicher Architekt war, der mehrere Großaufträge von den Nationalsozialisten erhielt. Aber ein Bild ist stärker als tausend Worte, viel wurde über das Thema nicht gesprochen in unserer Familie.

Bei der Einweihungsfeier seines Hauses der Deutschen Ärzte in München, Brienner Straße 23, lernt er 1935 den architekturbegeisterten Hitler persönlich kennen. Dem gefällt sein traditionsorientierter Baustil, er lädt ihn zu einem Gespräch in die NSDAP-Zentrale » Braunes Haus « ein, die sich nur ein paar Häuser entfernt befindet. Kurz darauf hat mein Großvater seinen ersten Auftrag für die Nazis in der Tasche: die Rudolf-Heß-Siedlung in Pullach, ein Luxus-Wohnareal auf 68 Hektar Fläche für die Parteielite. Dabei hat er noch am 30. Januar 1933, dem Tag der Machtergreifung, an seinen engen Vertrauten Heinrich Zierl geschrieben: » Dass sie den Hitler jetzt doch angesetzt haben, ist mir nicht recht behaglich. Allerdings kann er ja allein nicht viel machen, da ihm allerhand Bremsen beigegeben sind. «

Doch der wirtschaftliche Anreiz und die Freude über Wertschätzung von höchster Stelle wiegen stärker als politische Vorbehalte: Nach vielen Jahren, in denen er sehr kämpfen musste, um über die Runden zu kommen, ist er nun auf dem besten

Weg, Karriere zu machen. Er entwirft eine Kaserne für Gebirgs-jäger in Sonthofen, Brücken in Regensburg und Bad Tölz. Schließlich nimmt er mehrere Aufträge für den Obersalzberg an, Hitlers Rückzugsort in Berchtesgaden.

Sein berühmtestes Bauwerk dort ist das Kehlsteinhaus, errichtet auf einem 1820 Meter hohen Bergsporn mit Traumblick auf Watzmann und Königssee. Die NSDAP schenkt Hitler den Prachtbau zum 50. Geburtstag – samt Kamin aus Carrara-Marmor, Wänden aus Zirbelholz und einem 124 Meter hohen Aufzug mit Messingverkleidung in den Kabinen.

Der Aufwand der Planungen ist enorm, mein Großvater – ich nenne ihn jetzt nicht Opa, so fern kommt er mir in seinen späten Jahren vor – muss in kurzer Zeit viele neue Mitarbeiter einstellen. »Ich weiss garnicht, wie man ein so grosses Büro leitet. Ich bin nachgewiesenermassen der Dümmste im Büro. Die andern sind alle sehr gescheit. Was macht man da?«, fragt er in einem Brief an Zierl.

Ein noch weitaus größeres Problem sind die ständigen Streitigkeiten mit dem NSDAP-Reichsleiter Martin Bormann. Der für seinen Jähzorn berüchtigte persönliche Sekretär Hitlers ist der zweitmächtigste Mann im NS-Staat und Oberaufseher sämtlicher Bauten auf dem Obersalzberg. Auf den Baustellen führt er ein unbarmherziges Regiment. Wenn ihm Details nicht gefallen, reagiert er mit Wutanfällen, vor allem das riesige Hotel »Platterhof« entwickelt sich nicht so, wie er es sich vorstellt.

Schließlich hält es der Architekt nicht mehr aus: »Mit Bormann hatte ich insofern Differenzen, als dass er von mir verlangte, dass ich nachdem ich das Hotel ›Platterhof‹ fertig gebaut habe, auch dort noch ein Laden- und Postgebäude baue. Das Baugelände liess es nicht zu und Bormann wollte das nicht einsehen. Ich habe ihm kurz darauf geschrieben, ich möchte von meinen Bauten auf dem Obersalzberg zurücktreten. Ich habe Entlassung bekommen, sogar in beleidigender Form«, sagt mein Großvater später vor der Spruchkammer X in München. »Ich habe zu Hitler gesagt, dass ich auf dem Obersalzberg nicht weiterarbeiten kann, da ich die Behandlungsweise Bormanns nicht vertrage.«

Nun kann er sich ganz auf ein zweites Großprojekt konzentrieren. Auf Hitlers Wunsch übernimmt er als Reichsbaurat einen ambitionierten Bauplan für die »Führerstadt Linz«. In dieser Position ist er Hitler direkt unterstellt, allein im Jahr 1939 finden zwölf persönliche Besprechungen statt. Aus der Stadt, in der der Diktator seine Jugend verbracht hat, soll ein »deutsches Budapest« entstehen. Entlang der Donau wünscht Hitler sich eine Prachtstraße mit Galerien, einer Oper, einem Schauspielhaus und dem »Führermuseum« – der größten Kunst- und Gemäldesammlung der Welt.

Mein Großvater muss erneut sein Büro vergrößern, bald bekommt er als Arbeitsstätte ein Schloss zugewiesen, Tillysburg in Oberösterreich. Er beschäftigt nun etwa 100 Mitarbeiter. Und hat neue Feinde: die Linzer Behörden, deren Macht durch seine Einberufung beschnitten wird, und den Linzer Reichsstatthalter August Eigruber.

Auch Bormann macht weiter keinen Hehl daraus, dass er den Reichsbaurat für eine Fehlbesetzung hält. In den folgenden Jahren kommt es immer wieder zu Streit, die Kompetenz und Führungsqualitäten des Architekten werden angezweifelt. Zudem engagiert er sich nicht in der Partei, was ihn bei manchen Funktionären von vornherein verdächtig macht.

Tatsächlich überfordert ihn die Aufgabe: Weil mein Großvater künstlerisch keine Kompromisse eingehen will, verstrickt er sich immer wieder in Details, anstatt sich um das große Ganze zu kümmern, außerdem fehlt es ihm an Durchsetzungsfähigkeit. Er ist Künstler, kein Politiker oder Geschäftsmann, kein Verhandlungsprofi. Und plötzlich hat er es mit Politstrategen zu tun, die das Instrumentarium der Machtspiele und Intrigen perfekt beherrschen. Fick treffe keine Entscheidungen und seine Anweisungen seien oft »unpraktisch, unwirtschaftlich, unklar und verworren«, berichtet Eigruber an Bormann. Der Architekt wendet sich nun immer wieder hilfesuchend an Hitler. Doch auch dessen

Unterstützung schwindet mit der Zeit, weil auch er merkt, dass Fick mit seinem dezenten Stil für Monumentalbauten nicht der Richtige ist.

Er beauftragt den Architekten Hermann Giesler, der schon für den Ausbau der Stadt München zuständig ist, die protzigeren Bauten in Linz und viele Aufgaben des Reichsbaurats zu übernehmen. Das Amt behält mein Großvater trotzdem bis zum Kriegsende, obwohl er nun nur noch wenig Einfluss hat.

Vielleicht bedeutet die Entmachtung nach all den Kämpfen eine Erleichterung. Eine seiner in dieser Zeit ziemlich spärlichen Tagebuchnotizen aus dem Jahr 1944 bestätigt das: »Die Ablenkung durch Überarbeitung, die mir lange Zeit willkommen war, ist mir nicht mehr erwünscht. So befasse ich mich mit Gedanken, beruflich allerhand aufzugeben und nach dem Krieg die große berufliche Aufgabe als Reichsbaurat, die mir ja garnicht liegt, aufzugeben und nur noch die Hochschule und einige wenige besonders schöne Bauten zu machen. Dann möchte ich das nachholen, was ich in meiner Jugend an wissenschaftlicher Bildung und Kunststudium versäumt habe.«

Mit der Hochschule ist es jedoch nach Kriegsende vorbei: Die Anstellung als Professor verliert er 1945 wegen seiner Rolle unter den Nationalsozialisten, als Architekt wird er mit einem Berufsverbot belegt. Erst drei Jahre später stuft ihn ein Spruchkammerverfahren als »Mitläufer« ein. Nach Zahlung einer Geldstrafe von 1500 Mark darf er wieder als freischaffender Architekt arbeiten.

22. Juli 1912
Grönland, Ostküste

Morgens um halb vier brechen de Quervain und Gaule auf, es weht ein leichter Wind aus Nordnordwest, die Temperatur liegt knapp über dem Gefrierpunkt. Ein Zelt nehmen sie nicht mit, dafür Pemmikan und Kondensmilch für drei Tage, Notrationen für zwei weitere Tage und eine geladene Browningpistole für Eisbären. Und eine handgezeichnete Kartenskizze voller Fehler, die sie in die Irre laufen lässt. »Da grüßten uns die ersten Pflanzen«, schreibt de Quervain. »Eine armselige Carex, die uns aber prächtig vorkam, und dann eine kleine Nelke und eine Zwergweide. Nun stand uns eine lange Wanderung über den Bergrücken bevor. Die Entfernungen können kaum richtig beurteilt werden; höchstens gibt der abgestufte Farbenton einen Anhaltspunkt: Die nahen Felsen erscheinen braun, die weitern rötlich, sehr weit entfernte violett.«

Die Skizze muss tatsächlich extrem ungenau sein, wenn sie den Kartographieprofi de Quervain derartig verwirrt. Von den drei Felszungen Hoessly Bjerg, Ficks Bjerg und Gaule Bjerg steuert er die südlichste an.

Nach vielen gelaufenen Kilometern müssen er und der Namenspate des Berges feststellen, dass hier ganz bestimmt kein Depot zu finden ist. Dafür entdecken sie vor sich im Fjord die große Insel Kekertatsuatsiak. Die existiert schon mal, immerhin. Vermutlich können beide ihren Namen inzwischen problemlos aussprechen. Doch wo ist Umitujarajuit, der andere Zungenbrecher? Sie sehen nicht nur eine kleinere Insel daneben, wie die Karte vorgaukelt, sondern ganz viele.

Es ist schon spät, also beschließt de Quervain, hier zu übernachten. Sie zünden Heidekraut an, als Signalfeuer für etwaige Inuit-Zeltlager am anderen Ufer des Sermilik-Fjords und zum

Wärmen, dann legen sie sich in ihren Windjacken aus Segeltuch daneben.

Mehrere Tage irren sie noch an der Küste mit ihren vielen kleinen Fjordarmen herum und suchen nach einer dänischen Flagge als Markierung. Immer wieder sehen sie es rot aufblitzen, doch das ist nur der bunte Gneis. Die Essensvorräte werden knapp, und die Sorge wächst, ob hier überhaupt ein Depot zu finden ist. Einmal immerhin, notiert de Quervain, »konnten wir uns vorübergehend einem philosophischen Thema zuwenden, nämlich dem Begriff und Umfang des Gegenwärtigkeitsvermögens, und zwar, nach beliebtem Muster, a) beim Kinde, b) bei den Griechen, c) bei einem vollkommenen Wesen. Letzterer Abschnitt wurde gestört durch neue eklig glatte und schräge Platten, die uns gar zu gerne in den Fjord befördert hätten und unsere Gedanken vom Gegenwärtigkeitsvermögen im allgemeinen auf die Gegenwart im speziellen richteten.« Zu schade, dass diese in der Geschichte Ostgrönlands wohl einmalige Debatte vorzeitig abgebrochen werden musste!

Die beiden wandernden Philosophen steigen die Flanke zu Ficks Bjerg hinauf und laufen über die Felszunge vor Hoesslys Bjerg erneut zum Fjordufer. Dort, endlich, entdecken sie einen Steinmann! Ein Weidenzweig hängt als Wegweiser zwischen den Felsbrocken, er deutet nach Nordosten. Gaule greift zum Fernglas. Tatsächlich, unten am Ufer steht ein zweiter Steinmann. »Daraufhin beschliessen wir, aus dem Rest unseres Proviants ein Bankett zu veranstalten. Es kamen auf jeden noch fünf Kaffeelöffel kondensierte Milch und anderthalber Fingerhut Brotkrumen«, erinnert sich de Quervain.

Eine Stunde später stehen sie neben einem im Föhnwind wehenden Danebrog und lesen einen Zettel von Johan Petersen, dem Ortsvorsteher von Angmagssalik: »Willkommen; die Kajake liegen unten am Ufer und die Kamiker liegen drin.« Vor ihnen stehen Holzkisten mit all den Dingen, die de Quervain im August 1911 für dieses Lager per Schiff hat herschicken lassen. 25 Kilo Pemmikan, fünf Kilo Schokolade, sechs Gläser Kirschmarmelade, sechs Gläser Reineclaudenmarmelade, eine Dose Maggi-Bouillon, fünf Stangen Maggi-Suppen und viele weitere Köstlichkeiten, dazu ein Zelt, Seifenstücke und Ersatz-Sonnenbrillen.

Die Verlockung ist groß, sich richtig satt zu essen, doch die beiden Männer wissen, dass ihre Mitstreiter oben am Eis seit fünfeinhalb Tagen warten. Deshalb entzünden sie nur noch schnell ein Signalfeuer und gehen zum Ufer. Mit den vier Kajaks, zwei im Schlepptau, paddeln sie durch die Hoffnungsbucht, zurück nach Westen. Die ganze Nacht sind sie unterwegs, bis sie morgens um 9 Uhr endlich die anderen erreichen. Gaule stürmt vor und verkündet knapp die frohen Botschaften. »Depot da?« – »Ja!« – »Kajake da?« – »Ja, alles tadellos!« De Quervain fährt ihn an, er solle still sein, und berichtet dann selbst von der abenteuerlichen Suche.

Dann fallen Gaule und er in einen tiefen Schlaf im Zelt. Die anderen beginnen, alles für den Abstieg vorzubereiten.

25. August 2012
Grönland, Ostküste

Vor meiner Abreise nach Grönland bekam ich ständig Ratschläge, was bei einer Begegnung mit einem Eisbären zu tun sei. Nicht so viel essen, dann frisst der zuerst einen der anderen. Laut schreien und mit den Armen wedeln. Mit einem Foto der Berliner Zoo-Eisbären-Legende Knut wedeln und »Friend, friend« rufen.

Oder auf einen Baum klettern. Wegrennen. Totstellen. Singen und in die Hände klatschen. In eine Trillerpfeife pusten. Mit Pfefferspray einsprühen. Schneebälle werfen. Noch ein paar schöne

Fotos und Filmaufnahmen machen, für die Nachwelt. Oder filmen und »die Kontrolle behalten«, wie das zwei Norweger in einem völlig irren YouTube-Video nennen, die eine Eisbärenmutter bis auf drei Meter an sich heranlassen, bevor sie sie mit der Signalpistole verjagen.

Eine Signalpistole haben wir dabei, auf Bären sind wir also halbwegs vorbereitet. Worauf wir dagegen nicht eingestellt sind, das ist der Überfall eines kleptomanisch veranlagten Blaufuchses.

Der hoppelt jetzt gerade mitten in der Nacht mit meinem orangefarbenen Löffel-Gabel-Utensil davon. Um die Szene noch etwas stimmungsvoller zu machen, hat die Natur ein paar Polarlichter vorbereitet, die mattgrün über den Himmel flackern. Für einen solchen Fall hat mir leider niemand schlaue Tipps gegeben. Gregor und ich geben kein sehr souveränes Bild ab, wie wir in langen Unterhosen dem grau befellten Schelm hinterherrennen. Natürlich entkommt das flinke Jungtier problemlos in Richtung Hang.

Aus irgendeinem Grund hatte der Fuchs es vor allem auf meine Sachen abgesehen. Die Gummihalterung meiner Trinkflasche hat er durchgebissen, lange schnüffelte er interessiert an meinen Skistöcken herum. Ob er sich rächen will? Wahrscheinlich hat mein Opa vor 100 Jahren auf seinen Urahn geschossen.

In seinem Tagebuch erwähnt er, an Zeltplatz 29 einmal einen Blaufuchs gesichtet zu haben. Von dem Ort sind wir nun etwa 800 Höhenmeter entfernt, auf Meereshöhe haben wir am Hundefjord unsere Zelte aufgeschlagen. Zum zweiten Mal wohne ich für ein paar Tage am Fuße von Ficks Bjerg.

Wie wertvoll ein Löffel ist, merkt man erst, wenn er fehlt. Ist nämlich schwer zu ersetzen. Der Schneeteller am Skistock? Zu viele Löcher drin. Der Kaffeebecherdeckel? Nicht mundgerecht dimensioniert. Die Taschenmesserschneide? Für Kartoffelbrei in Ordnung, große Nachteile allerdings bei Suppengerichten.

Klar kann ich mir einfach einen Löffel ausleihen und später als die anderen essen. Das geht bei den meisten Gerichten, nur nicht beim Mousse au Chocolat, das wir uns immer gemeinsam aus einem großen Topf in die hungrigen Mäuler schaufeln. Ergo: Wer langsam löffelt, kriegt weniger ab. Wer keinen Löffel hat, guckt zu.

Not macht erfinderisch, also kratze ich am nächsten Abend mit einem goldenen Zelthering die Schokomasse aus dem Topf. Geht ganz gut, etwas störend ist nur der metallische Beigeschmack.

Während der Blaufuchs mit meinem signalfarbenen Essutensil einen guten Fang gemacht hat, sind wir leider weniger erfolgreich. Auf 153 Höhenmetern soll sich laut den Aufzeichnungen der Schweizer Expedition ein Steinplateau nicht weit von einem Fluss befinden. Exakt an der Stelle, wo damals der Schnee aufhörte. Heute liegt hier längst keiner mehr. Mein Opa schreibt, es seien von dort 15 bis 20 Gehminuten bis zum Ufer, was aber untertrieben sein muss, denn so schnell kommt man nicht mal auf 100 Höhenmeter. Dort haben die Schweizer damals nach dem Abstieg von Zeltplatz 29 alles »bären- und hundesicher« hinter Steinen verstaut, was sie nicht mehr brauchten: ihre Schlitten und viele Dosen Pemmikan. Dann stiegen sie ab zum Ufer, um mit einem abenteuerlichen Wasserfahrzeug aus vier zusammengebundenen Kajaken in Richtung Fjord zu fahren.

Woran erkennt man, ob ein Haufen Geröll auf natürlichem Wege oder von Menschen dahin befördert wurde? Wir suchen zu viert, stundenlang, mit unterschiedlicher Taktik: Wilfried und Gregor gehen die Sache mit einem geografischen Disput über Gletscherbewegungen und Gesteinsformationen an, Jan und ich laufen einfach los. Welcher Ansatz besser ist, Logik oder Intuition, Gehirn oder »Geh hin!«, kann leider nicht bewiesen werden. Keiner findet die geringste Spur, obwohl wir sicher sind, am richtigen Ort zu sein.

Wir überdenken noch einmal die Informationen, die wir haben. »Wenn die das tiersicher versiegelt haben, muss das einen Grund haben«, sagt Wilfried. »Wahrscheinlich sollte es ihnen als Notfallproviant dienen, sie waren ja noch nicht in Sicherheit.« Jan wirft ein, dass es möglicherweise für die Leute im Dorf gedacht war. »Die konnten Schlitten und Nahrung doch bestens gebrauchen.«

Gute Hundeschlitten müssen damals tatsächlich an der Ostküste einen enormen Wert gehabt haben. Die Tagesreise im Boot würde man dafür problemlos in Kauf nehmen. »Wenn zwei Mercedes in München für dich bereitstehen, würdest du doch auch aus Hamburg hinfahren und sie abholen«, meint Wilfried.

Wir nehmen an, dass es hier nichts mehr zu entdecken gibt, und gehen bergsteigen. Natürlich muss ich den anderen noch meinen Gipfel zeigen, also Opas Gipfel, ich will ja kein schlechter Gastgeber sein.

Die Schneefelder sind einige Meter kürzer als im Vorjahr, ansonsten ist der Aufstieg so, wie ich ihn in Erinnerung habe. Ich gehe voraus, hier brauche ich kein GPS-Gerät, um das Ziel zu finden.

Wilfried macht zwei Fotos von mir, wie ich auf dem Gipfel sitze. Als ich sie auf dem Display der Kamera betrachte, bin ich ernsthaft verblüfft. Ich habe mich verwandelt. Oder besser: Das Eis hat mich verwandelt. Schon früher sah ich meinem Opa ähnlich, aber jetzt, mit dem ernsten Blick und dem Dreiwochenbart, könnte ich sein Zwillingsbruder sein. Der Enkel, der auf den Gipfelfotos von 2011 jugendlich-heiter in die Kamera strahlt, ist nicht zurückgekommen, sondern ein anderer, mit neuen Erfahrungen und mit einem schwierigeren Anreiseweg. Ein Enkel, der weiß, mit welchen Strapazen die Namenspatenschaft für diesen Berg am Ende des Eises verdient wurde. Und der für ihn das Versäumnis nachholt, nie auf seinen eigenen Berg gestiegen zu sein.

Die anderen schlagen vor, einen großen Steinmann auf dem Gipfel zu bauen, »das gehört sich so«, meint Wilfried. Nur ich bin dagegen. Ostgrönland ist eine der wenigen Regionen auf der Welt, wo der Mensch noch nicht an jeder Weggabelung und auf jedem Berg sichtbare Spuren hinterlassen hat. Es wäre schön, wenn das noch ein paar Jahre lang so bleibt. Mir gefällt der Gedanke, dass es in diesem Bereich zurzeit nur drei Steinmänner gibt, deren historische Bedeutung außer Frage steht: die beiden, die zum Depot an Hoesslys Bjerg weisen, und die Warte auf der schwarzen Kuppe. Wie sinnfrei wäre jeder Geröllhaufen, den wir hier zusammenschichten, im Vergleich zu zwei Lebensrettern und einem Hilferuf!

Wir laufen noch ein Stück vor auf der Felszunge und entdecken viele Granate im Felsboden, rostfarbene Halbedelsteine. So grau und unbedeutend Opas Berg aus der Ferne wirkt: Wer näher herangeht, entdeckt verborgene Schätze. Auf einer steilen Route mit Blick auf die Bucht steigen wir ab, gut können wir von oben eine Uferpartie am Hundefjord aus farbigem Stein erkennen, die wie eine rote Nase aussieht.

Im Tal beschließen wir, die Expedition als Badeurlaub ausklingen zu lassen. Um mit einem moderaten Schwierigkeitsgrad zu starten, beginnen wir damit in einem Gletscherfluss. Der dürfte etwa drei bis vier Grad Celsius warm sein. Einmal untertauchen. Schreien. Raus. Wohlfühlen. Es ist wunderbar, wenn die Wärme zurückkehrt in den Körper.

Das Fjordwasser fühlt sich am nächsten Tag schon etwas kälter an. Dort gibt es sogar eine Art Strand aus kleinen Steinchen. Reinlaufen. Schreien. Untertauchen. Noch lauter schreien. Raus. »Ist gar nicht salzig«, verkündet Wilfried, der Wissenschaftler.

Die ultimative Mutprobe, wieder einen Tag später nach unserem erneuten Aufstieg zum Eisrand, wo wir unsere Pulkaschlitten gelassen haben, ist allerdings »der Pool«. Ein fast kreisrundes Loch im Eis, oben mehrere Zentimeter zugefroren, darunter mehr als einen Meter tief. Wir hacken das Eis weg und legen unsere Kleidung ab.

Bei null Grad Wassertemperatur schreit man nicht mehr, das ist der pure Kälteschock, eine Taubheit, die direkt einsetzt. Und wenn danach die Wärme zurückdrängt in den Körper, tut das richtig weh, am meisten in den Zehen, etwa zehn Minuten lang.

An diesem Punkt erklären wir unsere kleine Versuchsreihe ohne Gegenstimme für beendet. Ergebnis: Vieles deutet darauf hin, dass für Wellnesszwecke nur Wassertemperaturen ab drei Grad aufwärts zu empfehlen sind.

29. Juli 1912

Ostgrönland, Tagebuch von Roderich Fick

Die entbehrlichen Sachen, Schlitten, Pemikan wurden vor dem Felsblock, auf dem unser Zelt stand, mit einer Steinmauer, bären- und hundesicher verdeckt. Es war doch ein ziemlicher Berg von Sachen runter zu tragen und wir mussten mehrmals den Weg machen. Wie ich das erste Mal runter kam, hab ich mir vor allen Dingen die Kajake angeschaut, und mir das Beste, das in Kialinek gebaut war, rausgesucht, unter dem Vorwand, dass es das grösste sei. Auch Q. hatte schon von selbst das Kajak für mich bestimmt.

Zum letzten Mal giengen Hoessli und ich nochmal allein hinauf, um die letzten Lasten zu holen. Die überlebenden Hunde giengen immer hinter ihrem Herren her. Ich spürte immer die Nasen meiner Hunde an den Beinen, sie folgten mir, ohne dass ich es wollte, bei jedem Weg von der Hoffnungsbucht zum Zeltplatz an der Schneewehe immer mit. Wir gaben ihnen nochmal Pemikan zu fressen. Bis wir das letzte Mal zurückkamen, hatten Q. und Hü das Kajakfloss zusammengebaut und beladen.

Die grosse Last war so hoch, dass Q. kaum zu uns vorsehen konnte. Die 3 hintern Kajake giengen fast bis an den Rand ins

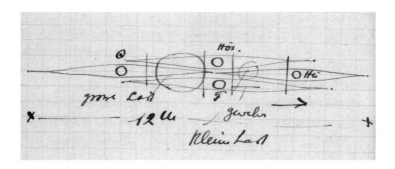

Wasser. Die Sache sah sehr abenteuerlich aus. – Bald war alles fertig zur Abfahrt, wir mussten uns sehr beeilen, um noch bei Ebbeströmung den Sarfanguak, die ganz schmale Durchfahrt nach dem Hauptfjord, zu überholen. Die Ebbe hatte schon begonnen und das Kajakfloss sass bereits auf und war mit seiner schweren Last schwer flott zu machen. ... Ich hatte Mühe, mich in meinen Kajak hineinzuzwängen, da auch die Last hinter mir etwas hinderte.

Die Hunde standen am Ufer und sahen zu. Sie sollten hier zurückbleiben, damit wir sie dann später vielleicht doch zum Teil auf das Schiff retten könnten. Hoessli hatte vorgeschlagen, noch einen Hund zu erschiessen, damit die andern die Zeit über etwas zu fressen hätten. Er wollte sich vielleicht um das Erschiessen drücken, aber Q. setzte durch, dass er noch mal ausstieg und mit seiner Pistole den ausgesuchten Hund erschoss. Er hatte lange Schwierigkeiten dem Betreffenden nahe zu kommen, da der arme Kerl es wohl gemerkt hatte, was mit ihm geschehen sollte. Er traf ihn aber gut und so konnten wir endlich abfahren.

Es wurde schon merklich Abend. Die Hunde standen am Ufer und guckten alle erst stumm uns nach, als wir davon fuhren, dann gieng ein langes Geheul los. Allmählich verlieren wir sie ausser Sicht.

Auf dem Wasser zeigen sich Alke und andere Tauchenten, das Wasser ist spiegelblank und vollkommen klar. Die roten Felswände mit schöner Schichtenzeichnung und farbigen Streifen vom Fickberg ziehen langsam an uns vorüber. Zunächst ist es ein grosser Genuss, wieder auf dem ersehnten Wasser zu fahren. An das einseitige Rudern hat man sich bald gewöhnt. ...

Wir kommen in den offenen Nebenfjord hinaus, aber starker Gegenwind hält uns auf und sucht uns ... immer wieder zu drehen. Langsam überholen wir die rote Nase! Hü hat Wasser in seinem Kajak. Er saugt es mit einem Gummischlauch aus und spuckt es aus. Aber es nützt nichts, da der Leck zu gross ist und das Wasser doch schneller reinkommt, wie er's raussaugen kann. Also muss eben weiter gefahren werden.

Wenn es brenzlich wird, muss er halt raus sich weiter hinten auf das Kajakfloss setzen, bis wir eine Landungsgelegenheit finden und seinen Kajak entbehren können. Der Leck ist offenbar beim Flottmachen der Kajake von dem Geröll an der Hoffnungsbucht entstanden.

Hü sitzt eben im Wasser und wird nass, er will aber weiterfahren so lang der Kajak sich über Wasser hält. Da es an unserem befestigt ist, kann er ja nicht ohne weiteres untergehen. Es beginnt die Dämmerung, der Mond geht rosafarbig auf und wir kommen in die Eisbergstauung des Sermilikfjords hinaus. Ab und zu hört man das Donnern stürzender Eisberge!

Das Durchkommen ist oft recht schwer. Wir fahren über Eisfüsse, die grün aus dem Wasser heraufschimmern, und durch Eistore. An einem vorstehenden Eisdach waren wir eben drunter durch, als es hinter uns abbrach und mit Donnern ins Wasser fiel. Wir versuchten, uns möglichst nahe am Ufer zu halten, waren aber durch die Eisbergstauung gezwungen, weiter hinaus in den Fjord zu fahren, um durchzukommen.

Dann sehen wir nichts um uns wie fantastische Eiswände, Türen, Dächer, Zinnen und den Mond und das schwarzblaue Wasser. Wenn uns kleinere Brocken und Tafeleisstücke den Weg versperren, können wir sie manchmal so weit auseinander drücken, dass wir gerade durchschlüpfen; aber manchmal müssen wir auch umkehren. Bis wir Platz zum Wenden haben wird eben rückwärts gefahren.

Hoessli ist die Sache offenbar etwas zu zünftig! Er schlägt vor, einen Landungsplatz aufzusuchen und bis morgen am Tag zu warten und dann die Fahrt fortzusetzen, wir gehen aber nicht drauf ein. Es wird eben weitergerudert. Später wird das Eis auch wieder lichter und wir kommen gut vorwärts an Riffen und kleinen Inseln vorbei, aber immer sind es noch Pseudo-Umituarajuite. Gegen den Fjord hinaus sieht es immer wie eine undurchdringliche hohe Eismauer aus. Und die Querung des

Fjords, die uns noch bevorsteht, kann auch eine zünftige Sache werden! –

Ich habe aber diese Eisbergfahrt trotz der ziemlich grossen Gefahr mit Bewusstsein stark genossen und oft zum Hü gesagt wie zich die Sache eigentlich ist! Es hat schon unheimlich ausgesehen. Auch Hü hat es voll gewürdigt.

Endlich, nach 9 Stunden unablässigen Ruderns, erreichten wir am Nordende von dem wirklichen Umituarajuit das Depot. Wir landen in der kleinen Bucht. Hü steigt zuerst aus und kann wegen gefühllosen Beinen nicht mehr stehen. Sein Kajak war halb voll Wasser. Er sagte, wie er das Fahrzeug ansah, gleich: »Wie das aussieht! Direkt gefährlich mit den Strumpfmützen.«

Wie wir andern aussteigen zeigt es sich, dass auch wir nichts mehr in den Beinen fühlen und auch nicht mehr stehen können. Wir kriechen zuerst mal etwas höher hinauf, und versuchen, unsere Beine wieder in Bewegung zu kriechen. Allmählig kehrt das Gefühl wieder zurück und dann geht es an das Abpacken und Hinauftragen der Sachen zum Zelt, das noch von den andern aufgeschlagen steht. Wir bedauern immer wieder, dass sich von der Eisbergfahrt keine Tüpe machen liess, weil keine Zeit dazu und Nacht war.

30. August 2012
Ostgrönland, morgens

Wilfried rührt Pemmikanstückchen in seinen flockigen Frühstückskartoffelbrei und flucht in seinen Bart. Nicht, weil wir kein Müsli mehr haben, auch nicht, weil das Pemmikan seit Dezember 2009 abgelaufen ist – das essen wir schon seit Wochen ohne Komplikationen. Das Wetter macht ihm Sorgen: »Verdammt, es schneit.« Der Himmel hat über Nacht zugezogen, die Berge des Sermilik-Fjords sind schon nicht mehr zu sehen. Nach einer Woche Traumwetter kommt uns das sehr ungelegen, weil uns heute ein Helikopter abholen soll. Und der braucht unbedingt gute Sicht.

Wir malen uns aus, wie es wäre, hier zu überwintern. Wasser haben wir in endlosen Mengen aus den ganzen Eisbächen. Dazu fünf Portionen Abendessen, viel Schokolade, Dutzende Energieriegel. Und etwa sechs Packungen Pemmikan.

Natürlich ist die Sorge, hier überwintern zu müssen, im 21. Jahrhundert ziemlich unbegründet. Unseren Flieger nach Island allerdings würden wir verpassen, wenn in den nächsten Tagen kein Hubschrauber kommt. Unwetter, die ein paar Tage dauern, sind in Ostgrönland keine Seltenheit.

Große und kleine Tropfen zeichnen sich auf dem Netzmuster des roten Zeltdachs ab. Von einem kleinen Spaziergang kommt Gregor mit guten Neuigkeiten zurück: »Es klart auf.« Wilfried schreibt per Satellitentelefon eine E-Mail mit Wetterbericht an die Heli-Fluggesellschaft: geschätzte sechs Kilometer Sicht, leichter Schneefall.

Wir bauen die Schlafzelte ab, nur das Küchenzelt bleibt noch stehen. Dann ist nichts mehr zu tun. Das sind wir nicht gewohnt. Wir setzen uns auf unsere Sitzkissen, die aus faltbaren Isomatten in selbst genähten Taschen bestehen, und reden über Marathonläufe und Radrennen. *Wir* ist etwas übertrieben, ich als einziger Nicht-Wettkampf-Ausdauersportler der Runde habe nicht viel beizutragen.

Plötzlich sind alle ruhig und lauschen in die Stille. Nur das Rauschen des Eisbaches draußen, das Schlackern der Zeltplane im Wind. Das *Zoing* von einem Bodengummi, der die Zeltstangen zusammenhält. Das Schleifen von Schuhsohlen auf dem Eis, das Kratzen des eigenen Bartes am Kragen der wasserdichten Jacke. Halb drei ist schon vorbei, die Zeit, die für die Abholung vereinbart war. Kein Helikopter ist zu hören. Wir gehen nach draußen, laufen herum, setzen uns wieder, warten.

Endlich dröhnt vom Fjord her ein dumpfes Rattern, *Gockgockgockgockgock*, der abscheulichste Lärm seit Wochen und doch so willkommen. Der Sound der Zivilisation, zwei Pratt&Whitney-Motoren, 1800 PS. Er wird lauter, dann wieder leiser, verstummt schließlich ganz. Hat der Hubschrauber abgedreht? Hat der Pilot die falschen Koordinaten notiert? Jetzt schwillt das Rotorengeräusch doch wieder an, ein helles Surren kommt dazu, vorbei ist es mit der Ruhe der Natur. Ein fliegender schwarzer Punkt ist links von dem schwarzen Berg zu sehen.

Der Punkt wächst zu einem roten Hubschrauber heran, Typ Bell 212, direkt neben unseren Pulkaschlitten setzt er zur Landung an. Zwei Sitzkissen und ein eingepacktes Segel fliegen mit Schwung in einen Eisbach.

Ein gut gelaunter dänischer Pilot steigt aus. »Wie lange wart ihr draußen? Dreieinhalb Wochen? Dann ist eine halbe Stunde Verspätung nicht so schlimm, oder?«, fragt er grinsend. Wir laden die Sachen ein, sie passen gerade auf die fünf Sitze in der Mitte.

Als wir abheben, befinden wir uns wieder auf der historischen Route, diesmal im Zeitraffer und ein paar Hundert Meter höher. Zwei Tage beschwerlicher Abstieg mit schwerem Gepäck: eine Minute. Neun Stunden Paddeln und Frieren im zusammengezimmerten Kajakfloß: zwei Minuten. 14 Stunden Bootsfahrt über den Sermilik-Fjord, dann an der Meeresküste nach Angmagssalik: 16 Minuten. Vier Urlauber mit zu viel Gepäck beim *scenic flight* über den Fjord, fehlt nur noch der Plastikbecher mit Tomatensaft.

Ein letzter Blick zurück aufs Eis, grauweiß und wenig einladend im Nebeldunst. Dem Eis ist es egal, ob wir bleiben oder gehen. Wir fliegen über den Hundefjord, an Ficks Bjerg vorbei, gut zu erkennen ist die Insel Kekertatsuatsiak. Der riesige Sermilik-Fjord mit seinen Eisbergen, hellblau schimmern die verborgenen Partien unter der Wasseroberfläche. Eine irrwitzige Idee, hier mit einem undichten Boots-Eigenbau aus Zeltplanen, Schlitten- und Skiholz übersetzen zu wollen.

Es ist schade, dass es neblig ist, sonst hätten wir eine phantastische Aussicht auf das Schweizerland. Unter der Nebeldecke sind nur einige Berge der Kette auszumachen. Mit etwa 200 km/h fliegen wir über eine Landschaft aus schroffem Fels, riesigen Gletschern und Wasser in verschiedenen Blautönen. Keine Spur von Menschen, ein unbewohnter Eisplanet. Manchmal wird der Hubschrauber durchgeschüttelt, als sei er in Turbulenzen geraten.

So war das nicht geplant. Wir sollten jetzt oben auf dem Eis sein, schon fast in Sichtweite der Westküste. Während ich durch das Fenster die wundersame Landschaft beobachte, spüre ich zum ersten Mal die Enttäuschung über unser Scheitern. Vorher war immer noch was zu tun, vorher gab es Aufgaben, Etappenziele. Und Blogtexte, die geschrieben und verschickt werden mussten. Jetzt ist sie da, die Enttäuschung. Und der Ärger. Über zwei von 580 Ausrüstungsgegenständen, von denen sich 578 bestens bewährt haben. Keine Kleidungsmembran hat Ärger gemacht, kein Zelt war undicht, keine Skibindung hat geklemmt. Fit waren wir auch, alle waren mit dem gleichen Lauftempo einverstanden, keiner schlich japsend hinterher. Verdammte Schlitten!

Nach knapp 20 Minuten taucht die Hafenbucht von Tasiilaq unter uns auf. Wir landen auf einem asphaltierten Flugplatz zwischen dem Zeltlager am Ufer und der Müllhalde. Die Zivilisation riecht nach Benzin und Staub.

Für unsere Sachen steht ein rustikal anmutender gelber Gepäckwagen mit vier Reifen und Gitterwänden aus Metall bereit. Das quietschende Monstrum muss allein Dutzende Kilo wiegen, auf der Ladefläche ist gerade genug Platz für den Berg aus Pulkas, Skiern und Rucksäcken. »So einen Wagen hättet ihr mitnehmen sollen statt der Schlitten«, sagt der Pilot zum Abschied und tätschelt das Metall wie die Flanke eines braven Hundes.

31. Juli 1912
Grönland, Ostküste

Hoesslys Bjerg brennt. Zwischen den Flammen hasten ein paar Schweizer umher, die in diesem Inferno Mühe haben, am steilen Hang sicher zurück zum Ufer zu kommen. Das Heidekraut, das sie für ein Signalfeuer entzündet haben, brennt besser als erwartet, wenn auch nicht lange. Falls am anderen Ufer des Fjords Inuit zelten, müssen sie den Rauch sehen.

Die Hundertschaften Mücken, ihre derzeit schlimmsten Feinde, sind damit leider nicht zu beeindrucken. Die vier Männer haben sich Schleier vor ihre Kapuzen genäht, um ihre Gesichter zu schützen.

Immer wieder fliehen sie ins Zelt, um nicht noch mehr zerstochen zu werden. Als de Quervain dort gerade einen kleinen Vortrag über die Schönheit des Straßburger Münsters hält, hören sie plötzlich vom Wasser her Geräusche. Ob das wieder mal ein paar Seehunde sind, die schnaufen und ihre Pirouetten drehen? Nein, die klingen anders. Sie springen auf und laufen zum Ufer. Kajakmänner! Drei Inuit legen an.

Mit Salutschüssen werden die Besucher empfangen, die sich als Timotheus und Ferdinand vorstellen, aus dem Dritten ist kein Name herauszubekommen. »Kujanak, kujanak«, sagen sie immer wieder vor sich hin, eine Dankesformel. Offenbar wissen sie von Petersen, wo diese wild aussehenden Männer gerade herkommen. Der dänische Ortsvorsteher hat versprochen, zwischen Ende Juli und Mitte August regelmäßig ein paar Kajakfahrer herzuschicken, um nach der Expedition Ausschau zu halten.

Eigentlich war geplant, dass nun Hoessly und de Quervain zusammen nach Angmagssalik fahren, während die anderen beiden noch mit dem Gepäck warten. Doch der Arzt wird hier gebraucht, weil Gaule eine entzündete Wunde an der Stirn hat, also schnappt sich der Expeditionsleiter seine Notizbücher und macht sich allein mit zwei der Inuit auf den Weg. Ein Foto zeigt, wie er in der Mitte vorausfährt, auf die Eisschollen des Fjordes zu, während ihm die Einheimischen folgen.

1. August 1912
Grönland, Ostküste,
Aufzeichnungen Alfred de Quervain

Ich machte mich am Morgen des 1. August morgens 6 Uhr allein auf die Reise, begleitet von allen Notizbüchern und zwei Eskimos, von Ferdinand und dem Namenlosen. Eine Zeitlang fuhr ich auf eigene Rechnung und Gefahr, und die Eskimos waren so höflich, ihr Tempo zu mässigen. Dann aber schlugen sie einen Schlepperdienst vor, in den ich ganz gern einwilligte. Der eine band seine Fangleine vorn an meinen Kajak, der andere die Spitze des seinigen hintendran, so ging es trotz der neuen Last mit verdoppelter Geschwindigkeit vorwärts.

1. August 1912

Grönland, Ostküste, Tagebuch Roderich Fick

Q. packte seinen Kajak ziemlich voll, sodass es recht unstabil war. Ich half ihm beim Einsteigen, und als er drin war, kippte er fast um, so dass ich Angst hatte, es könne ihm was passieren, besonders da er ja kein guter Kajakfahrer ist. Er wollte aber auch noch getüpt sein. ... Dann rudert er ganz vorsichtig und langsam los. Wir sehen mit Besorgnis zu. Er verschwindet hinter der Landspitze, die Eskimo direkt hinter ihm her. Wie wir vermuteten, liess er sich, sobald er ausser Sicht war, von den Kajakmännern verspannen und schleppen. ...

Seit Timoteus mit uns allein ist, scheint er doch etwas Angst vor uns zu haben. Er fragt immer, wann die Boote kommen und wir nach Angmagsalik reisen und schaut immer nach Südosten aus. Sehr unheimlich war es ihm, wenn Hü von Hoessli an seinen Stirngeschwüren operiert wurde; er fürchtete offenbar, selber auch dran zu kommen.

Einmal stieg ich die Berge hinter dem Depot hinauf, um Ausschau über den Eisfjord zu haben und möglicherweise etwas zu schiessen. Timoteus lief mir nach. Oben deutete er nach dem Ausgang des Fjords und zeigte mir einige kleine Inseln und sagte »Nonga Nuna!« d. h. »mein Land«.

Aber es waren noch keine Frauenboote zu sehen, und mir eilt es mit dem Abholen durch Frauenboote, wie es abgemacht war, garnicht! Hier am Fjord in der Einsamkeit ist es viel schöner wie mit Q. zusammen. ...

Diese idülliche Zeit dauerte aber nicht so lang, wie wir uns wünschten. Timoteus entdeckte zu seiner grossen Freude 2 Frauenboote im Eisfjord draussen nach 2 Tagen. Jetzt fühlte er sich wieder sicher. Allein mit uns war es ihm doch etwas unheimlich. – Bald feuerten sie in den Booten Signalschüsse ab, die ich erwiderte. Dann stieg ich in meinen Kajak und fuhr den Booten entgegen.

Ich erwartete 2 Boote mit einigen Ruderern oder Ruderinnen und war sehr erstaunt, ganze Familien mit Kind und Kegel vorzufinden. Grosser Lärm und Lachen. Ferdinand führt das eine der Boote am Steuer.

Ein Brief von Q. war dabei mit den Anordnungen. Hoessli sollte mit Ferdinand und dem einen Frauenboot in die Hoffnungsbucht fahren und das Depot an der Schneewehe abbauen und alles mitnehmen. Ausserdem alle Hunde bis auf Mons, Jason, Kakortok und Silke erschiessen, die Felle mitbringen und dann zusammen mit uns und dem Expeditionsmaterial nach Angmagsalik abfahren. Strenge Weisung Petersens, dass unterwegs wegen der Absperrung der Hunde an keinem Eskimoplatz gelandet werden darf. Ferdinand war in der Tasiusakbucht eine kleine Insel genannt, auf der wir zuerst landen und die Hunde hinbringen sollten. Zuletzt liess er uns grüssen und sagte noch er freue sich, dass wir ein paar so ungestörte Tage unter uns gehabt hätten.

Die Eskimo sollten erst essen und schlafen; aber Ferdinand wollte sofort wieder weiter in die Hoffnungsbucht. Das eine Frauenboot füllte sich im Nu mit Kind und Kegel und Hoessli fuhr mit ab. Die andere Bootsbesatzung richtete sich in dem grossen Zelt ein. Timoteus renomiert furchtbar, dass er bei uns allein war und uns zuerst mit gesehen hat, die »Timerset«! Um zu zeigen, wie gut er mit uns steht, zieht er mir einfach die Uhr aus der Tasche und zeigt sie den anderen! Wir müssen über sein eingebildetes Auftreten nach der Angst, die er vorher hatte, sehr lachen.

30. August 2012
Tasiilaq, Ostgrönland, nachmittags

Kein Wunder, dass wir keine Schlitten gefunden haben! Hoessly ist losgefahren, um die ganzen Sachen abzuholen, die am unteren Ende der damals noch vorhandenen Schneewehe lagerten. Da hätten wir noch lange suchen können.

Mir fällt auf, dass gegen Ende des Tagebuchs die Spitzen gegen »Q.« immer häufiger werden. Die Erleichterung, endlich mal ein paar Tage ohne den Expeditionsleiter zu verbringen, scheint groß zu sein. Unterwegs müssen sie sich fürchterlich gestritten haben.

Worum es dabei ging, will mein Opa selbst seinen Notizen nicht anvertrauen, an einer Stelle schreibt er: »Ich will auch hier in meinem Tagebuch mein schweigendes Versprechen halten und nicht mehr aufschreiben, was zwischen Q. und mir von diesem Tag (28. Juli 12) ab rückwärts vorgefallen ist.« Doch vorher findet sich immerhin eine Passage, die verdeutlicht, wie die Rollen unterwegs verteilt waren: »Bis weit ins Inlandeis hinein waren Hü und ich auch bei Hoessli immer ›die junge Lüt‹. Q. glaubte anfänglich wahrscheinlich, er könne sich Hoessli so als eine Art ersten Offizier und uns als Bütschgi-e halten. Mit der Zeit hat sich das aber geändert. Erstens hat Hoessli eingesehen, dass wir, wenigstens Hü, ganz rechte Lüt sind, und dass Q. eine proletenhafte Natur ist, und zweitens hat auch Q. gemerkt, was er an Hü hat. Mich hat er auf dem Inlandeis offenbar noch sehr gering geschätzt. Er benimmt sich auch gegen mich am Rüpelhaftesten, und die Folge ist, dass ich schon lange nur das Notwendigste mit ihm verhandele. Die Abend- oder Morgenunterhaltung im Zelt mach' ich gar nicht mehr mit.«

Warum er das Wort »Bütschgi«, für Apfelgehäuse, verwendet, ist mir schleierhaft. Aber was er damit meint, ist aus dem Zusammenhang leicht zu erraten: Die beiden jüngsten Teilnehmer hatten es besonders schwer unter dem strengen Chef. Sein Leben lang hat mein Opa Autoritäten nie besonders ernst genommen und immer auch die Lächerlichkeit gesehen, die sich ergibt, wenn jemand Befehlsgewalt über andere hat.

De Quervain war ein hochgebildeter und zielstrebiger Mensch, ein Planungsgenie mit Selbstbewusstsein bis an die Grenze zur Überheblichkeit. Jemand, der in jedem Lebensbereich immer der Beste sein will. Von sich selbst und von anderen forderte er viel, und wenn ihm etwas nicht passte, wurde er schnell laut. Auch in seinem eigenen Bericht reflektiert er darüber, in einigen Situationen zu aufbrausend reagiert zu haben. Hinter seiner Strenge versteckte sich jedoch auch eine sensible Natur: Wenn andere Menschen wieder einmal seine hohen Erwartungen enttäuschten, schlug ihm das aufs Gemüt.

Mit dieser Art kam der 25-jährige Roderich wohl am wenigsten gut zurecht, weil auch er besonders verletzlich war und Kritik oft persönlich nahm. Vielleicht hatte er das Gefühl, sein Beitrag zu dem ganzen Unternehmen werde zu wenig gewürdigt, immerhin fror er täglich stundenlang bei den Messungen unter freiem Himmel.

Auf einer Arktistour ist man auf seine Mitstreiter angewiesen, das eigene Leben kann davon abhängen, dass kein anderer einen dummen Fehler macht. Die Einsamkeit tut das Ihrige dazu, jeden Konflikt noch zu verschärfen. Man verbringt eine lange Zeit auf engstem Raum zusammen, die Macken der anderen nerven mit jedem Tag ein bisschen mehr.

Dank tatkräftiger Unterstützung meiner Eltern und eines beträchtlichen Teiles ihres Freundeskreises konnte ich inzwischen den kryptischen Satz entziffern, den ich in de Quervains Tagebuch in Zürich entdeckt hatte. Da steht nicht »Ficks eisige Pfeiffuchserei«, sondern »Ficks ewige Pfeifsymphonie geht mir auf die Nerven«. Das klingt plausibel: Meine Oma hat immer wieder erzählt, dass Roderich längere Musikstücke komplett pfeifen konnte. Nun stelle ich mir vor, wie er am Theodolit mit eisigen Fingern die Schrauben justiert und dabei Mozart-Sonaten flötet.

Ein Psychologe, der gruppendynamische Prozesse in Stress-situationen beobachten will, hätte auf einer Arktistour die besten Probanden, die er sich wünschen kann. Nur bei unserer Gruppe nicht: Es ging so überraschend harmonisch zu, dass der Boulevardjournalist in mir fast enttäuscht war. Das Einzige, was entfernt an einen Streit erinnert, war ein Wutanfall von Jan, der mit einem »Ich kann mir das nicht mehr anhören!« das Küchenzelt verließ, als Wilfried eines Abends mit viel Liebe zum Detail von den Köstlichkeiten eines Hochzeitsbuffets berichtete. Drei eher ruhige Typen und ein Leitwolf, dessen Kompetenz von keinem angezweifelt wird, der aber alle an den Entscheidungen teilhaben lässt: Vielleicht haben wir die Geheimformel für eine harmonische Arktisreise entdeckt.

Jetzt stehen wir jedenfalls friedlich am Fenster im Aufenthaltsraum des »Roten Hauses« und gucken nach draußen. »Da wartet man so sehnsüchtig auf den Hubschrauber, dabei war es da oben viel schöner als hier«, sagt Wilfried, und er spricht mir aus der Seele.

Es ist entschieden zu warm hier, und auch der Spiegel an der Wand gefällt mir gar nicht. Aus dem glotzt mich nämlich ein erschrockener Kerl mit unordentlichem Bart und roter Nase an. An die Kopfhaut schmiegen sich ein paar dunkelblonde Streifen, die nur entfernt an Haare erinnern und an den Spitzen in teils bizarren Formen nach außen abstehen.

In den fast vier Wochen in der Arktis habe ich manchmal sehnsüchtig an beheizte Räume gedacht. Jetzt will ich am liebsten sofort wieder raus. Oder wenigstens ins Zelt. Das Glühlampenlicht brennt auf der Gesichtshaut, die Heizung sorgt für Schweißausbrüche. Ein kühlender arktischer Wind im Gesicht wäre jetzt schön.

August 1912, Entwurf für Telegramm

S. Majestät König von Dänemark Frederic, Kopenhagen.
Eur. Majestät ~~gestattet sich~~ die vollendete ~~erste Durchquerung Ihrer~~ WestOstdurchquerung Ihrer Kolonie Grönland mitzuteilen gestattet sich der Leiter der Schweizerischen Expedition
A. de Quervain

(Darunter Bleistift-Vermerk: »nicht abgesandt«)

August 1912, Entwurf für Telegramm

An die »Neue Züricher Zeitung«
Mitte Grönlands 700 km ~~in vier Wochen nach kritischer Situation auf Westküste~~ glücklich durchquert. Alle wohlbehalten. ~~Größte Höhe 2850 nahezu 3000 m.~~ Auf Ostseite im Eis ~~neues unbekanntes~~ unbekanntes Gebirgsland mit größten bisher ~~gemessenen~~ sicher festgestellten Berg-Höhen in Grönland
~~Anschließend näheres folgt näher~~es
Schweizerische Grönlandexpedition
Alfred de Quervain

4. August 1912
Ostgrönland

Es ist dunkel, nur ein wenig Mondlicht scheint von draußen ins Zimmer herein. An der Wand bewegt sich etwas. Einige riesige Wale versuchen, durch die Bilderrahmen ins Zimmer zu gelangen, bewegen sich auf de Quervain zu. Er schreckt aus dem Schlaf hoch. Ein Alptraum? Verdammt nein, die Wale sind immer noch da. Warum bemerken die anderen nichts, die so friedlich auf dem Boden schlummern? Das gibt es doch nicht, wird er verrückt? Er versucht wieder einzuschlafen auf seiner Couch, doch ständig wacht er auf. Erst als es hell wird, verschwinden die Trugbilder.

Vielleicht verträgt de Quervain es einfach nicht mehr, in einem geschlossenen Raum zu schlafen. Er beschließt, die nächste Nacht wieder draußen zu verbringen, denn dort hatte er nie Schlafprobleme. Er baut das Expeditionszelt neben der Butik auf, Petersens kleinem Laden für Tabak, Handwerkszeug und Lebensmittel, und bringt seinen Schlafsack herunter. Dann stapft er noch einmal hoch zur Unterkunft, um ein Gewehr und Patronen zu holen. Falls ein Eisbär kommt.

Die anderen beobachten ihren Expeditionsleiter besorgt, er hat ihnen von seinen Halluzinationen berichtet. Die Wahrscheinlichkeit, dass sich ein Eisbär in den Ort vorwagt, ist um diese Jahreszeit gering. Ob er gar auf seine Walgespenster schießen will? Während es draußen langsam wieder dunkel wird, liegen sie in ihren Schlafsäcken und diskutieren, ob sie Petersen informieren sollen. Müssen sie ihren Chef einsperren, weil er unzurechnungsfähig geworden ist? Ist der Mann eine Gefahr für andere? Sie beschließen, zunächst noch eine Nacht abzuwarten. Besonders gut schläft keiner von ihnen, zu groß ist die Angst, plötzlich einen Schuss zu hören.

Doch es bleibt ruhig. Am Morgen berichtet ein bleicher de Quervain, auch im Zelt Tiere gesehen zu haben. Es ist egal, wo er sich aufhält, sie finden ihn ja doch, also zieht er zurück ins Holzhaus. Der Anführer ist kaum wiederzuerkennen, die vergangenen Wochen haben ihn mehr mitgenommen, als er sich anmerken ließ. Sobald es dunkel wird, spricht er lauter als sonst, um seine düsteren Gedanken gewaltsam auszublenden. Sein Blick wirkt gehetzt, er wackelt nervös auf seinem Stuhl herum, springt auf und setzt sich wieder.

Er wälzt sich im Schlaf, stöhnt und schlägt um sich. Jetzt scheint er im Traum wieder auf dem Inlandeis zu sein, denn plötzlich ruft er: »Hoessly, halt, halt!« Der Angesprochene ist Chirurg und kein Psychiater, hier kann er nichts ausrichten.

Tagsüber dagegen ist Hoessly nun sehr begehrt als Arzt, viele Dorfbewohner bitten um Hilfe: eine Frau mit einem vereiterten Ohr, ein Mann, der seit Monaten wegen eines gebrochenen Oberschenkelknochens nur auf dem Bauch liegen kann. Hoessly renkt ihm unter Narkose das Bein mit Gewichten so ein, dass es wieder zusammenwachsen kann. Doch der Mann stirbt an den Folgen der Betäubung. Der Arzt macht sich Vorwürfe, ist aber sicher, alle nötige Vorsicht angewandt zu haben. Ab jetzt operiert er jedoch nicht mehr unter Narkose.

Gaule hat sich eine behelfsmäßige Dunkelkammer eingerichtet und entwickelt die ersten Fotos. Roderich rechnet einige der zurückgelegten Strecken nach und misst Höhenprofile in der Umgebung des Ortes. Den Einheimischen bringt er ein paar Turnübungen bei, außerdem baut er für Petersen zum Dank für seine Gastfreundlichkeit eine Sonnenuhr. Als die schließlich an der Hauswand hängt, stößt sich de Quervain an dem Zeiger so stark den Kopf, dass er eine blutende Wunde davonträgt – und nun auch mal in wachem Zustand nach Hoessly rufen muss.

Mit der Zeit geht es dem Expeditionsleiter besser, ob der Zusammenprall dazu beiträgt, ist nicht belegt. Doch weiterhin benimmt er sich recht mürrisch und ist schnell beleidigt. Auf einen Besuch der anderen drei bei Petersen, ohne ihm Bescheid zu geben, reagiert er übertrieben gereizt – schon durch so eine Lappalie fühlt er sich in seiner Autorität verletzt.

Ansonsten genießen es die vier, endlich mal wieder Abwechslung im Speiseplan zu haben. Lachsforelle und Eisbärfleisch sind die größten Köstlichkeiten. Gar nicht so leicht, da den Konsum auf ein gesundes Maß zu verringern, jetzt, wo der Körper ohne die tägliche Anstrengung erheblich weniger Kalorien braucht. »Gewisse Mitglieder, die auch an der Ostküste die ganze Pemmikanration beibehielten, sind von dort merklich fett zurückgekehrt«, schreibt de Quervain. »Ich bin allerdings ein dickes Schwein, dass michs beim Lachen im Gesicht spannt«, schreibt Roderich.

Vier Hunde haben überlebt, vier von 29. Mons, Jason, Kakortok und Silke dürfen mit Petersens Erlaubnis auf einer Insel in der Bucht bleiben, aber nicht ins Dorf. Ab und zu unternehmen die Männer Kajakfahrten dorthin, mit ein paar Fischen als Gastgeschenk. Sie hoffen, die Tiere nach Hause in die Schweiz mitnehmen zu können, 3300 Kilometer Luftlinie ist die Heimat weg. Für jeden ein Schlittenhund, das wäre doch ein viel besseres Souvenir als all die bereits ertauschten Modellboote, Eisbärschädel und Inuit-Paddel.

Am 28. August, es ist Mittwoch und stark bewölkt, gleitet das Dampfschiff »Godthaab« in die Bucht. Ich stelle mir vor, wie aus allen Richtungen, aus jedem Zelt und jedem Holzhäuschen, die Menschen zum Hafen strömen. Es ist das einzige Schiff des Jahres, ein Großereignis für die kleine Kolonie, danach ist für zwölf Monate jeder Kontakt zur Außenwelt abgeschnitten. Zwölf Monate ohne Briefe, ohne Werkzeug, ohne Holz. Diesmal bringt das Schiff die Nachricht mit, dass der dänische König tot sei, schon seit fast einem halben Jahr. Statthalter Petersen organisiert daraufhin den spätesten aller Trauergottesdienste zu Ehren von Friedrich VIII.

Erfreulicher ist, zumindest aus Sicht des angeschlagenen Expeditionsleiters, dass sich an Bord auch seine Frau Elisabeth

befindet. Sie verbringt noch ein paar Tage mit ihm in Angmagssalik, bevor das Schiff in Richtung Island abfährt.

Die vier Tiere dürfen nicht mit. Der Kapitän sagt, er habe strikte
Anweisung aus Kopenhagen, keine Hunde zu transportieren.

31. August 2012
Tasiilaq, Ostgrönland

Das Zurückkommen ist oft der Teil einer Reise, der den größten
Kulturschock bereithält. Weil das Alltägliche plötzlich exotisch ist,
das eigentlich Vertraute neu. Als ich aus Australien zurückkam,
kamen mir die Menschen in Deutschland grimmig und unflexibel
vor. Nach einer Moskau-Winterreise fand ich sie verdächtig heiter. Und nach einem Chinaurlaub waren sie riesengroß und ziemlich spärlich vorhanden – ich konnte es nicht fassen, morgens um
halb neun noch freie Sitzplätze in der U-Bahn zu finden.

Und jetzt, nach einer Reise ins Eis Grönlands? Nicht die Menschen sind das Exotische, ich war ja rund um die Uhr mit drei
Artgenossen zusammen. Stattdessen ist es die Zivilisation selbst,
die sich ungewohnt anfühlt.

Die hat zunächst mal einige Vorzüge: Weißbrot und Käse zum
Beispiel. Allein für dieses Geschmackserlebnis sollte jeder einmal
im Leben für einige Wochen nur Astronautennahrung und Pemmikan zu sich nehmen. Oder das erste Bier: ein Gedicht aus Hop-
fen und Malz, auch wenn es sich um eine schlecht gekühlte Dose
der objektiv betrachtet fürchterlichen Sorte Tuborg Green handelt. Einer meiner Mitstreiter bringt das Gerücht auf, dass man
mit dem Seufzer nach diesem ersten Schluck Bier Schlüsselstellen
eines Pornofilms synchronisieren könnte.

»Frisches Brot ist doch was Feines, oder?«, sagt Robert Peroni, und wir nicken mit vollem Mund. Morgen beim Frühstücksbuffet werde ich zwölf Scheiben davon verdrücken, mit jeweils fast einem Zentimeter Salami oder Schinken als Belag. Peroni setzt sich zu uns und erzählt vergnügt von anderen Expeditionsfiaskos. »Einmal war hier eine Bergsteigergruppe, die falsches Benzin für ihre Kocher nach Tasiilaq geliefert bekam. Das haben sie nicht getestet, für 10 000 Euro ließen sie sich ins Schweizerland zum Mont Forel fliegen.« Dort hätten sie dann festgestellt, dass sie nicht kochen konnten. »Immerhin war Sommer, und es gab dort Trinkwasser, aber nach drei Tagen mussten sie zurückfliegen.« So einen Schlittenschaden wie unseren hat er noch nie gesehen. »Wenn ihr da einen Materialfehler nachweisen könnt, müsstet ihr mit einem guten Anwalt einiges an Schadenersatz kriegen«, sagt er.

Die erste Dusche in der Zivilisation ist eher enttäuschend. Ob man sich drei Wochen nicht wäscht oder fünf, ist eigentlich egal. Unser eigener Geruchssinn ist abgestumpft, die Körperhygiene ist hauptsächlich ein Akt der Nächstenliebe gegenüber den anderen Hostelgästen. Manche von ihnen machen tatsächlich einen respektvollen Bogen um uns. Lang müssen sie uns allerdings sowieso nicht ertragen. Abends um Viertel nach acht schaut Gregor auf die Uhr: »So spät war ich schon lange nicht mehr im Bett«, sagt er und holt seine Zahnbürste.

Die Zivilisation bietet Brot und Bier, sie ist aber auch a) verwirrend, b) ein Kontrollverlust und c) ziemlich fehleranfällig. Verwirrend wie ein Supermarkt mit Neonlicht, zwölf Sorten Käse, zwei Apfelarten und Dutzenden italienischen und französischen Rotweinen. Was nimmt man denn da? Warum sind die Packungen so bunt?

Ein Kontrollverlust deshalb, weil plötzlich nicht mehr wir bestimmen, wie der Tag abläuft. Ständig müssen wir auf irgendwas warten: Frühstück erst ab acht Uhr, das Boot zum Flughafen fährt um zehn, der Flieger geht um drei. Eine halbe Stunde dauert es im Postamt, bis der Nummernzettel mit der Digitalanzeige übereinstimmt, reine Zeitverschwendung. Wie viel Freiheit man genossen hat, merkt man erst in dem Moment, in dem man sie nicht mehr hat.

Fehleranfällig ist die Zivilisation insofern, als das Internet im Hostel erst mal nicht funktioniert, der Geldautomat kein Geld ausspucken will und die Kaffeesahne-Miniverpackung so konstruiert ist, dass sich der Inhalt bei ungestümer Handhabung überallhin ergießt, nur nicht in Richtung Filterkaffee. Nervig ist auch ein penetrantes Surren des Kühlschranks in der Hostelwohnküche, das sonst niemand wahrzunehmen scheint. Wir kommen aus einer schwarz-weißen Welt der Kälte und des Windes in eine knallbunte Welt der Störgeräusche, der unbegrenzten Wahlmöglichkeiten – und der unbegrenzten Informationsflut.

Zum ersten Mal wieder Online-Nachrichten seit vier Wochen, ein Unding für einen Journalisten, der sich sonst im Stundentakt auf den neuesten Stand bringt. Es könnte ein Ufo gelandet oder ein Krieg ausgebrochen sein, wir würden nichts davon wissen. Ein kurzer Blick auf die Nachrichtenportale bringt aber Entwarnung. Ein Lufthansa-Streik, Mitt Romney im Wahlkampf, Abschlussfeier der Olympischen Sommerspiele – im August 2012 ist eigentlich nichts passiert.

Ich nutze die Gelegenheit, um zum ersten Mal die Forumsbeiträge zu lesen, die sich mit unserem Scheitern befassen. Wie erwartet tun sie das ohne übermäßige Empathie:

»Die hätten betr. Schlitten vielleicht mal jemand fragen sollen, der sich damit auskennt«, schreibt einer. »Superkonstruktion, das hätte ich ja besser selbst bauen können«, ein anderer, der mit den Worten »ihr Hobby Outdoortypen« endet. »Das ist Baumarkt-Bastel-Schrott und kein High Tech! Geradezu tollkühn, sich mit so was in die Eis-Wildnis zu begeben«, lautet die nächste Ferndiagnose.

Zuletzt lese ich noch ein paar E-Mails. Eine Freundin schreibt per E-Mail, dass ihr Opa in der Ukraine mit 87 gestorben ist. Sie bedauert es, ihn nicht mehr besucht zu haben, zuletzt hat sie ihn vor vier Jahren gesehen.

Fast hätte ich ihr geschrieben, sei froh, dass du ihn überhaupt erlebt hast, aber das wäre nicht nur völlig unpassend, sondern auch noch falsch. Ich habe meinen Opa auch erlebt. Jetzt gerade, mehrere Wochen lang. Ein sensibler 25-Jähriger mit eigenwilliger Rechtschreibung und nichts als Abenteuern im Kopf. Lebendiger geht's kaum.

16. September 1912
Zürich, Brief der Mutter an Roderich

Mein lieber Butz!

Herr Gott wie _froh_ sind wir. Heute morgen brachte mir der Vater Deinen Brief herauf ans Bett, er kam mit der ersten Post. Alles kommt immer früher als wir's erwartet (das war auch gut), so auch das Telegramm in der Züricher Zeitung. Ich hab gemeint, wir müssen noch lang auf Dich warten u. hab viel von Dir geträumt. Also ich brauch Dir jetzt weiter nix zu sagen – nur wie ich Deinen Brief und Dein Bild gestern auf den Frühstückstisch vor die Tassen der Kinder gestellt hatte – (ich bin gleich zum Bett raus gesaust u. war ganz ausgeschlafen), kam erst Gisela. Sie ist so erschrocken, aber vor Freude, sie guckte nur schnell Dein Bild an, legte es wieder hin und lief schnell in ihr Zimmer hinauf . . . .
Dann kam Roland – na, ich kann Dir halt nit beschreiben wie das war, – wenn Du's gesehen hättest, der wurde halt feuerroth u. haute immer mit der Faust auf den Tisch u. rief und lachte »tadellos – tadellos«, er konnte erst nix anderes rausbringen. Und so gings rum.

29. September 1912
Kopenhagen, Brief an die Eltern

Also heut morgen sind wir hier (nach 3 tägiger Fahrt von Edinburg aus) angekommen – von Island aus sind wir erst nach den Westmannsinseln und dann nach Aberdine und Edinburg gefahren. In Edinburg waren wir 26 Stunden und da haben wir Zeit gehabt, die Stadt anzuschauen und sogar mit einem Automobilomnibus raus zu fahren nach der grossen Fjordbrücke. Dort haben wir auch englische Torbedoboote gesehen und Unterseeboote. – Bei der Einfahrt heut morgen hier in den Hafen von Kopenhagen haben wir gerade noch die russische Ostseeflotte abfahren sehen. – Euere Briefe habe ich gekriegt; darunter waren auch noch alte Westküstenbriefe, die mich an der grönl. Westküste nicht mehr erreicht haben. Die 200 Mark waren nicht gerade nötig; ich bin aber doch froh drum. Die Mamma fragte nach meinem blauen Anzug. Den hab ich an. Er ist mit anderen Expeditionssachen von der Westküste über Kopenhagen nach Angmagsalik gereist. –

Wann wir hier wegkommen, weiss ich jetzt noch nicht. Morgen sind wir von der Schweizer Kolonie, übermorgen von der Geografischen Gesellschaft eingeladen. Ich denk aber, dass wir am Mittwoch hier abreisen. Schad dass ich den Onkel Hans wieder nicht treff. Ich möcht aber doch wegen Halewick in Dresden einen Tag Aufenthalt machen.

30. September. Heut hab ich das Paket mit dem schwarzen Anzug gekriecht, was ich morgen für den Geografenbetrieb nötig hab. . . .

1. Oktober. Also gestern war die Schweizergesellschaft, und heut abend ist die geografische. Dann werden wir am Mittwoch hier los kommen. Ich denk mir so, dass wir Anfang nächster Woche spätestens heim kommen. Ich stell mir so vor: Bis Donnerstag abend in Dresden, Freitag bei Halewick, Samstag weiter, Sonntag bei Onkel Hem und Montag in Zürich. – Bitte keinen Bahnhofsbetrieb; ich komm mir jetzt eigentlich ziemlich albern vor. Zum Beispiel haben sich der Hü und ich für heut abend Zilinder geliehen; wir müssen sehr lachen. – Q. ist heut vom König empfangen

worden. – So, ich weiss grad nix mehr und wir müssen jetzt gleich weg zu der Gesellschaft.

Roderich.

Oktober 1912
Zürich, Tagebuch Marie Fick

2. Oktober 1912
Bis 12 Uhr hatten Adoler (*Adolf Fick*) und ich unten im Stübli auf Roderich gewartet. Aber weder die beiden Grönländer selbst, noch eine Nachricht von ihnen ist hier heute eingetroffen.

4. Oktober 1912
Heute kam endlich ein Brief von Roderich an ... mit der Nachricht, daß er erst über Dresden-Hellerau, Tübingen fahre. Da ergoß sich die schmerzliche Enttäuschung in wahre Fluthen, mit denen ich all mein Warten, meine aufgestapelten Sorgen herausschwämmte. Ich kam in meinem Bett dann zur Vernunft, und eingedenk meines Gelübdes und guter Vorsätze, so er heil zurückkehrt, trockneten meine Wangen u. Nase – ich schnäuzte nochmal energisch u. schlief mit verschwollenen Augen dann ein. Roderich ist jung, ein Mann, u. ein »Sohn«. – Er fürchtet, wir könnten ihn zu feierlich und beglückt empfangen, u. macht deshalb einen Umweg, um die unmittelbare Rückkehr etwas zu dämpfen u. unsere Herzen abzuhärten. Die 2 Beefsteaks vom Londen, die schon eines Abends für ihn gebraten waren, aß Roland dann. Er hat sie am meisten für seine Treue und Bruderliebe verdient. Dreimal hatte Johanna herrlichen Apfelkuchen gebacken, wir mußten ihn aber selber aufessen.

8. Oktober 1912

Roderich angekommen. Um ¹/₂ 2 Uhr steckte er seinen Kopf zur Thüre herein. Wir saßen in Adolers Stübli u. warteten mit dem Essen. Der schönste Tag meines Lebens.

Da sitzt er wieder bei uns, hat weder seine Hände noch Nase erfroren – sieht gesund aus, ist noch gewachsen und seine blauen Augen sind noch blauer geworden. Wir haben sie halt lang nicht mehr gesehen. ... Roderich hat von 2 Uhr bis 12 Uhr nachts ununterbrochen erzählen müssen. Fertig sind wir noch lang nicht.

Alfred de Quervain († 13. Januar 1927 in Zürich)

Zürich, 24. November 1912, »Neue Zürcher Zeitung«

Reisebericht der schweizerischen Grönlandexpedition 1912 von Dr. Alfred de Quervain.

Nicht ohne Zögern folge ich dem Wunsch nach einem ausführlichen Bericht über die schweizerische Grönlandexpedition 1912, insbesondere unsere Durchquerung Grönlands.

Denn immer mehr sehe ich es ein, daß dabei ein schwerer Uebelstand offenbar werden wird, der unserm Unternehmen anhaftet. Wir haben nämlich in den entscheidenden Augenblicken nicht daran gedacht, daß ein Feuilleton daraus werden sollte. Wir hatten nur im Auge, daß es eine wissenschaftliche Expedition sein sollte, die mit bestimmten Feststellungen nach Hause kommen müsse. Wir glaubten, alles, was von uns erwartet werden könnte, wäre, daß wir unser Programm richtig durchführten. An das wollten wir alles setzen, und als es dann einfach gelang, meinten wir naiv, damit sei auch alles in Ordnung, und waren sogar noch ein bißchen stolz. Biedere Schweizer!

Unterdessen hatten wir so vieles versäumt, was, wie wir jetzt wissen, auch noch dazu gehört hätte.

Schon von vornherein haben wir uns durch unsere ungehörigen Vorbereitungen so mancher kostbaren Gelegenheit beraubt, in jene interessanten Situationen zu kommen, die auf einer Expedition eintreten, wenn plötzlich etwas Wichtiges fehlt, was durchaus da sein sollte. Um welche spannenden Momente haben wir damit uns und, was viel schlimmer ist, den Leser gebracht!

Auch unterwegs reihte sich, wie ich erst jetzt zu Hause richtig einsehen lerne, Mißgriff an Mißgriff. Wer ließ uns zur rechten Zeit das Hundekutschieren lernen? Und welcher Vorwitz war es, zur rechten Zeit das richtige Hundefutter auftreiben zu wollen! Das allein hätte, wie jeder Polargeschichtskundige weiß, ja doch zwei unwiderbringliche Chancen bedeutet, mit sensationellen Nachrichten – und leeren wissenschaftlichen Notizbüchern nach Hause zu kommen. Wir haben sie natürlich verpaßt.

Aber weiter: Wer hieß uns so lächerlich pedantisch vorsorgen, daß wir nicht die beste Zeit mit dem Suchen nach einem Aufstieg zum Inlandeis verlieren mußten? Wer brachte uns auf die fast unfaire Einsicht, gerad die geeignete Jahreszeit für die Durchquerung zu wählen?

Wie sollen mit solchen kleinlichen Prinzipien die Schauergeschichten zustande kommen, die sich für eine Expedition gehören? Nicht einmal Eisbären haben wir geschossen; kaum daß einer zwei steife Finger nach Hause gebracht hat! Ich bitte unsere Freunde, die uns ihre finanzielle Hilfe, unsere Gönner, die ihre moralische Unterstützung gespendet haben, um Nachsicht, daß wir einfach unsere Aufgabe gelöst haben, ohne das Heft weiter mit interessanten Klecksen zu verzieren.

Hans Hoessly († 8. Oktober 1918 in Zürich)

Zürich, Dezember 1912, Jahresbericht des Akademischen Alpen-Clubs Zürich

Quer durch Grönland

Der versprochene Bericht kann nicht erscheinen, da H. Hoessli zu faul ist, ihn zu schreiben, und sagt, man solle in der NZZ nachlesen.

Karl Gaule († 22. Juni 1922 in München)

Aachen, 9. Dezember 1912, Brief an Roderich

... Dass ich nichts mehr mit dem Q. zu tun habe, ist mir sehr angenehm. Seit ich fort bin, habe ich keine Silbe gehört und keine Zeile gesehen von ihm. Die Reiseberichte in der N.Z.Z. haben sie mir von zu Hause geschickt. ... Dass er sich auch nicht die kleinste Bemerkung verkneifen kann, wenn er sie für geistreich und bedeutend hält. Seine Erzählung würde ja tatsächlich gar nicht schlechter, wenn er Zweidrittel von dem ausschmückenden Beiwerk wegliesse. ... Ob er wirklich gar nicht merkt, wie beleidigend seine ewigen Zweifel an der Redlichkeit anderer sind? Und wie schlecht er selbst dadurch erscheint, weil ja seine Verdächtigungen alle Menschen ohne Unterschied treffen, also offenbar nicht an denen sondern in seinem Denkgehäuse zu finden sind. Niedlich war ja auch der Satz in seinem Bericht, wo er von den Chronometern spricht und sagt, es sei so beruhigend gewesen wenigstens ein Ding mitzuhaben, auf das man sich unbedingt verlassen konnte. Die Leser <u>müssen</u> ja denken, »der arme Mann, nicht einmal auf seine Begleiter hat er sich verlassen können!«

Aachen, 8. Juli 1913, Brief an Roderich

Lieber Roderich! Die Typen von Hoessli sind fein. Das Bild von den heulenden Hunden ist grossartig, ich habe mich sehr darüber gefreut. Es ist sehr schad, dass wir nicht in der selben Stadt wohnen, schon wegen der Erinnerungen. Heute vor einem Jahr war glaube ich der Sturmtag im Zelt. Man hätte doch Tagebuch führen sollen. Der Q. hat mir persönlich keine Mitteilung von der Geburt seines Sohnes gemacht, gehört habe ich es von zu Hause, demgemäss werde ich auch nicht gratulieren. ... Was knobelst Du denn für Dich, Architektur oder Segelflieger oder Philosophie? ... Ich freu mich auf Zürich, besonders wenn wir die Grönlanderinnerungen wieder auskramen. So ein Glück, dass wir da haben mitdürfen. Es wird immer traumhafter je weiter es zurückliegt.

Roderich Fick († 13. Juli 1955 in München)

Zürich, 22. Oktober 1912, Tagebuch der Mutter

Roderich weiß nicht wonaus mit seiner Kraft, u. es liegt ein Schimmer über unserem ganzen Haus, von Fröhlichkeit u. Glückseligkeit.

21. Mai 1916

Pamplona, Spanien, Tagebuch Roderich Fick
(in Kriegsgefangenschaft)

Schon 2 Wochen in Spanien! Der Roland schon über $^1/_4$ Jahr tot! Damit ein grosser Teil meiner Welt als Vorstellung vernichtet, nie ist für mich so viel auf einmal gestorben. Deswegen vielleicht immer noch so unbegreiflich, trotzdem im Krieg das Sterben eine so selbstverständliche Sache ist und trotzdem ich durch die Nachricht garnicht besonders überrascht war. Seit dem Grenzübertritt – etwa um die selbe Zeit als der Roland fiel – hatte ich besonders Angst auf eine solche Nachricht, da ich selbst damals verhältnismässig in Sicherheit war und mir die Wahrscheinlichkeit sagte, dass auch der Roland bei der langen Kriegsdauer einmal getroffen werden müsse. Mindestens erwartete ich eine schwere Verwundung. ... 2 Briefe hab ich für ihn noch hier liegen, die er nicht mehr lesen kann. ...

Die Grönlanderinnerungen hab ich in Afrika für mich und für den Roland fertig aufgeschrieben. Er ist der einzige, der unsere Grönlandreise mit richtigem Verständnis mit genossen hat. Ich habe nach der Grönlandreise erfahren, dass man eigentlich so etwas nur für sich allein erlebt und die Erlebnisse einem, der nicht mit dabei war, eben nicht durch Erzählen übermitteln kann. Beim Roland allein mag das halbwegs gelungen sein. Darum hatte ich ihm, als ich in den Krieg gieng, für den Fall seines Überlebens meine grönländischen Aufzeichnungen vermacht.

28. Februar 1919
Pamplona, Spanien, Tagebuch Roderich Fick

Und warum habe ich mich nicht irgendwo an die Front gestellt? Dort sind Siege zu erringen und das höchste Glück! Für welchen Frontabschnitt hätte ich mich geeignet? Architektur sei auch ein Frontabschnitt? Ja wenn ein Architekt beschäftigt ist, aber ich scheine bis ins Unabsehbare in Reserve hinter der Front zu bleiben, und vorne sind so viele weniger Fähige in Tätigkeit. ... Nun scheint es eben so zu bleiben: Die Leistung meines Lebens an einer Front ist die Grönlandreise.

25. April 1943
Herrsching am Ammersee, Tagebuch Roderich Fick

Das Einrichten und Umrichten der Wohnung ist ein Ordnung machen in mir selbst und ein Rückblick auf Vergangenes. Da kommen mir namentlich Werkzeuge beim Räumen in die Hand, die tiefes Jugendglück bei ihrem Erwerb für mich bedeutet haben. Die Glückserinnerungen leben auf und sinken zurück. Leider komme ich ja nicht mehr oft in die Lage, ein Werkzeug zur Hand zu nehmen, und doch habe ich diese alten Hobel und Meissel um mich. In meinem Arbeitsraum kann ein Schraubstock nicht fehlen und die Bleistifte werden mit Meisseln gespitzt, die auch selber geschliffen werden. Alte Instrumente, die mit der Grönlandreise verbunden waren, kommen in meine Hand, werden gereinigt. Der Seesextant und mein englischer Grönlandkompass, der mich quer durch das Inlandeis geführt hat.

Epilog
Herrsching am Ammersee, 22. Oktober 2012

Mein Vater schläft jetzt wieder in dem Daunenschlafsack, den er
für unsere Familienexpedition nach Grönland gekauft hat, Kom-
forttemperatur minus acht Grad. Ganz schön kalt wird es nachts.
Morgens laufen wir zusammen zum See, um in großen Plastikei-
mern Wasser zu holen. Nein, wir sind nicht zurück in der Wildnis,
das ist nur der Alltag im baufälligen Haus meines Opas: Leitun-
gen und Heizung sind kaputt, nur in ein paar Zimmern sorgen
elektrische Heizkörper für Wärme, ein Internetanschluss existiert
nicht. Wer sich waschen will, muss den Wasserkocher in der kleinen Küche im Dachgeschoss anschmeißen. Meine Eltern machen
einen zufriedenen Eindruck.

Im Jahr 1920 hat Opa die Alte Mühle gekauft, die Ruine eines
riesigen Anwesens am See mit verfallenem Mühlrad. Ein histori-
sches Gebäude, 1158 wurde es erstmals urkundlich erwähnt.
Sein Vater lieh ihm Geld, dafür zog dann die ganze Familie ein.
Platz hatten sie in den mehr als 20 Zimmern genug. Opa wohnte
mit seinem »Marieli« im Obergeschoss, sie hatte sich nach seiner Grönlandreise überraschend gut von ihrer Krankheit erholt.
Er renovierte das ganze Gebäude, legte einen Rosengang im
Garten an und errichtete ein Bootshaus. Manchmal drehte er
auf dem Ammersee ein paar Runden in einem seiner zwei Grön-
landkajaks – den zweiten baute er 1921 mit besonders edlen
Verzierungen aus Walrosszahn, die er von der Reise mitgebracht
hatte.

Das Kajak steht jetzt im Untergeschoss, eine dicke Staubschicht verdunkelt die Außenhaut aus Segeltuch, das mit weißer
Ölfarbe angestrichen ist. Innen steht in gestempelten Buchstaben »FACIEBAT ANNO MDCCCCXXI«, wie in einem edlen
Musikinstrument. »Als Kind bin ich damit auch gefahren«, er-

zählt meine Mutter. Das Licht in dem Raum funktioniert nicht, wir müssen die schweren Fensterläden zum See hin öffnen, um etwas sehen zu können. Immer wieder bleiben draußen Wanderer stehen und starren herein, ein so exotisches Paddelboot haben sie in Herrsching noch nicht gesehen. Der Rumpf ist so flach, dass ich mir kaum vorstellen kann, länger als eine halbe Stunde die Beine darin stillzuhalten. Und die vier waren damals auf dem Weg zum Depot neun Stunden ohne Pause unterwegs!

Das dazugehörige Paddel, ein wunderbar geschliffenes Exemplar aus Holz und Knochen, trägt die Aufschrift »Tassiusak«, gedruckt mit den gleichen Stempelbuchstaben wie das »Faciebat anno«. Tassiusak ist die alte Inuitbezeichnung für den Ort Tasiilaq.

Früher hingen in diesem Raum auch die ganzen Inuitwaffen an der Wand, in ihrer Anordnung einen Halbkreis bildend, eine ziemlich martialische Raumdekoration. Erst später kamen sie in die Grönland-Diele, wie ich sie als Kind kannte.

Dort lag auch lange Zeit ein Eisbärenkopf, den meine Mutter jetzt aus einem Holzschrank mit Glastür holt. »Irgendwann mussten wir den da wegnehmen, weil alle Gäste den immer angefasst haben.« Dabei fiel er einmal auf den Boden, der Unterkiefer ist in der Mitte gespalten. Mit Metallschrauben wurde er repariert, doch die haben sich wieder gelöst. Überraschend klein ist so ein Schädel im Vergleich zum massigen Körper eines solchen Tieres.

Ich habe Opa in Bewegung gesehen, seine Urne in der Hand gehalten, seine Texte gelesen, bin seinen Spuren gefolgt. Ein Puzzleteil fehlt noch. »Gibt es eine Aufnahme von seiner Stimme?«, frage ich. »Wir haben ein Tonband von einer Rede, die er bei der Eröffnung der Sparkasse in Landshut 1954 gehalten hat«, sagt meine Mutter. »Sind aber nur vier Minuten.«

Ich baue das alte Dual-Abspielgerät auf, sie sucht die Kassette. Viele Reden sind da drauf, Bürgermeister und Banker, zwischendurch spielt ein Streichquartett. Ich spule vor, bis als nächster Redner der Architekt angekündigt wird. Dumpfes Applausrauschen. »Hochverehrte Festversammlung!«, sagt er, eine typische Fünfzigerjahre-Tonbandstimme, leicht verzerrt, eher Tenor als Bass, feierlicher Tonfall. Ich hatte erwartet, dass er einen bayrischen Dialekt mit leichten schweizerischen Anklängen spricht, heimlich sogar auf ein versehentliches -li am Wortende gehofft. Doch weit gefehlt: Opa sächselt! Das ist eine echte Überraschung, lebte er doch die längste Zeit in Zürich oder in Bayern.

Marie Günther muss schuld sein, das Marieli aus Dresden. 19 Jahre lang waren sie verheiratet bis zu ihrem Tod 1938. Roderich hatte viel Kontakt zu ihrer Familie, auch dort konnte er seine Dialektkünste verfeinern. Was nicht seine Absicht war: »Einmal hat ihm jemand gesagt, dass er sächsisch klingt, da war er richtig beleidigt«, erzählt meine Mutter.

Der Tonband-Opa dankt den Auftraggebern und Ingenieuren, den Statikern und Installateuren. Es ist eine sehr förmliche Rede und eine sehr bescheidene: »Im einzelnen brauche ich über den nun fertigen Bau, was seine Architektur anbetrifft, nichts zu sagen. Was wir daran gemacht haben, das kann man ja alles sehen.«

Er sagt »Möchlichgeit« statt Möglichkeit und »Renessangs« statt Renaissance. Zum Abschluss dankt er den Handwerkern, denen er sich nach unzähligen Stunden, die er selbst in Werkstätten verbracht hat, besonders nahe fühlt. »Wenn auch beim Bauen heute sehr viel maschinell gemacht werden muss und manche Teile genormt fertig zur Baustelle kommen, bleibt die letzte Vollendung doch immer noch dem Handwerk vorbehalten.«

Auch meine Mutter ist enttäuscht: »Er klingt wie ein kleiner Mann und gar nicht wie ein gebildeter Künstler.« Tatsächlich lässt die dünne Stimme nicht an einen 1,86-Meter-Hünen denken.

Seit Grönland sind vier Jahrzehnte vergangen, zwei Weltkriege und berufliche Höhen und Tiefen trennen den 67-jährigen Redner von meinem Inlandeis-Roderich. Ich erkenne ihn kaum wieder. Nur die Liebe zum Handwerk kommt mir vertraut vor aus den Tagen seiner Expeditionsvorbereitung in der Werkstatt.

Ich sehe mich noch etwas um in der Mühle. In Schränken stapeln sich Architekturbücher und Pläne, in der Ecke steht ein Gipsmodell des Wasserstraßenamtes von Linz, meine Eltern haben gerade mit einem Pinsel eine dunkle Staubschicht davon entfernt. Viele Schubladen sind bis oben hin voll mit Zeichnungen und Fotos.

Ich reise im Geist noch ein wenig durch die Jahrzehnte, blättere in schweren Wälzern über den Obersalzberg, über die Architekten des »Dritten Reichs«. Dann schaue ich mir alte Fotoalben aus Opas Kindheit an. Gruppenbilder der Familie. Der Vater mit Pickelhaube und Militäruniform. Roderich im Handstand auf einem Pferderücken. Roderich in gestreifter Unterhose, mit Gewehr in einem Teich watend. Roderich beim Skispringen. Roderich mit Geige, Gitarre oder Klavier. Studiofotos mit den Geschwistern. Irgendwo zwischen dem Handstand-Jugendlichen und dem Hitler-Günstling liegt der Grönland-Held.

Um meinen Opa besser kennenzulernen, hätte ich mich auch einfach vier Wochen in Herrsching einquartieren können. Wäre erheblich bequemer gewesen, als mit seinem Tagebuch durch Grönland zu stapfen. Oder ich hätte zu seinen ganzen Bauwerken reisen können, mehr als 20 stehen noch in Bayern und Österreich.

Zum Glück habe ich das nicht gemacht. In Grönland konnte ich Opa ganz nah sein bei der Unternehmung, die für ihn die vielleicht wertvollste Erfahrung seines Lebens war. Das ist eigentlich das Schönste, was man teilen kann. Und ist nicht eine Momentaufnahme aus einem Leben viel stärker als das übliche Konglomerat aus allen Lebensjahrzehnten, die man im Nachhinein zu einer Biografie zusammenrührt? Wie mit einer Formel: Jugend + Arbeitsleben + Heirat + Erfolge + Misserfolge = Person$_{gesamt}$. Allzu lebendig ist das Ergebnis wie bei vielen Rechenaufgaben nicht. Denn in der Vorstellung kann immer nur ein Kopf gleichzeitig existieren, ob das nun der eines 25-Jährigen oder eines 69-Jährigen ist.

Letzterer liegt mit geschlossenen Augen auf einem Planschrank: seine Totenmaske aus Gips. Und daneben liegt sie noch einmal, in einer schwarzen gusseisernen Variante, die sehe ich jetzt zum ersten Mal. Muss teuer gewesen sein, sie ist mindestens dreimal so schwer. Zwei Arten von Masken, weiß und schwarz, zwei Versionen von Opa. »Von den weißen haben wir sieben Stück, kannst dir gern eine mitnehmen«, sagt meine Mutter. Ich lehne ab. Dieser Gips-Opa ist mir entschieden zu alt. Und zu tot. Ich habe einen besseren getroffen, irgendwo da draußen im Eis von Grönland.

Anhang

Expeditionsziel Grönland

Sucht man nach einem gemeinsamen Motto für die früheste Phase der Grönland-Expeditionen, trifft es »Hauptsache lebendig hinkommen« wohl am besten. Im zehnten Jahrhundert gründet Erik der Rote die ersten skandinavischen Siedlungen im Süden und Südosten Grönlands. Im Jahr 985 bricht er von Island mit 25 Schiffen auf, 14 kommen an. Der norwegisch-isländische Seefahrer gibt der größten Insel der Welt ihren Namen, der »grünes Land« bedeutet. »Die Menschen werden sich eher bemühen, dorthin zu gehen, weil das Land einen guten Namen hat«, soll er gesagt haben. Was cleveres Tourismus-Marketing angeht, war Erik der Rote eindeutig seiner Zeit voraus.

Im Jahr 1472 erreicht eine dänisch-norwegische Expedition die südlichste Spitze Grönlands. Die deutschen Leiter Didrik Pining und Hans Pothorst legen in der Nähe von Cape Farewell an und erleben feindselige Konfrontationen mit den Grönländern. Möglicherweise besuchen sie auch die Region um Angmagssalik, die Quellenlage zu ihrer Reise ist äußerst dürftig.

In der zweiten Phase geht es hauptsächlich um die Suche nach der Nordwestpassage nördlich des amerikanischen Kontinents zwischen Atlantik und Pazifik, wobei die Seefahrer in Grönland oft einen Zwischenstopp einlegen und die Küsten kartografisch erfassen.

So wie der Brite Martin Frobisher, der im Juni 1578 im Süden Grönlands anlegt. Er fährt weiter an die kanadische Westküste, hat aber keinen Erfolg mit seiner Routensuche.

In den Jahren 1605 und 1606 schickt Dänemarks König Christian IV. zwei Expeditionen nach Grönland, um Gebietsansprüche geltend zu machen und Silbervorkommen zu suchen.

Mehrere britische Expeditionen, etwa geleitet von John Ross oder John Franklin, laufen in den folgenden Jahrhunderten auf der Suche nach der Nordwestpassage Grönland an.

Neben einem Seeweg zum Pazifik interessiert im 19. Jahrhundert der nördlichste Punkt der Erde mehr und mehr potenzielle Pioniere. In dieser »Zwischenstopp-für-Nordpolfahrer-Phase« sind in den Jahren 1869 und 1870 zwei Schiffe der Zweiten Deutschen Arktis-Expedition an der grönländischen Ostküste unterwegs. Sie sollen unter der Leitung von Carl Koldewey Richtung Nordpol vorrücken. Die »Germania« kommt bis 75° 30' Nord, wo sie auf undurchdringliches Eis stößt. Die »Hansa« wird vom Eis zerdrückt, nur mit Glück kann sich die Besatzung nach monatelangem Überlebenskampf in Sicherheit bringen.

Von 1872 bis 1874 versucht eine ungarisch-österreichische Expedition unter Carl Weyprecht, die Nordostpassage zu finden. Mehr als zwei Jahre sitzt die »Admiral Tegetthoff« im Packeis fest, bei ihrer Rückkehr werden die Teilnehmer als Helden gefeiert, obwohl ihr Triumph nicht der erhoffte war: Sie haben Franz-Josef-Land entdeckt und damit einige der letzten weißen Flecken von der Erdkarte getilgt.

Eine britische Arktis-Expedition durchfährt 1875 und 1876 unter der Leitung von George Strong Nares erstmals die Meerespassage zwischen der grönländischen Westküste und der Ellesmere-Insel. Die Passage trägt heute noch den Namen Nares-Straße. Den Nordpol erreichen sie nicht, aber sie bringen eine wertvolle wissenschaftliche Erkenntnis mit nach Hause: Die Theorie vom eisfreien Nordpolarmeer ist falsch.

Nachdem über Jahrhunderte nur die Küste Grönlands das Interesse der Seeleute und Entdecker geweckt hat, versucht sich nun auch eine Handvoll Wagemutiger an Reisen auf das Inlandeis. Diese Terra incognita regt die Phantasie an, man hofft, irgendwo dort oben grüne Oasen, wilde Tierherden oder zumindest eine »Sahara des Nordens« zu finden.

Im Jahr 1867 wandert der britische Alpinist Edward Whymper, der gerade mit der Erstbesteigung des Matterhorns Geschichte geschrieben hat, vom Westen aus auf das Inlandeis. Schon nach wenigen Kilometern muss er wegen des schwierigen Geländes und mangelhafter Ausrüstung umkehren.

Der Däne Jens Arnold Diderich Jensen führt 1878 in der Region Frederikshaab in Westgrönland eine Gruppe auf das Inlandeis. Spalten und Schmelzwasser erschweren das Vorankommen, nach etwa 70 Kilometern kehrt sie um.

Fünf Jahre später scheitert der Schwede Arnold Erik Nordenskiöld bei dem Versuch, den Eispanzer von der Diskobucht aus zu überqueren. Er selbst muss nach etwa 117 Kilometern aufgeben, erschöpft vom Ziehen der Schlitten durch unwegsames Gebiet. Doch zwei seiner Mitstreiter aus Lappland ziehen mit kleinstem Gepäck auf Skiern los, um noch weiter nach Osten zu gelangen. Innerhalb von 57 Stunden sollen sie auf perfektem Schnee unfassbare 460 Kilometer zurückgelegt haben, 230 Kilometer nach Osten und dann die gleiche Distanz wieder zurück. Viele Zeitgenossen Nordenskiölds zweifeln an der Glaubwürdigkeit dieser Rekordleistung. Um zu beweisen, dass so ein Tempo möglich ist, organisiert er ein Skirennen in Lappland über eine Distanz von 200 Kilometern. Einer seiner Skiläufer gewinnt tatsächlich in 21 Stunden und 22 Minuten – und zeigt damit, dass solche Distanzen bei guten Bedingungen zu schaffen sind.

Im Jahr 1886 setzt der Amerikaner Robert E. Peary erstmals seinen Fuß auf grönländisches Inlandeis, muss aber schon bald umkehren.

Inspiriert von den Ski-Erfolgen des Nordenskiöld-Teams fährt zwei Jahre später der Norweger Fridtjof Nansen mit fünf Begleitern nach Grönland.

Im Gegensatz zu allen vorherigen Versuchen einer Durchquerung bricht er an der Ostküste und nicht an der leichter zugänglichen Westküste auf. Seine ursprünglich geplante Route muss er aufgeben, weil er wegen der starken Strömung an der Küste seinen nördlicher gelegenen Ausgangspunkt nicht erreichen kann. Daraufhin verlegt er seinen Zielort in das südlichere Godthaab. In 49 Tagen legt er auf Skiern die 450 Kilometer lange

Strecke zurück, die Männer ziehen ihre Schlitten dabei selbst über das Eis.

Zwischen 1893 und 1903 unternimmt Robert Peary einige Schlittenreisen im Norden Grönlands, bei denen er die Grenze des Inlandeises und der Insel kartografieren kann.

Die nächste Durchquerung, erstmals in West-Ost-Richtung, gelingt dem Schweizer Alfred de Quervain 1912 – ziemlich genau auf der von Nansen ursprünglich geplanten Route.

Von April bis Juli 1913 überqueren der Däne Johann Peter Koch und der Deutsche Alfred Wegener sowie zwei weitere Männer das grönländische Inlandeis im Norden. Sie sind mit Pferdeschlitten unterwegs, die Tiere kommen wegen der Strapazen ums Leben. Die Gruppe erreicht nach rund 900 zurückgelegten Kilometern extrem erschöpft und nahe dem Hungertod die Westküste. Sie werden nur gerettet, weil sie durch Zufall von Einheimischen entdeckt wurden.

Damit sind die wesentlichen Routen über das Eis begangen, das Interesse an Grönland lässt nach, und die Welt richtet ihren Blick mehr auf die höchsten Berge der Erde als auf die Eiswüste. Ab den 1980er-Jahren gibt es jedoch eine Art Revival der Arktisregion. Die neue Abenteurergeneration wird kreativer in ihrer Zielsetzung, neue Rekorde aufzustellen: Die Phase der Superlative beginnt.

Einer Expedition unter der Leitung von Robert Peroni gelingt 1983 die bislang längste Ost-West-Durchquerung ohne Tiere oder Depots. In 88 Tagen legt die Gruppe von drei Männern im Norden Grönlands etwa 1400 Kilometer zurück. Bis dahin war allgemein nicht für möglich gehalten worden, mehr als etwa 500 Kilometer auf dem Eis zu schaffen, wenn man Verpflegung und Nahrung selbst im Schlitten ziehen muss. Peroni unternimmt ab 1988 wiederholt Versuche, als Erster das Inlandeis im kalten und dunklen arktischen Winter zu durchqueren, scheitert dabei jedoch.

Im Jahre 1992 gelingt erstmals einer nur aus weiblichen Teilnehmern bestehenden Expedition die Durchquerung. Leiterin ist die Norwegerin Liv Arneson.

Einen Geschwindigkeitsrekord stellt der Norweger Sjur Mordre 1995 auf: In nur acht Tagen durchquert er mithilfe von Kitesegeln das Inlandeis.

Rune Gjeldnes und Torry Larsen, ebenfalls aus Norwegen, gelingt 1996 die erste Süd-Nord-Durchquerung Grönlands. Auf ihrer Tour von Cape Farewell bis nach Cape Morris Jesup legen sie rund 2900 Kilometer in 86 Tagen auf dem Eis zurück. Eine solche Strecke ist nur möglich, weil sie einen großen Teil davon mit Kites zurücklegen. Dieses Fortbewegungsmittel nutzt 2005 auch die kanadische Greenspeed-Expedition: In sechs Tagen und 23 Stunden überqueren sie das Eis und stellen damit einen neuen Temporekord auf.

Extrem schnell unterwegs sind im gleichen Jahr auch Niklas Norman, Trygve Nakling Kristiansen und Carl Gustav Rye Florence: Für eine 2500 Kilometer lange Strecke zwischen Narsaq und Qaanaaq brauchen die Norweger nur 21 Tage, was einem Schnitt von 120 Kilometern pro Tag entspricht. Sie brechen zugleich den 24-Stunden-Segelrekord mit einer Distanz von 442,7 Kilometern.

Eric McNair-Landry aus Kanada und Sebastian Copeland aus den USA schaffen im Juni 2010 noch erheblich mehr: 595 Kilometer in 24 Stunden bringen ihnen bei einer Süd-Nord-Expedition einen Eintrag ins Guinness-Buch der Rekorde ein.

Die längste Strecke, die eine Arktis-Expedition ohne Unterstützung von außen bislang zurückgelegt hat, schafft der Brite Eric Hayes 2009 mit 3120 Kilometern auf dem Inlandeis. Die Zahl bezieht sich auf eine gerade Linie zwischen Anfangs- und Endpunkt. Die tatsächlich bewältigte Distanz liegt mit allen Umwegen und Abweichungen sogar bei 4260 Kilometern – das entspricht etwa der Luftlinie zwischen München und der Grenze zu Afghanistan.

Glossar

Anemometer – Mechanisches Messgerät zur Bestimmung der Windgeschwindigkeit mit Hilfe eines Propellers.

Angmasette – Fischart, die im deutschen Sprachgebrauch als Lodde bekannt ist und an Grönlands Küsten häufig vorkommt.

Angmagssalik – Früherer Name von Tasiilaq, dem größten Ort an der grönländischen Ostküste.

Begolin – Sonnenschutzmittel, das Anfang des 20. Jahrhunderts verwendet wurde.

Frauenboot (Umiak) – Offenes Robbenfellboot, das Platz für bis zu 15 Menschen bot und über Jahrhunderte von den Inuit auch für den Walfang verwendet wurde. Das Kajak mit nur einem Sitz dagegen galt als »Männerboot«.

Gneis – Gestein mit Paralleltextur, das mehr als 20 Prozent Feldspat enthält.

Godthaab – Bedeutet »Gute Hoffnung«. Früherer Name für Nuuk, die heutige Hauptstadt Grönlands.

Hypsometer – Auch: Hypsothermometer. Gerät zur barometrischen Höhenmessung, dass Bruchteile eines Grades anzeigen kann und dadurch besonders genau ist.

Kalben – In der Glaziologie: Abbrechen größerer Eismassen von einem Gletscher ins Wasser.

Kamiker – Kniehohe wasserdichte Stiefel der Inuit, häufig aus Seehundleder.

Kiel (Eisberg) – Unter Wasser verborgener Teil eines Eisbergs, dessen Masse etwa 85 Prozent des gesamten Gebildes beträgt.

Kleiner Hildebrand – Tragbarer →Theodolit

Kryokonit – Emissionen von Waldbränden und Abgasen, die der Wind auf Eisflächen verteilt, was zu einer Beschleunigung der Schmelze führt.

Nunatak – Isolierter Felsen oder Berg, der aus einer großen Gletscher- oder Inlandeismasse aufragt.

Pemmikan – Lange haltbare Mischung aus Dörrfleisch und Fett.

Persenning – Gewebe, das zur wasserfesten Abdeckung von Bootsteilen verwendet wird.

Pulka – Bootsähnlich konstruierter Schlitten, der in seiner heutigen Form auf Wintertrekkingtouren und Expeditionen im Eis für den Materialtransport verwendet und von Menschen gezogen wird.

Sondierstange – Im Fall der Schweizer Expedition eine etwa drei Meter lange Stange aus Bambus mit Metallspitze, die dazu diente, die Schnee- und Eiskonsistenz zu erfassen.

Spanten – Rippenartige Holzbalken im Schiffsbau, die dem Rumpf seine Form und Stabilität geben.

Stereoskop – Optische Apparatur, mit der man zwei aus unterschiedlichen Blickwinkeln aufgenommene Aufnahmen eines Objekts so betrachten kann, dass der Eindruck räumlicher Tiefe entsteht.

Theodolit – Geodätisches Vermessungsgerät zur Bestimmung von Horizontalwinkel und Vertikalwinkel – damit können Entfernungen und Höhenveränderungen abgelesen werden.

Tüften – Kartoffeln.

Tüpen – Umgangsprachliches Wort für »Fotografieren«, das die Schweizer Expeditionsmitglieder 1912 verwendeten, vermutlich verwandt mit Begriffen wie Daguerreotypie.

Umiak → siehe Frauenboot

Literatur und Quellen

Roald Amundsen, *Die Eroberung des Südpols*, Stuttgart 1993.

Hermann Buhl, *Achttausend drüber und drunter*, München 2005.

Kurt Diemberger, *Aufbruch ins Ungewisse*, München 2004.

Adolf Eugen Gaston Fick, *Aus meinem Leben*, Herrsching 1926 (unveröffentlichtes Tagebuch).

Roderich Fick, *Grönlandexpedition 1912 – Tagebuchaufzeichnungen*, Privatbesitz.

Fergus Fleming/Annabel Merullo, *Legendäre Expeditionen – 50 Originalberichte*, Hamburg 2006.

Friederike Hellerer, *Roderich Fick – Baumeister in Herrsching*, Herrsching 2007.

Wilfried Korth, *Die Schönheit der Monotonie – Expeditionstagebuch der Grönlanddurchquerung 2002*, Dresden 2006.

Michael Köhlmeier, *Spielplatz der Helden*, München 1988.

Jon Krakauer, *In eisige Höhen*, München 1998.

Freddy Langer (Hg.), *Grönland – Ein Reiselesebuch*, Hamburg 2008.

Markus Lanz, *Grönland – Meine Reisen ans Ende der Welt*, Hamburg 2011.

Huw Lewis-Jones, *Abenteurer im Eis – Porträts 1845 – heute*, München 2009.

Reinhold Messner, *Pol – Hjalmar Johansens Hundejahre*, München 2011.

Reinhold Messner, *Überlebt – alle 14 Achttausender*, München 1987.

Fridtjof Nansen, *Auf Schneeschuhen durch Grönland*, Lenningen 2003.

Neue Zürcher Zeitung, *Von der Schweizerischen Grönlandexpedition*, Zürich 1912/1913, diverse Ausgaben.